강력한 건국대 인문계 논술

기출문제

저자 소개

저자 김근현은 현재 탁트인 교육, 일으킨 바람, 에듀코어 대표이다.
前 메가스터디 온라인에서 대입 논술과 면접, 자기소개서, 학생부종합 등 다양한 동영상
강의를 하였다.
현재는 학습 프로그램 개발 및 연구 활동을 통해 교육의 발전을 고민하고 있다.
홍익대학교에서 전자전기공학부를 졸업하고 동대학원에서 전자공학 석사(반도체 레이저)를
전공하였다. 또한 연세대학교 교육경영최고위자 과정을 마쳤으며 연세대학교 교육대학원에서
평생교육 경영을 공부하고 있다.

강력한 건국대 인문계 논술 기출문제

발   행 | 2023년 08월 14일
개정판 | 2024년 06월 24일
저   자 | 김근현
펴낸이 | 김근현
펴낸곳 | 일으킨 바람
출판사등록 | 2018.11.12.(제2018-000186호)
주   소 | 경기도 고양시 일산서구 하이파크 3로 61 409동 1503호
전   화 | 031-713-7925
이메일 | iIleukinbaram@gmail.com

ISBN | 979-11-93208-76-2

www.iluekinbaram.com
ⓒ 김 근 현 2023

강력한

건국대 인문계

논술 기출문제

김근현 지음

차례

머리말

 책을 쓰기 위해 책상에 앉으면 아쉬움과 안타까움, 나의 게으름에 늘 한숨을 먼저 쉰다.
왜 지금 쓸까?
왜 지금에서야 이 내용을 쓸까?
왜 지금까지 뭐했니?
스스로 자책을 한다.

또 애절함도 함께 느낀다.
시험이 코앞에서야 급한 마음에 달려오는
수험생들에게 왜 미리 제대로 준비된 걸 챙겨주지 못했을까?
그렇게 하루, 한 달, 일 년 그렇게 몇 해가 지나 이제야 조금 마음의 짐을 내려놓는다.

입에 단내 가득하도록 학생들에게 강의를 했고,
코앞에 다가온 연속된 수험생의 긴장감을 함께하다보면
그렇게 바쁘게 초조하게 지냈던 것 같다.

그렇게 함께했던 시간을 알기에
부족하겠지만
부디 이 책으로 수험생들이 부족한 일부를 채울 수 있고,
한 걸음이라도 희망하는 꿈을 향해 다갈 수 있길 간절히 바래 본다.

김 근 현

I. 건국대학교 논술 전형 분석

1. 논술 전형 분석

1) 전형 요소별 반영 비율

전형요소	최고점	최저점	차이	실질반영 비율
논술고사	1,000	0	1,000	100%

2) 학생부 교과 반영

없음

3) 수능 최저학력 기준

인문계열 수능최저학력기준 완화: [2023학년도] 2합 4 → [2024학년도] **2합 5**

계열	2023학년도	2024학년도	비고
인문	국, 수, 영, 사/과탐(1과목) 중 2개 등급 합 4	국, 수, 영, 사/과탐(1과목) 중 **2개 등급 합 5**	한국사 5등급 (공통)

계열별로 명시된 수능최저학력기준의 모든 영역을 반드시 응시하여야 함
* 미적분 또는 기하 중 택1
** 과학 과목 중 2과목을 응시하여 그 중 높은 과목 반영

4) 논술 전형 결과

● 수능최저학력기준 충족률:응시자 기준(모집인원 3명 이하는 결과를 공개하지 않음)
● 논술점수: 최종등록자의 평균값(1,000점 만점)

(ㄱ) 2024학년도 논술 전형 결과

단과대학	모집단위	모집인원	경쟁률	충원인원	수능최저 충족률(%)	논술평균
문과대학	국어국문학과	6	72.67	-	57.44	955.83
	영어영문학과	6	77.17	-	59.43	949.33
	중어중문학과	5	77	-	61	926
	철학과	5	70	-	52	966
	사학과	4	70.75	1	53.05	943.75
	미디어커뮤니케이션학과	6	122.33	-	53.67	947.83
사회과학대학	정치외교학과	4	83.5	1	60	926.5
	경제학과	16	33	1	61.94	855.84
	행정학과	7	84	1	56	931
	국제무역학과	7	33	1	59	791
	응용통계학과	4	34	-	53	848
	융합인재학과	7	89	-	61.46	937.43
	글로벌비즈니스학과	4	79	1	53	909
경영대학	경영학과	30	40	-	64	840
	기술경영학과	4	33	-	50	876
부동산과학원	부동산학과	8	27	-	58.1	844.03

(ㄴ)　2023학년도 논술 전형 결과

단과대학	모집단위	모집인원	경쟁률	충원 인원	수능최저 충족률(%)	논술평균
문과대학	국어국문학과	6	63	1	42	933
	영어영문학과	6	62	2	54	908
	중어중문학과	5	61	-	43	906
	철학과	5	59	1	44	929
	사학과	4	58	1	40	913
	미디어커뮤니케이션학과	6	93	-	41	931
사회과학대학	정치외교학과	4	64	-	32	914
	경제학과	16	26	4	52	908
	행정학과	7	66	1	46	898
	국제무역학과	7	30	1	44	902
	응용통계학과	4	28	-	48	890
	융합인재학과	7	71	1	42	900
	글로벌비즈니스학과	4	62	2	45	892
경영대학	경영학과	30	36	4	50	902
	기술경영학과	4	25	2	43	864
부동산과학원	부동산학과	8	22	1	50	914

(ㄷ)　2022학년도 논술 전형 결과

● 수능최저학력기준 충족률: 응시자 기준
● 논술점수: 최종등록자의 평균값(100점 만점)

단과대학	모집단위	모집인원	경쟁률	수능최저 충족률(%)	논술평균	충원율 (%)
문과대학	국어국문학과	6	62	39	93	33
	영어영문학과	5	62	46	90	20
	중어중문학과	5	58	38	87	40
	철학과	4	56	43	92	-
	사학과	4	59	41	92	-
	지리학과	3	57	54	88	-
	미디어커뮤니케이션학과	6	115	41	93	17
	문화콘텐츠학과	3	88	39	93	-
사회과학대학	정치외교학과	4	61	40	92	25
	경제학과	16	30	46	84	13
	행정학과	7	70	41	92	14
	국제무역학과	7	36	42	81	-
	응용통계학과	4	33	49	83	-
	융합인재학과	7	71	51	88	57
	글로벌비즈니스학과	4	63	44	92	-
경영대학	경영학과	30	42	49	83	13
	기술경영학과	4	28	43	82	25
부동산과학원	부동산학과	8	29	52	84	-

(ㄹ)　　2021학년도 논술 전형 결과

대학	모집단위	모집 인원	경쟁률	수능최저학력기준 충족률(%)	논술 점수	충원율 (%)
문과대학	국어국문학과	6	66	41	93.0	17
	영어영문학과	5	63	58	90.8	20
	중어중문학과	5	64	47	91.4	-
	철학과	4	62	41	90.5	-
	사학과	4	61	37	89.8	-
	지리학과	3	60	54	89.0	-
	미디어커뮤니케이션학과	6	122	49	92.8	17
	문화콘텐츠학과	3	90	56	88.0	33
사회과학 대학	정치외교학과	5	67	53	92.5	-
	경제학과	16	40	65	72.0	13
	행정학과	8	75	55	92.2	13
	국제무역학과	7	38	57	70.7	14
	응용통계학과	4	45	72	85.2	-
	융합인재학과	8	75	56	93.0	13
	글로벌비즈니스학과	4	65	49	88.4	50
경영대학	경영학과	30	47	62	74.9	3
	기술경영학과	4	32	59	71.1	-
부동산과학원	부동산학과	8	37	63	69.6	13

(ㅁ)   2020학년도 논술 전형 결과

대학	모집단위	모집 인원	경쟁률	수능최저학력기준 충족률(%)	논술 점수	충원율 (%)
문과대학	국어국문학과	6	91	53	93.3	17
	영어영문학과	5	93	54	93.0	20
	중어중문학과	5	88	47	90.7	-
	철학과	4	90	54	93.5	-
	사학과	4	88	46	93.9	-
	미디어커뮤니케이션학과	6	143	53	92.5	33
	문화콘텐츠학과	3	100	54	91.2	-
사회과학 대학	정치외교학과	6	93	51	89.8	-
	경제학과	16	54	70	76.2	19
	행정학과	9	96	57	90.2	33
	국제무역학과	7	56	62	72.0	14
	응용통계학과	4	57	76	76.3	25
	융합인재학과	8	95	55	90.8	13
	글로벌비즈니스학과	4	89	53	90.4	-
경영대학	경영학과	32	63	68	80.0	6
	기술경영학과	5	47	66	73.5	40
부동산과학원	부동산학과	8	39	65	73.5	13

2. 논술 분석

구분	인문계열	
출제 근거	고교 교육과정 내 출제	
출제 범위	국어 교과	국어, 화법과 작문, 독서, 언어와 매체, 문학
	사회(역사/도덕 포함)	한국지리, 세계지리, 세계사, 동아시아사, 경제, 정치와 법, 사회·문화, 생활과 윤리, 윤리와 사상
논술유형	인문 사회Ⅰ : 인문형, 인문 사회Ⅱ : 인문형 + 인문 수리 논술	
문항 수	인문 사회Ⅰ : 2문항 인문 사회Ⅱ : 인문형 1문항 + 인문 수리 논술 3문항	
답안지 형식	인문 사회Ⅰ : 원고지 형 인문 사회Ⅱ : 원고지 형 및 분량 제한 없는 밑줄 형	
고사 시간	100분	

1) 출제 구분 : 계열 구분

2) 출제 유형 :

구분	인문사회Ⅰ		인문사회Ⅱ			
고사시간	100분		100분			
문항수	2문항		4문항			
문항배점	1번	2번	1번	2-1번	2-2번	2-3번
	40%	60%	40%	15%	20%	25%
글자수	401~600자	801~1,000자	401~600자	-		
출제범위	국어, 사회		국어, 사회	수학, 사회		
	인문, 사회, 문학 분야의 다양한 지문		(1번) 인문, 사회, 문학 분야의 다양한 지문 (2번) 수학 범위: 수학, 수학Ⅰ, 수학Ⅱ, 확률과통계			

고사계열	출제 및 평가 방법
인문 사회Ⅰ	도표 자료가 포함된 인문, 사회, 문학 분야의 다양한 지문을 바탕으로 종합적인 사고를 측정할 수 있도록 출제 사고의 최종적 결과물 외에 사고 과정까지 평가할 수 있도록 출제 인문/사회 분야 지문을 바탕으로 이해력, 분석력, 논증력, 창의성, 표현력 등 평가
인문 사회Ⅱ	지문 제시형과 수리 논증형을 복합한 형태로 출제 사고의 최종적 결과물 외에 사고과정까지 평가할 수 있도록 출제 인문/사회 분야 지문을 바탕으로 이해력, 논증력, 표현력 등 평가 수리적 분석을 요하는 자료를 통해 논리적 사고력과 문제해결 능력 평가

3) 출제 방향 :

각 교과의 기본 개념들을 충분히 숙지하고, 그 개념들의 인문학적, 사회과학적 맥락을 파악하는 것이 논술 준비의 기본이라고 할 수 있다. 논술 시험은 학생들의 논리적 분석력과 종합적인 이해능력을 묻고 있는 문항들로 이루어져 평소에 다양한 교과 학습을 통해서 다양한 주제의 글들을 주체적으로 읽고, 논리적이고 비판적으로 대응하는 연습을 꾸준히 하는 것이 중요하다.

3. 출제 문항 수

구분	인문사회 I	인문사회 II
문항수	2문항	4문항

4. 시험 시간
· **100분**

5. 논술 유의사항

1. 시험 시간은 100분 입니다.
2. 제목은 쓰지 말고 본문부터 쓰기 시작합니다.
3. 1번 문항은 답안지 앞면의 [문제 1]로 기재된 답안 영역에, 2번 문항은 답안지 뒷면의 [문제 2]로 기재된 답안 영역에 답안을 작성해야 합니다.
4. 답안은 어문 규범과 원고지 사용 규칙을 따라 작성하되, 분량은 각 문제마다 요구하는 글자 수 이내로 작성해야 합니다.(글자 수를 초과하거나 미달한 답안은 감점 처리함)
5. 답안지상의 수험번호 및 생년월일은 반드시 컴퓨터용 사인펜을 사용하여 표기해야 합니다.
6. 답안지상의 수험번호 및 생년월일은 수정이 불가하며, 수정해야 할 경우 반드시 답안지를 교환해야 합니다.
7. 답안 작성 시에는 반드시 흑색 필기구만(연필, 샤프, 검정색 볼펜)을 사용해야 하며, 다른 색의 필기구는 사용할 수 없습니다.(흑색 이외의 색 필기구로 작성한 답안은 모두 최하점으로 처리함)
8. 답안 작성 및 수정 시에는 개인이 지참한 흑색 필기구, 지우개, 수정테이프 사용이 가능합니다.
9. 문제와 관계없는 불필요한 내용이나 자신의 신분을 드러내는 내용이 있는 답안, 낙서 또는 표식이 있는 답안은 모두 최하점으로 처리합니다.

II. 기출문제 분석

1. 출제 경향

학년도	교과목	질문 및 주제
2024학년도 수시 논술 인문사회계Ⅰ	국어, 문학, 독서, 화법과작문, 통합사회, 세계지리	[가]와 [나]를 참고하여 [다]의 도표를 분석하시오. (401-600자)[40점]
		[가]와 [나]의 시각에서 [라]에 대하여 논하시오. (801-1,000자) [60점]
		인간, 갈등, 접점, 이해, 공존, 생명, 존중, 행복
2024학년도 수시 논술 인문사회계Ⅱ	국어,통합사회, 세계지리,경제 수학, 수학Ⅰ, 수학Ⅱ, 확률과 통계	[문제 1]: [가]와 [나]를 참고하여 [다]의 도표를 분석하시오. (401-600자) [40점]
		[문제 2-1]: [라], [마], [바], [사], [아], [자]를 참고하여 다음 물음에 답하시오. [15점]
		[문제 2-2]: [차], [카]를 참고하여 다음 물음에 답하시오. [20점]
		갈등, 접점, 이해, 공존 확률, 실업률, 출산률, 물가상승률, 도함수, 정적분
2024학년도 모의 논술 인문사회계Ⅰ	윤리와 사상, 독서, 통합사회, 문학	[가]와 [나]를 참조하여 [다]의 도표를 분석하시오. (401-600자) [40점]
		[가]와 [나]의 핵심 개념을 활용하여 [라]의 주요 인물의 태도 변화에 대해 논하시오. (801-1,000자) [60점]
		인간 본성론(맹자, 고자, 정약용), 네트워크, 사이버 범죄
2024학년도 모의 논술 인문사회계Ⅰ	윤리와 사상, 독서, 통합사회, 문학	[가]와 [나]를 참조하여 [다]의 도표를 분석하시오. (401-600자) [40점]
		인간 본성론(맹자, 고자, 정약용), 네트워크, 사이버 범죄
	경제, 수학 Ⅱ	효용함수, 도함수를 이용한 극댓값, 함수의 극대 극소, 이차, 삼차함수의 미분 및 최대 최소, 정적분
2023학년도 수시 논술 인문사회계Ⅰ	국어, 문학, 독서, 화법과작문, 언어와매체, 통합사회, 사회문화	1. (가)와 (나)를 참고하여 (다)의 도표를 분석하시오.
		2. (가)와 (나)의 관점을 반영하여 (라)의 인물 간 관계 양상을 논하시오.
		인간, 자연, 환경, 리듬, 조화, 존중, 공존, 행복

학년도	교과목	질문 및 주제
2023학년도 수시 논술 인문사회계 II	국어, 문학, 독서, 화법과작문, 언어와매체, 통합사회, 회문화	1. (가)와 (나)를 참고하여 (다)의 도표를 분석하시오.
	수학, 수학 I, 수학 II, 확률과 통계, 경제	로그 부등식, 증가, 감소, 극대, 극소, 함수의 그래프, 접선의 방정식, 방정식과 부등식에의 활용, 정적분, 적분과 미분의 관계, 조건부 확률, 경기 변동, 물가상승률
2023학년도 모의 논술 인문사회계 I	독서, 통합사회, 경제	1. (가)와 (나)의 관점을 바탕으로 (다)의 도표를 분석하시오.
		2. (가)와 (나)의 주요 개념을 적용하여 (라)에 나타난 인물의 행동과 심리를 논하시오.
		삶에 대한 태도, 유리 천장, 삶의 지수, 생물의 다양성, 사회 자본
2023학년도 모의 논술 인문사회계 II	수학, 수학 I, 수학 II, 확률과통계	1. (가)와 (나)의 관점을 바탕으로 (다)의 도표를 분석하시오.
		연립부등식, 함수의 최댓값, 조건부 확률
2022학년도 수시 논술 인문사회계 I	국어,문학,독서,화법과작문,언어와매체,통합사회,사회문화,세계지리	[가]와 [나]의 핵심 개념을 활용하여 [다]의 자료를 분석하시오.
		[가], [나]와 관련지어 [라]의 인물들에 대해 논평하시오.
		선한 본성, 호모 에코노미쿠스, 공공선, 공정무역
2022학년도 수시 논술 인문사회계 II	국어,문학,독서,화법과작문,언어와매체,통합사회,사회문화,세계지리	[가]와 [나]의 핵심 개념을 활용하여 [다]의 자료를 분석하시오.
	수학, 수학 I, 수학 II, 확률과 통계	함수의 극한, 도함수, 극대, 극소, 최대, 최소, 함수의 그래프, 정적분, 적분과 미분의 관계, 조건부 확률 다항식의 해,
2022학년도 모의 논술 인문사회계 I	독서, 국어, 통합사회	[가]와 [나]의 관점을 바탕으로 [다]의 도표를 분석하시오.
		[가]와 [나]의 주요 개념을 적용하여 [라]에 나타난 인물의 행동과 심리를 논하시오.
		가치 있는 삶, 행복한 삶, 소유, 존재, 일과 삶의 만족도, 자신의 삶의 명분, 주체성을 중시하는 삶

학년도	교과목	질문 및 주제
2022학년도 모의 논술 인문사회계 Ⅱ	독서, 국어, 통합사회	[가]와 [나]의 관점을 바탕으로 [다]의 도표를 분석하시오.
	경제, 확률과 통계	조건부 확률, 수요 공급 곡선, 이산 확률 분포, 함수의 최대 최소, 연립방정식, 등비수열, 부등식, 기댓값
2021학년도 수시 논술 인문사회계 Ⅰ	국어,문학,독서,화 법과작문, 언어와매체 통합사회,사회문화	[가]와 [나]의 관점을 바탕으로, 한국인의 인식에 초점을 맞추어 [다] 도표를 분석하시오.
		[가]와 [나]의 요지를 참고하여 [라]에 나타난 '관계'를 논하시오.
		관계, 입장, 인식, 주체, 존재, 다양성
2021학년도 수시 논술 인문사회계 Ⅱ	국어,문학,독서,화 법과작문, 언어와매체 통합사회,사회문화	[가]와 [나]의 관점을 바탕으로, 한국인의 인식에 초점을 맞추어 [다] 도표를 분석하시오.
	수학, 수학 Ⅰ, 수학 Ⅱ, 확률과 통계	경우의 수, 순열, 확률의 덧셈정리, 이산확률변수의 기댓값, 이항분포, 정규분포, 이항분포와 정규분포의 관계, 미분계수, 정적분, 통계, 의사결정
2020학년도 수시 논술 인문사회계 Ⅰ	국어Ⅰ,국어Ⅱ,독서 와문법,문학,고전 한국지리, 사회·문화, 윤리와 사상, 생활과 윤리	[가]의 '구성원의 행위'와 [나]의 '구조의 제약'을 바탕으로 [다]의 도표를 분석하시오.
		[가]의 '사회학적 상상력'과 [나]의 '코드' 개념을 적용해서 [라]의 '토포러 현상'을 논하시오.
		구성원의 행위, 구성원의 제약, 사회학적 상상력, 코드
2020학년도 수시 논술 인문사회계 Ⅱ	국어Ⅰ,국어Ⅱ,독서 와문법,문학,고전 한국지리, 사회·문화, 윤리와 사상, 생활과 윤리	[가]의 '구성원의 행위'와 [나]의 '구조의 제약'을 바탕으로 [다]의 도표를 분석하시오.
	사회, 경제, 수학I, 수학Ⅱ, 미적분Ⅰ	보조금, 조세체계, 소득세, 수요의 가격 탄력성, 공급곡선, 수입변화

2. 출제 의도

학년도	출제의도
2024학년도 수시 논술 인문사회계 I	핵심 과제는 갈등 상황에 대한 원인 파악과 창조적 해법 제시이다. 현 세계는 입장과 욕망의 차이에 따른 갖가지 사회적 갈등이 가득하며, 이는 내적 갈등과 불행을 낳고 있다. 갈등 상황과 관련되는 자료([다], [라])를 분석 대상으로 제시하는 한편 이를 해결하는 데 필요한 시각이 담긴 지문([가], [나])을 함께 제시하는 가운데, 수험생들로 하여금 양자를 논리적으로 연결시켜 문제 상황에 대해 올바른 분석적 판단을 내리고 창의적인 해법을 찾아낼 수 있도록 했다.
	[문제 2]의 지문 [라]는 박완서 작가의 소설 「해산 바가지」의 한 부분으로, 구체적 일상 속의 외적, 내적 갈등을 생생하게 보여주는 한편 이에 대한 근본적이면서도 창조적인 해법을 제시한다. 작중의 '나'와 시어머니는 서로 접점을 찾지 못하는 심각한 갈등 상황에 있었는데, '나'는 겉으로 드러난 행동 이면의 내적 진실과 가치를 열린 눈으로 보는 '거꾸로 보기'를 통해 시어머니와 공존하면서 함께 행복해질 수 있는 길을 찾아낸다. 그 해법은 회피나 외면이 아닌 '만남'과 '부딪침'을 통해 이루어낸 것이어서 임시적 봉합을 넘어선 본원적 해결로서 의의를 지닌다. 시어머니의 평화로운 임종과 '나'의 성취감은 이를 잘 보여준다. 만약 수험생이 [라]의 문제상황을 정확히 이해하고 [가]의 '열린 눈'과 '거꾸로 보기', [나]의 '부딪침'과 '접점' 등의 개념과 시각을 잘 연결해서 갈등에 대한 창조적 해법에 대해 논술하면 좋은 평가를 받게 될 것이다.
2024학년도 수시 논술 인문사회계 II	[문제 1]은 사회적 갈등 상황에 대한 분석적 이해와 창조적 해결이다. 갈등을 이해하고 해결하는 데 필요한 시각이 담긴 지문 [가]와 [나]를 참고해서 구체적 문제 상황 정보가 담긴 [다]의 도표를 분석하도록 했다. 지문 [가]는 익숙한 방식으로 세상을 바라보는 시각을 바꿈으로써 고정 관념에서 벗어나 상대방이나 현실 세계가 지닌 새로운 가치와 긍정적 모습을 발견하는 것의 중요성을 말하고 있다. 그리고 [나]는 서로 의견이 갈리고, 부딪치는 '접점'이 오히려 내가 알지 못했던 것을 깨닫게 해주면서 상대에 대한 이해와 생산적 공존을 가능하게 함을 말하고 있다. 이를 잘 연결시켜서 [다]에 제시된 세 종류의 도표를 통합적으로 분석하도록 한 것이 [문제1]이다.
	[문제 2]는 경제적 문제의 이해와 해결에 초점을 맞춘 수리논술로 출제하였다. 실제 현실에서 분석과 해결이 필요한 여러가지 상황에 대한 논리적이고 수리적인 문제해결 능력을 평가하고자 했다. [문제 2-1]은 기본적인 수학적 능력과 논리력을 살펴보는 한편 확률적인 사고를 할 수 있는지를 평가하고자 한 것이다. [문제 2-2]는 특정한 경

학년도	출제의도
	제 환경 하에서 경제 주체의 합리적 선택을 도출하는 문제로서, 논리적 사고력과 수리적 문제풀이 능력을 평가하고자 했다. [문제 2-3]은 주어진 과거 데이터로부터 직선식을 도출한 뒤 그 직선식을 이용하여 미래 시점의 현상을 예측하는 과정을 밟도록 한 것이다.
2024학년도 모의 논술 인문사회계 I	[다]의 도표에 나타난 현상을 [가]의 인간 본성론과 [나]의 네트워크 이론의 핵심 개념과 연결지어 설명할 것을 요구한다. 구체적으로 [도표 1]에서는 인터넷을 경유한 각종 신종범죄의 급증 현상을, [도표 2]에서는 사이버 범죄 경험의 일상성과 그 대상의 무차별성을 파악하여야 하고, 이를 [가]의 인성론 및 [나]의 네트워크 이론과 연결지을 수 있어야 한다. 즉, 인터넷이라는 사이버 세상이 사람의 악한 본성을 발현시키는 환경이 될 수 있음과, 강력한 네트워크 허브라는 인터넷의 속성이 [도표 2]에서 보이는 현상과 관련 있음을 파악할 수 있어야 한다.
	[문제 2]는 [가], [나]의 핵심 개념을 적용하여 [라]에 등장하는 두 주요 인물인, 문 서방과 김범우의 변화를 설명하고, 그 의미를 파악할 것을 요구한다. [가]는 인간 본성에 대한 고자와 맹자, 정약용의 견해를 제시하며, [나]는 사회관계나 인터넷망을 네트워크의 관점에서 보고 복잡계 네트워크의 특징에 대해 설명하고 있다. [가], [나]의 핵심 개념인 '본성'과 '네트워크'를 활용하여 문 서방과 김범우의 변화를 설명할 수 있어야 한다.
2024 모의 논술 인문사회계 II	[문제 1]은 [가], [나]를 활용해 [다]의 도표를 분석할 것을 요구한다. [가]와 [나]는 각각 인간 본성에 대한 철학적 논의, 실제 세계와 가상 세계에 모두 적용되는 네트워크에 대한 사회학적 논의이기에 둘의 공통점을 발견하기는 어렵다. 하지만 분석을 통해 [도표 1], [도표 2]에서 인터넷이 범죄를 쉽게 저지를 만한 환경을 조성한다는 공통점을 맹자의 본성론과 연결지어야 하고, [도표 2]에서 인터넷이 다중 허브를 중심으로 구성된 복잡계 네트워크라는 특성을 가지고 있음을 간파해야 한다. 이와 같이 [문제 1]에서는 [가]와 [나]의 핵심 개념을 정확하게 이해한 후에, 그것을 바탕으로 도표의 지표들이 주는 의미를 읽어내는 능력을 파악하고자 하였다.
	[문제 2-1]은 제약 하의 최적화를 구하는 문제이다. 즉 주어진 예산을 두 재화에 배분하는 방식 중 효용을 최대로 만드는 배분을 찾는 문제이다. 이 문제에서는 제약식을 정확하게 설정하는 능력과 이를 효용함수에 대응한 후 도함수를 이용하여 함수의 극댓값을 찾는 능력을 파악하고자 하였다. [문제 2-2]는 함수의 극댓값을 찾는 문제와 극댓값이 0보다 클 조건을 찾는 문제를 결합하였다. 우선 이윤이 극대가 되는 생산량을 구

학년도	출제의도
	한 후 그 때의 이윤을 구하여야 하며, 이 값이 0보다 클 조건을 찾아야 한다. 문제에 "최대" 또는 "극대"라는 표현이 없지만 문제의 상황으로부터 이윤의 극댓값이 0보다 클 조건을 찾는 문제라는 점을 논리적으로 도출하고 이를 계산할 수 있는 능력을 파악하고자 하였다.

[문제 2-3]은 이차방정식, 삼차방정식의 미분 및 최대 최소, 정적분의 개념을 활용하는 문제이다. 생애 주기에 따른 재무 계획은 한 개인의 생존에 중요한 역할을 하므로 일생에 발생할 수 있는 중요한 수입과 지출의 항목 및 크기 등을 예측하고 노후의 빈곤한 삶을 피하기 위하여 젊은 시절 자기 계발 등을 통하여 수입을 극대화하는 과정을 일종의 최댓값 문제로 표현하였다 |
| 2023학년도 수시 논술 인문사회계 I | 지문 [가]와 [나]는 세계를 구성하는 여러 요소의 동반자적 조화를 화두로 삼는 것들이다. [가]는 만유의 생명적 일원성에 대한 인식을 바탕으로 인간과 자연의 평화적 공생과 합일을 추구하는 관점에서 '문명인'들의 자기중심적 독단과 자연 및 타자에 대한 일방적 공격을 비판하면서 그것이야말로 야만이고 폭력이라고 말한다. 그리고 [나]는 서로 속도가 다른 것들의 공존적 조화를 필요로 하는 '리듬'에 대한 이야기를 통해 인간과 세계, 인간과 인간의 아름다운 공생적 관계 형성의 필요성을 말하고 있다. 두 지문은 '다른 것'을' 틀린 것'으로 보는 대신 그 자체로 인정하고 존중해야 할 대상으로 본다는 공통성을 지닌다.

[문제 1]에서는 이 두 지문을 참고하여 [다]의 도표를 분석하도록 했다. [다]의 두 도표에는 한국 사회의 현주소를 단면적으로 보여주는 여러 정보들이 담겨 있는데, 그 자료가 시사하는 문제점을 [가], [나] 지문과 연결시켜 정확하게 짚어내는 것이 문제 풀이의 관건이 된다. |
| | [문제 2]에서는 지문 [가]와 [나]의 관점을 반영해서 문학 지문에 해당하는 [라]를 통찰하도록 했다. [라]는 김재영 작가의 소설 <꽃가마배>에서 뽑은 것으로, 결혼 이주민이라는 '우리 안의 타자'에 대한 편견과 억압, 화해와 공존의 문제를 생생하고도 감동적인 형상으로 그려내고 있다. |
| 2023학년도 수시 논술 인문사회계 II | 지문 [가]와 [나]는 세계를 구성하는 여러 요소의 동반자적 조화를 화두로 삼는 것들이다. [가]는 만유의 생명적 일원성에 대한 인식을 바탕으로 인간과 자연의 평화적 공생과 합일을 추구하는 관점에서 '문명인'들의 자기중심적 독단과 자연 및 타자에 대한 일방적 공격을 비판하면서 그것이야말로 야만이고 폭력이라고 말한다. 그리고 [나]는 서로 속도가 다른 것들의 공존적 조화를 필요로 하는 '리듬'에 대한 이야기를 통해 인간과 세계, 인간과 인간의 아름다운 공생적 관계 형성의 필요성을 말하고 있다. 두 지문은 '다른 것'을' 틀린 것'으로 보 |

학년도	출제의도
	는 대신 그 자체로 인정하고 존중해야 할 대상으로 본다는 공통성을 지닌다. [문제 1]에서는 이 두 지문을 참고하여 [다]의 도표를 분석하도록 했다. [다]의 두 도표에는 한국 사회의 현주소를 단면적으로 보여주는 여러 정보들이 담겨 있는데, 그 자료가 시사하는 문제점을 [가], [나] 지문과 연결시켜 정확하게 짚어내는 것이 문제 풀이의 관건이 된다. 경제적 문제의 이해와 해결에 초점을 맞춘 수리논술로 출제하였다. 실제 현실에서 분석과 해결이 필요한 여러 가지 상황에 대한 논리적이고 수리적인 문제해결 능력을 평가하고자 했다. [문제 2-1]은 로그의 성질을 이용한 연산을 통해 개인의 경제적 선택 문제를 수리적으로 해결할 수 있도록 했다. [문제 2-2]에서는 주어진 자료를 우리에게 필요한 정보로 가공할 수 있는 논리성을 평가하고자 했다. 조건부 확률의 개념을 정확히 이해하고 있어야 풀 수 있는 문제이다. [문제 2-3]은 정부 또는 중앙은행의 정책적 개입이 물가상승률에 영향을 미치는 경우 정책 목표를 이루기 위한 조건을 구하는 문제로 출제 했다. 물가라는 현실적 문제에 대한 수리적 이해와 해법을 찾도록 했다. 다항식의 연산 및 미적분의 기본적인 개념을 이용하여 풀 수 있도록 했다.
2023학년도 모의 논술 인문사회계 I	[문제 1]은 [가], [나]의 핵심 개념을 활용해 [다]의 도표를 분석할 것을 요구한다. [가]의 '사회 자본'은 사회적 신뢰와 인적 관계를 통해 거래 비용을 절감하여 인적, 물적 자원의 생산성을 높일 수 있다는 개념으로, 이를 바탕으로 공동체 발전과 개인 삶의 질이 향상될 수 있다고 주장한다. [나]는 진화에 대해 설명하고 있지만 핵심은 진화가 아니라 공존을 가능하게 하는 다양성이 산출하는 긍정적 힘이다. 생명체가 환경에 더 잘 적응하기 위해서 하나의 우수한 종으로 통합되는 획일화의 길을 걷는 것이 아니라, 다른 개체와 구별되는 자신만의 특성을 강화하는 다양화 전략을 취하여 상호 간의 경쟁을 피해 공존해 나간다는 점을 강조한다. 두 지문이 각기 주장하고 있는 사회적 신뢰와 다양성의 공존을 별도의 개념으로 보지 말고 공동체의 발전을 이룰 수 있는 요소들로 파악하는 것이 중요하다. 그리고 그 둘이 유기적으로 결합되는 양상을 언급하면 더 좋은 답안을 구성할 수 있을 것이다. 또한 [표1], [표2]에서 사회 자본이 의미하는 바를 지표와 연결해 설명하고, [표3], [표4]에서 획일성이 지배하는 결과로 개인 삶의 만족도나 공동체 발전이 쇠퇴함을 논증하는 식으로 글을 구성해야 한다. 이와 같이 [문제 1]에서는 [가]와 [나]의 핵심 개념을 정확하게 이해한 후에 그것을 바탕으로 도표의 지표들이 주는 의미를 읽어내는 능력을 파악하고자 하였다.

학년도	출제의도
	[문제 2]는 [가], [나]의 주요 개념을 적용하여 [라]에 그려진 두 차례의 공연을 분석할 것을 요구하고 있다. 단지 실패와 성공이라는 단순한 차이를 설명하는 데 머무르지 않고 사회적 신뢰와 다양성이 합창단이라는 공동체의 운명을 좌우할 수 있다는 점을 파악하는 것이 무엇보다 중요하다.
2023학년도 모의 논술 인문사회계 II	[문제 1]은 [가], [나]의 핵심 개념을 활용해 [다]의 도표를 분석할 것을 요구한다. [가]의 '사회 자본'은 사회적 신뢰와 인적 관계를 통해 거래 비용을 절감하여 인적, 물적 자원의 생산성을 높일 수 있다는 개념으로, 이를 바탕으로 공동체 발전과 개인 삶의 질이 향상될 수 있다고 주장한다. [나]는 진화에 대해 설명하고 있지만 핵심은 진화가 아니라 공존을 가능하게 하는 다양성이 산출하는 긍정적 힘이다. 생명체가 환경에 더 잘 적응하기 위해서 하나의 우수한 종으로 통합되는 획일화의 길을 걷는 것이 아니라, 다른 개체와 구별되는 자신만의 특성을 강화하는 다양화 전략을 취하여 상호 간의 경쟁을 피해 공존해 나간다는 점을 강조한다. 두 지문이 각기 주장하고 있는 사회적 신뢰와 다양성의 공존을 별도의 개념으로 보지 말고 공동체의 발전을 이룰 수 있는 요소들로 파악하는 것이 중요하다. 그리고 그 둘이 유기적으로 결합되는 양상을 언급하면 더 좋은 답안을 구성할 수 있을 것이다. 또한 [표1], [표2]에서 사회 자본이 의미하는 바를 지표와 연결해 설명하고, [표3], [표4]에서 획일성이 지배하는 결과로 개인 삶의 만족도나 공동체 발전이 쇠퇴함을 논증하는 식으로 글을 구성해야 한다. 이와 같이 [문제 1]에서는 [가]와 [나]의 핵심 개념을 정확하게 이해한 후에 그것을 바탕으로 도표의 지표들이 주는 의미를 읽어내는 능력을 파악하고자 하였다.
	[문제 2-1]은 조건부확률의 개념을 이해하고 이를 주어진 상황에 적용할 수 있는지를 확인하는 문제이다. 계산에 필요한 식은 지문 [라]에 제시하고 있기 때문에 수식을 암기하고 있을 필요는 없으며, 문제에서 제시하고 있는 상황도 「확률과 통계」 교과서에 수준 문제이다. [문제 2-2]는 연립부등식과 함수의 극한 개념을 소비자 선택 문제에 활용하는 문제이다. 함수의 극한값을 구해 연립부등식 중 하나를 단순화한 후 두 연립부등식을 동시에 만족시키는 해가 존재할 조건을 구하도록 하였다. 계산 과정이 지나치게 복잡해지지 않도록 문제를 설계하였고, 소비자 효용에 대해서 배우지 않은 학생들도 공통과목인 「수학 II」에서 배운 지식만으로도 문제를 풀 수 있도록 하였다. [문제 2-3]은 이차방정식, 삼차방정식의 미분 및 최대 최소, 정적분의 개념을 활용하는 문제이다. 인구 고령화 및 저출산 등의 현상으로

22

학년도	출제의도
	부터 시작한 생산 가능 인구의 감소가 예상되는 상황에서, 한 나라의 경제 성장에 필요한 노동력 확보를 위한 정부 개입과정을 일종의 최댓값 문제로 표현하였다. 문제에 주어진 두 이차곡선 사이의 면적이 정적분을 이용하여 표현될 수 있음을 알고, 향후 50년 동안 노동정책으로 확보할 수 있는 추가 생산 가능 인구의 최댓값을 갖게 하는 노동정책 강도를 확인하고자 한다. 정적분을 활용하여 향후 예상되는 추가로 확보할 수 있는 생산 가능 인구를 노동강도 a에 대하여 표현한 후, 삼차방정식의 미분을 이용한 극대점을 찾는 방법으로, 최댓값을 갖게 하는 a 값 및 최댓값을 구하도록 했다. 지문에 나오는 그래프를 경제적 관점에서 해석하고 정적분으로 표현할 수 있어야 해서 난이도가 낮지는 않지만, 계산 과정이 지나치게 복잡하지 않도록 문제를 설계하였다.
2022학년도 수시 논술 인문사회계 I	지문 [가]와 [나]는 각각 철학과 경제학의 관점에서 인간의 본성과 행동방식에 대해 다루고 있다. 맹자의 성선설(性善說)을 설명하는 [가]는 선한 본성에서 유래한 도덕적 마음인 '큰 몸'과 감각적 욕구와 관련된 이기적인 마음인 '작은 몸'의 관계를 논하며, '인간 경제학'을 표제로 한 글 [나]는 호모 에코노미쿠스 (Homo economicus)를 전형적 인간형으로 여기는 전통적 경제학의 관점을 비판하고 있다. 두 글은 인간이 자신의 이익만을 따르는 이해타산적인 존재가 아니며 공공선 내지 공공의 이익을 추구하는 도덕적 존재임을 말하고 있다. 인간의 이기적 본성과 행동양식을 일정하게 인정하면서도 그것을 극복할 수 있는 내재적 가능성을 논하고 있는 것이 특성이다. [문제 1]은 인간의 선한 마음과 공익 추구 지향성이라는 요소를 착한 소비의 한 방식인 공정 무역 제품 구입이라는 행위와 연결시켜서 살피도록 한 것이다. [다]에 제시된 여러 도표들은 인간의 호모 에코노미쿠스적 성향을 일부 반영하는 한편으로, 사람들이 '작은 몸'에 해당하는 이기성을 넘어서 공공의 이익을 추구하는 선한 마음과 행동양식을 지니고 있음을 보여준다. 자료 속에 맞물려 있는 여러 요소들 가운데 [가], [나]의 핵심 개념과 관련해서 설득력 있는 논지를 세울 수 있는 것들을 적절히 짚어내서 일관된 의미 맥락을 갖춘 글로 작성할 경우 좋은 평가를 받게 될 것이다.
	[문제 2]는 지문 [가]와 [나]의 내용과 관련지어 [라]에 등장하는 인물들에 대해 논평하는 문제이다. 인간의 본성과 행동방식에 대한 추상적인 이해를 문학작품에 그려진 구체적이고 실질적인 상황에 적용하도록 했다.

학년도	출제의도
2022학년도 수시 논술 인문사회계Ⅱ	지문 [가]와 [나]는 각각 철학과 경제학의 관점에서 인간의 본성과 행동방식에 대해 다루고 있다. 맹자의 성선설(性善說)을 설명하는 [가]는 선한 본성에서 유래한 도덕적 마음인 '큰 몸'과 감각적 욕구와 관련된 이기적인 마음인 '작은 몸'의 관계를 논하며, '인간 경제학'을 표제로 한 글 [나]는 호모 에코노미쿠스 (Homo economicus)를 전형적 인간형으로 여기는 전통적 경제학의 관점을 비판하고 있다. 두 글은 인간이 자신의 이익만을 따르는 이해타산적인 존재가 아니며 공공선 내지 공공의 이익을 추구하는 도덕적 존재임을 말하고 있다. 인간의 이기적 본성과 행동양식을 일정하게 인정하면서도 그것을 극복할 수 있는 내재적 가능성을 논하고 있는 것이 특성이다. 　[문제 1]은 인간의 선한 마음과 공익 추구 지향성이라는 요소를 착한 소비의 한 방식인 공정 무역 제품 구입이라는 행위와 연결시켜서 살피도록 한 것이다. [다]에 제시된 여러 도표들은 인간의 호모 에코노미쿠스적 성향을 일부 반영하는 한편으로, 사람들이 '작은 몸'에 해당하는 이기성을 넘어서 공공의 이익을 추구하는 선한 마음과 행동양식을 지니고 있음을 보여준다. 자료 속에 맞물려 있는 여러 요소들 가운데 [가], [나]의 핵심 개념과 관련해서 설득력 있는 논지를 세울 수 있는 것들을 적절히 짚어내서 일관된 의미 맥락을 갖춘 글로 작성할 경우 좋은 평가를 받게 될 것이다.
	2-1은 기업의 생산 비용을 수학적 방식으로 분석하게 한 것으로 경제적 문제와 수리적 사고를 연결한 수리논술 문제이다. 　2-2는 '확률과 통계'에서 배운 내용을 적용하여 음주운전 단속과 같은 실제적인 사회적 문제를 분석하고 예측할 수 있게 한 것이다. 　2-3에서는 경제 위기를 극복하고 경기 회복을 도모하기 위한 국가의 정책적 개입과 같은 사회경제적 현상에 대해 이를 분석하고 해결 방법을 찾는 데 필요한 수리 능력을 측정하고자 하였다.
2022학년도 모의 논술 인문사회계Ⅰ	[가]와 [나]는 모두 삶에 대한 태도를 말하고 있다. [가]에는 타인의 평가와 기준으로 명분을 추구하는 '가치 있는 삶'과 개인 본연의 구체적 경험과 쾌락을 기반으로 하는 '행복한 삶'이 대비되어 있다. 한편 [나]에서도 '소유'하는 인간과 '존재'하는 인간을 대비함으로써, 소유에 대한 집착을 버리고, 존재 그 자체로서의 삶을 성찰하고 주체성을 가질 것을 말하고 있다. [도표 1], [도표 2]에서 공통적으로 '물질적인 것'과 '정신적인 것'의 불일치를 발견할 수 있다. 이와 같이 [문제 1]에서는 [가]와 [나]의 논지를 소화하고 그것을 바탕으로 도표의 지표들이 주는 의미를 읽어내는 능력을 파악하고자 하였다.
	[문제 2]는 [가], [나] 지문의 주요 개념을 적용하여 [라] 지문의 인물, '지소'의 행동과 심리를 분석해야 한다. [가]와 [나]의 대비되는 개념

학년도	출제의도
	을 정확하게 이해하고 이를 바탕으로 [라]의 인물의 행동의 원인을 설명하고 더불어 심리적 변화 과정을 잘 짚어내어 설득력 있는 답안을 구성하는 능력을 평가하려 하였다.
2022학년도 모의 논술 인문사회계Ⅱ	[가]와 [나]는 모두 삶에 대한 태도를 말하고 있다. [가]에는 타인의 평가와 기준으로 명분을 추구하는 '가치 있는 삶'과 개인 본연의 구체적 경험과 쾌락을 기반으로 하는 '행복한 삶'이 대비되어 있다. 한편 [나]에서도 '소유'하는 인간과 '존재'하는 인간을 대비함으로써, 소유에 대한 집착을 버리고, 존재 그 자체로서의 삶을 성찰하고 주체성을 가질 것을 말하고 있다. [도표 1], [도표 2]에서 공통적으로 '물질적인 것'과 '정신적인 것'의 불일치를 발견할 수 있다. 이와 같이 [문제 1]에서는 [가]와 [나]의 논지를 소화하고 그것을 바탕으로 도표의 지표들이 주는 의미를 읽어내는 능력을 파악하고자 하였다.
	[문제 2-1]은 조건부확률의 개념을 이해하고 이를 주어진 상황에 적용할 수 있는지를 확인하는 문제이다. 계산에 필요한 식은 지문 [라]에 제시하고 있기 때문에 수식을 암기하고 있을 필요는 없으며, 문제에서 제시하고 있는 상황도 「확률과 통계」 교과서에 예로 포함될 법한 단순한 상황이어서, 난이도가 높지 않은 문제이다.
	[문제 2-2]는 연립방정식과 등비수열의 개념을 시장균형의 분석에 활용하는 문제이다. 문제에서 제시된 연립방정식을 풀어서 해를 구하고, 이 과정을 몇 차례 반복하여 등비수열을 만들어 내도록 했다. 계산 과정이 지나치게 복잡해지지 않도록 문제를 설계하였고, 수요곡선, 공급곡선, 시장균형 등에 대해서 배우지 않은 학생들도 공통과목인 「수학」과 「수학Ⅰ」에서 배운 지식만으로도 어렵지 않게 문제를 풀 수 있도록 하였다.
	[문제 2-3]은 부등식과 수학적 기댓값의 개념을 활용하는 문제이다. "사장"과 "근로자" 두 사람의 의사결정 과정을 일종의 최적화 문제로 표현하였는데 문제풀이에 최적화 기법을 활용해야 하는 것은 아니다. 문제에 주어진 확률을 활용하여 수학적 기댓값을 계산하고, 문제에 주어진 조건들을 부등식으로 표현한 후, 「수학」에서 배운 부등식의 성질을 이용하여 답을 구하도록 했다. 지문이 비교적 길어서 난이도가 낮지는 않지만, 계산 과정이 지나치게 복잡하지 않도록 문제를 설계하였다.
2021학년도 수시 논술 인문사회계Ⅰ	[문제 1]은 [가]와 [나]에서 제시된 나와 다른 사람, 나와 사물과의 관계를 바탕으로 한국인의 다문화 인식을 분석하는 문제이다. [가]에서는 '나'가 가질 수 있는 기본 관계를 '나'와 '너'의 관계, '나'와 '그것'의 관계로 파악한다. [나]에서는 사람이 사람의 입장에서 만물을 오만한 위치에서 보기보다는 하늘의 입장에서 만물을 볼 것을 권하고

학년도	출제의도
	있다. 문제 1]에서는 [가]와 [나]의 논지를 소화하고 그것을 도표에 적용하는 능력을 파악하려고 하였다.
	[문제 2]는 "뿌리 이야기"라는 김숨 작가의 소설에서 뿌리를 매개로 나와 고모할머니, 나와 그, 그와 고모할머니가 '나'와 '너'의 관계를 맺는 과정을 [가], [나]의 논지를 적용하여 분석하는 능력을 평가하려고 하였다. 또한 [가]와 [나]를 적용하여 소설 속의 다층적인 관계들을 잘 짚어내어 답안으로 설득력 있게 녹여낼 수 있어야 한다.
2021학년도 수시 논술 인문사회계Ⅱ	[문제 1]은 [가]와 [나]에서 제시된 나와 다른 사람, 나와 사물과의 관계를 바탕으로 한국인의 다문화 인식을 분석하는 문제이다. [가]에서는 '나'가 가질 수 있는 기본 관계를 '나'와 '너'의 관계, '나'와 '그것'의 관계로 파악한다. [나]에서는 사람이 사람의 입장에서 만물을 오만한 위치에서 보기보다는 하늘의 입장에서 만물을 볼 것을 권하고 있다. 문제 1]에서는 [가]와 [나]의 논지를 소화하고 그것을 도표에 적용하는 능력을 파악하려고 하였다.
	[문제 2-1]은 고등학교 생활과 윤리 교과목에 다루는 과학 기술의 빠른 발전과 생활 속에 광범위하게 활용되는 현상에 관련한 수리논술 문제이다. 기술의 확산 과정을 수학적 사고와 계산을 적용하도록 했다. 고등학교 수학Ⅱ에서 배운 정적분과 확률과통계에서 배운 표준정규분포, 이항분포와 정규분포의 관계를 활용하면 문제를 풀 수 있게 된다. 인문사회계Ⅱ 전형에 지원한 학생한테 필요한 기초적인 논리력과 수학 및 확률과 통계 지식을 점검하는 데 주안점을 두었다.
	[문제 2-2]는 대학 진학에 관한 의사결정을 편익과 비용에 따른 최적의 선택이라는 문제라는 측면에서 바라보고 수리적 분석과 풀이를 적용하도록 한 것이다. 대학에 진학할 경우 발생하는 경제적 편익과 비용을 함께 고려하여, 대학 졸업 후에 취업을 하는 것과 고등학교 졸업 후에 취업하는 선택 중에 개인에게 어떤 선택이 더 유리한지 판단하는 것을 묻고 있다. 문제를 풀기 위한 식은 부등식을 이용하여 구성하고 풀 수 있다. 다만, 개인이 대학 졸업 후에 취직하는 것을 선택하는 경우에는 기대할 수 있는 소득이 확정적인 것이 아니고 졸업 후에 응시하는 시험의 결과에 따라 달라지는 기대치 개념을 포함하고 있다. 따라서 고등학교 수학 확률과 통계에서 배운 기댓값 또는 평균의 개념을 이용하여 풀 수 있는 문제이다.
	[문제 2-3]은 사회경제 문제의 연구분석과 문제해결에 필요한 수리 능력을 평가하고자 했다. 수리적 사고와 수학적 적용을 통한 문제해결력을 발휘할 수 있는지를 다각적으로 점검하고자 했는데, 구체적으로 삼각비를 활용하여 도형 간의 관계를 분석할 수 있는지와 순열의 기본 개념을 새로운 상황에 적용할 수 있는 지를 확인하는 게 문제의

학년도	출제의도
	목적이다. 보다 구체적으로 삼각비를 활용하여 원에 내접하는 정삼각형과 정사각형을 구하고, 삼각비를 활용하여 정삼각형과 정사각형에 내접하는 원을 구할 수 있다. 이를 이용하여 다수 도형 간의 관계를 일목요연하게 정리할 수 있어야 한다. 또한 주어진 규칙을 반영하여 경우의 수를 정해야 한다. 경우의 수를 정할 때는 주어진 규칙과 조건을 일관되게 적용하는 것이 필수 요소이다.
2020학년도 수시 논술 인문사회계 I	[문제 1]은 시장 형태의 변화라는 사회 경제적 현상에 대하여, 그것을 '구성원의 행위' 및 '구조의 제약'을 바탕으로 분석하도록 한 것이다. 행상 단계와 정기 시장(5일장), 상설시장으로 이어지는 시장의 변화를 수요의 최소 요구치와 재화 도달범위 간 역학관계라는 구조적 측면 및 공급자와 소비자의 행동반경과 상호작용이라는 행위적 측면을 함께 고려해서 분석하도록 했다. 지문 [다]의 도표에는 세 가지 시장 형태의 서로 다른 체계가 전형적이고 함축적인 형태로 도시돼 있거니와, 경제 원리와 공간적 상상력을 연계한 분석을 필요로 하는 자료에 해당한다.
	[문제 2]는 지문 [가]와 [나]에 제시된 핵심 개념을 활용해서 소설 지문에 나타난 특징적인 현상을 사회적 맥락에서 분석하여 논하도록 했다. 소설 지문 [라]는 문학 교과서에 실린 김언수 작가의 〈캐비닛〉에서 가져온 것으로, 수개월씩 잠에 빠져드는 '토포러(torporer)'라는 특수한 사람들에 대한 문학적 보고서 성격을 지닌 흥미로운 글이다. [문제 2]에서는 기존 사회구조와 코드의 반작용적 산물이자 전에 없던 새로운 코드의 가능성을 암시하는 존재로서 토포러들의 출현에 대해 그것을 하나의 사회 현상으로서 '토포러 현상'으로 상정하고, 그에 대한 구조적이고 코드적인 분석을 수행하게 했다.
2020학년도 수시 논술 인문사회계 II	[문제 1]은 시장 형태의 변화라는 사회 경제적 현상에 대하여, 그것을 '구성원의 행위' 및 '구조의 제약'을 바탕으로 분석하도록 한 것이다. 행상 단계와 정기 시장(5일장), 상설시장으로 이어지는 시장의 변화를 수요의 최소 요구치와 재화 도달범위 간 역학관계라는 구조적 측면 및 공급자와 소비자의 행동반경과 상호작용이라는 행위적 측면을 함께 고려해서 분석하도록 했다. 지문 [다]의 도표에는 세 가지 시장 형태의 서로 다른 체계가 전형적이고 함축적인 형태로 도시돼 있거니와, 경제 원리와 공간적 상상력을 연계한 분석을 필요로 하는 자료에 해당한다.
	[문제 2]는 사회경제 문제의 연구분석과 문제해결에 필요한 수리능력을 평가하고자 했다. 사회복지 지원금 지급, 세금과 비용에 따른 거주지 선택, 수요 공급량 변화에 따른 수입 변화 등 현실적이고 구체적인 문제 상황에 대해 수리적 사고와 수학적 적용을 통한 문제해결

학년도	출제의도
	력을 발휘할 수 있는지를 다각적으로 점검하고자 했다.
	[문제 2-1]은 고등학교 사회문화 교과목에서 다루는 국민복지 정책과 관련한 수리논술 문제이다. 사회에서 실제로 벌어질 수 있는 상황에 대해 오류를 파악하고 정정하는 과정에 수학적 사고와 계산을 적용하도록 했다. 고등학교 수학 Ⅰ에서 배운 연립방정식을 활용하면 문제를 풀어낼 수 있게 된다. 인문사회계 Ⅱ 전형에 지원한 학생한테 필요한 기초적인 논리력과 수학 실력을 점검하는 데 주안점을 두었다.
	[문제 2-2]는 세금과 비용과 그에 따른 최적의 선택이라는 문제에 수리적 분석과 풀이를 적용하도록 한 것이다. 이주할 경우 발생하는 경제적 편익과 비용을 함께 고려하여 어느 국가에 거주하는 것이 개인에게 더 유리한지 판단하여야 한다. 이는 고등학교 수학 Ⅰ에서 배운 부등식을 이용하여 풀 수 있다. 특히 소득 구간에 따라 세금과 이주 비용을 계산하는 식이 달라지며, 이주의 방향도 달라질 수 있기 때문에 소득을 여러 구간으로 나누어 각 구간별로 별도의 부등식을 풀 수 있어야 한다.
	[문제 2-3]은 가격변동에 따른 수요의 가격 탄력성에 대해 제시된 설명을 이해하고, 수학적 기호를 적절히 활용하여 문제를 해결할 수 있는지 보고자 했다.

III. 논술이란?

1. 논술이란?

1) 논술이란?

어떤 문제에 대해 자기 나름의 주장이나 견해를 내세운 다음, 여러 가지 근거를 제시하여 그 주장이나 견해가 옳음을 증명하는 글쓰기 활동을 말한다. 따라서 논술의 가장 기본적인 요소는 주장과 근거이다. 다시 말해 어떤 주제에 관해서 자신의 견해를 밝히고 자기 의견을 내세우는 글이 바로 논술이다. 때문에 논술은 특별히 논리적이어야 한다는 요구를 받게 된다. 왜냐하면 여러 가지 의견이 있을 수 있는 문제에 대해 자신의 의견을 세워 다른 사람을 설득하려면, 그 주장이 충분한 근거 위에서 논리적으로 개진될 때만 가능하기 때문이다.

2) 대한민국 논술고사는?

한국에서의 대학 입시 논술고사는 실제 교과 과정과 교과서가 기본이 되어 응용된 사고와 풀이 능력과 지식을 바탕으로 한다. 논술고사는 일반적을 비판적으로 글을 읽는 능력과 창의적으로 문제를 설정하고 해결하는 능력 그리고 논리적으로 서술하는 능력을 종합적으로 평가하는 시험이다. 비판적으로 글을 읽는다는 것은 능동적으로 자신의 관점에서 글을 읽는 것을 말하며, 창의적으로 문제를 설정하고 해결하는 능력이란 심층적이고 다각적으로 논제에 접근함으로써 독창적인 사고와 풀이를 이끌어낼 수 있는 능력을 말한다. 그리고 논리적 서술 능력은 글 구성 능력, 근거 설정 능력, 표현 능력 등을 포괄한다.

3) 인문계 논술? 그리고 그 변화

모든 글은 일반적으로 3가지 종류로 나뉘어진다. 시, 소설 등 문학 작품과 같은 글쓰기인 창작적 글쓰기(creative writing)와 설명문이나 해설문의 글쓰기는 해명적 글쓰기(expository writing), 그리고 논설문의 글쓰기인 비판적 글쓰기(critical writing)가 있다. 이 글쓰기 중 대한민국의 대학입시에서 시행되고 있는 인문계 논술은 창작적 글쓰기는 포함되지 않는다. 새로운 문학 작품을 쓰는게 아니라 제시문을 읽고 내용을 구체화시켜 잘 설명하는 설명문의 형태가 있고, 주어진 문제에 대해 생각하고 깊이있는 주장을 피력하는 비판적 글쓰기도 있다.

2. 논술의 기본 용어

1) 논제 : 논술의 문제를 의미한다.
반드시 해결하고 접근하여야 할 논술 시험의 대상이다.
- (ㅂ) 중심 논제 : 채점할 때 가장 배점이 높으며, 핵심적으로 해결해야 할 논술의 문제
- (ㅅ) 세부 논제 : 큰 논제 속에 포함된 작은 문제, 각 단계별 채점의 기준이 되며 세부 채점 항목으로 필수 해결 항목이다.

2) 논거 : 논술에서 설명하고 주장하는 논리적인 근거 혹은 이유

3) 주장 : 수험생이 생각하고 채점자에게 알리고 싶은 생각
4) 제시문 : 보기 지문을 말한다.
　（○）　출제자가 논제 해결을 위해 보여주는 다양한 글
　（ㅈ）　각종 그래프, 도표, 그림 등
　　　자료가 정해져 있지는 않다. 하지만 고등학교 교과서를 가장 많이 인용하고, 고등학교 교과 과정으로 분석하고 판단할 수 있는 내용을 제시한다.
5) 개요 : 논제에 맞게 더 구체적으로는 세부 논제에 맞게 글의 진행 방향을 간략하게 정리하는 과정이다.

3. 논술의 명령어

논술고사 후 대학의 발표 자료를 보면 논술은 출제자의 의도에 부합하게 글을 써야 한다고 강조한다. 그런데 출제자의 의도를 파악하는 것은 자칫 상당히 모호하고 주관적인 것으로 판단하기 쉽다.

하지만 인문계 논술에서는 명령어가 한정되어 있다. 그 명령어들을 잘 익히고 의미를 파악한다면 훨씬 논술의 이해가 높아질 것이다. 또한 대학의 채점 기준에는 명령어의 요구 조건을 충족하는지를 평가한다. 그러므로 인문계 논술의 명령어는 수험생에게는 아주 기초적이지만 필수적이며 절대 잊지 말아야 할 중요한 핵심이다.

1) ~ 에 대해 논술하시오.
; 주장을 밝히고 근거를 제시한다.

2) ~ 에 대해 설명하시오.
: 사실, 주장 등을 쉽게 풀어서 밝힌다.

● ~ 제시문 간의 관련성을 설명하시오.
● ~ 제시문의 논리적 타당성과 문제점을 설명하시오.
● ~ 제시문을 참고하여 주어진 자료의 특징을 설명하시오.
● ~ 제시문의 관점에서 왜 그런 현상이 생기는지 그 이유를 설명하시오.

3) ~ 의 비교하시오. 혹은 대조하시오.
: 공통점과 차이점을 중심으로 설명한다.

● ~ 공통점과 차이점을 설명하시오.

4) ~ 을 분석하시오.
: 주제를 구성요소로 나누고 각 부분의 의미와 상호관계를 밝힌다.

5) ~ 제시문과 주어진 자료를 참고하여 현상을 예측해 보시오.
: 주어진 자료를 해석하고 자료로부터 얻을 수 있는 시간에 따른 변화나 자료의 발생 이유를 살핀다.

6) ~ 제시문의 문제점을 지적하고 그 문제점을 해결할 방법을 제시하시오.
: 보통은 수학이나 과학의 역사에서 발생했던 여러 오류나 실험과정에서 나타난 문

제점을 가지고 있다. 또한 이론이나 실험, 학생의 실험보고서 등과 같이 확실한 오류가 있는 제시문을 주기도 한다. 분명히 문제점을 파악하여 답안에 서술하고 문제점이나 해결할 수 있는 방법 등을 명확히 하여야 한다.

> ● ~ 제시문의 관점에서 왜 그런 현상이 생기는지 그 원리를 설명하고 그런 현상을 예방할 수 있는 방안을 제시하시오.
> ● ~ 문제점을 지적하고 합리적 대안을 제안해 보시오.
> ● ~ 주어진 관점을 검증할 수 있는 방법을 논하시오.
> ● ~ 주어진 문제점을 해결할 수 있는 실험을 설계해 보시오.

   7) 제시문의 관점에서 주장을 비판하시오.

     : 어떤 주장의 타당성이나 가치 등을 평가한다.

4. 인문계 논술 글쓰기 유의사항

① 논제의 해결이 핵심이다. 출제자가 원하는 답을 써야 한다.

② 논제에 부합하는 글을 일관성 있게 써야 한다.

③ 한편의 글을 완성하여야 한다. 나열하거나 사례를 보여주는 것은 의미가 없다.

④ 제시문을 활용, 인용하는 것과 제시문을 그대로 옮겨 쓰는 것은 다르다. 적절하게 제시문의 내용을 사용하여 논제를 해결하여야 한다. 절대 제시문의 문장을 그대로 쓰면 안 된다. 금기사항이고 감점요인이다.

⑤ 부적절한 문장 즉, 비문을 만들지 말아야 한다. 주어와 서술어가 적절하게 있어 문장의 의미를 명확히 전달하여야 한다. 주어를 생략하거나 지시어를 과도하게 사용하면 문장의 의미가 모호해 진다.

⑥ 문장은 짧고 간결하게 써야 한다. 자신의 의견을 명확히 간결하고 효과적으로 밝혀야 한다.

5. 논술 확인 사항

① 시간의 제한이 시험이다. 논술 시험은 자유롭게 글을 쓴다고 생각하고 주어진 시간을 체크하지 않는 경우가 정말 많다. 대학별로 요구하는 시간에 알맞게 답안을 구성해야 한다.

② 문단의 구성, 맞춤법, 띄어쓰기 등을 무시하면 절대 안 된다. 글쓰기의 기본은 의미의 전달 과정임으로 효율적인 연습과 준비가 되어 있어야 한다.

③ 습관적으로 물어보는 의문문, 같이 할 것을 제안하는 청유형은 사용하지 않는 것이 좋다. 문법의 오류가 아니라 격을 떨어뜨리고 글을 단조롭고 어색한 글 전개가 될 가능성이 높다.

④ 500자 미만이면 서론에 해당하는 도입과정은 과감히 생략하고 바로 논점으로 들어간다.

⑤ 한국어에는 수동태가 없다. 그러나 워낙 영어 번역하며 많이 사용하다 보니 논술

답안에도 수험생들이 자주 사용한다. 문법에 맞는 효과적인 표현이 필요하다. 학생이 수험생이 대학의 논술 고사에 응시하고 답안지에 논술 답안을 쓰는 것이다. 대학의 논술 답안지가 수험생으로부터 답안으로 쓰여지는 것이 아니다.

⑥ 많은 수험생들은 착각을 한다. 논술을 멋진 글쓰기라고 생각해 감상적이거나 비유적인 표현도 많이 사용한다. 그런데 오히려 이러한 표현은 채점자가 수험생의 사고능력 파악이 힘들어지고, 오히려 논제 해결을 했는지 판단하는데 혼동을 준다. 또한 일상에서 사용하는 구어체도 사용하면 안 된다. 논술은 글쓰기에서 쓰는 조금 딱딱한 문어체를 사용하는 것이다.

⑦ 아무리 강조해도 글씨의 중요성은 지나치지 않을 것이다. 채점하는 교수님들의 한결같은 큰 애로점은 이해할 수 없는 학생의 글씨라고 한다. 글씨체를 갑자기 바꿀 수 없지만 타인이 알 수 있게 규칙적으로 줄을 맞춰 쓰고, 분량에 맞는 큰 글씨로, 흘려 쓰지 않는 정자체로 답안을 작성하여야 한다.

Ⅳ. 인문계 논술 실전

1. 각 대학별 논술 유의사항을 파악하라!

많은 대학에서 글자수 제한을 확인하여야 한다. 그래서 원고지 형이 많지만, 문항별 칸을 만들거나 밑줄 답안 형식도 있다. 논술 시험 시간은 각 대학별로 다양하다. 60분 즉, 한 시간을 시작으로 많게는 2시간까지 (120분)까지 다양하게 있다. 대학별로 준비해야 하는 중요한 이유이다. 답안을 작성하는 필기구도 다양하다. 연필(샤프펜)의 사용이 꾸준히 증가하지만 아직까지 검정색 볼펜이나 청색 볼펜으로 사용하는 학교도 많다. 주의할 것은 수정법이다. 수정은 학교에 따라 수정액, 수정테이프의 사용을 제한하는 경우도 있고 틀리면 두줄을 긋고 써야 하는 곳도 있다. 그러므로 각 대학별 특징을 파악하고, 미리 답안 작성 연습은 물론이고 작성할 때도 대학별로 금지하는 내용을 숙지하고 시험장에 가야 한다.

각 대학별 유의사항 사례

사례 1)

가. 답안은 한글로 작성하되, 글자수 제한은 없다.

나. 제목은 쓰지 말고 특별한 표시를 하지 말아야 한다.

다. 제시문 속의 문장을 그대로 쓰지 말아야 한다.

라. 반드시 본 대학교에서 지급한 필기구를 사용하여야 한다.

마. 수정할 부분이 있는 경우 수정도구를 사용하지 말고 원고지 교정법에 의하여 교정하여야 한다.

바. 본 대학교에서 지급한 필기구를 사용하지 않거나, 수정도구를 사용한 경우, 답안지에 특별한 표시를 한 경우, 또는 원고지의 일정분량 이상을 작성하지 않은 경우에는 감점 또는 0점 처리한다.

사례 2)

Ⅰ. 필요한 경우 한 개 또는 여러 개의 제시문을 선택하여 논의를 전개하고, 사용한 제시문은 꼭 참고문헌 형태로 표시하시오.

　　예) …[제시문 1-4].

　　예) …되며[제시문 2-4], …의 경우는 ~을 보여준다[제시문 2-1].

Ⅱ. [문제 1]부터 [문제 4]까지 문제 번호를 쓰고 순서대로 답하시오.

Ⅲ. 연필을 사용하지 말고, 흑색이나 청색 필기구를 사용하시오.

Ⅳ. 인적사항과 관련된 표현을 일절 쓰지 마시오.

Ⅴ. 문제당 배점은 동일함.

사례 3)

◇ 각 문제의 답안은 배부된 OMR 답안지에 표시된 문제지 번호에 맞춰 작성하시오.

◇ 각 문제마다 정해진 글자수(분량)는 띄어쓰기를 포함한 것이며, 정해진 분량에 미달하

거나 초과하면 감점 요인이 됩니다.
　◇ 답안지의 수험번호는 반드시 컴퓨터용 수성 사인펜으로 표기하시오.
　◇ 답안은 검정색 필기구로 작성하시오. (연필 사용 가능)
　◇ 답안 수정시 원고지 교정법을 활용하시오. (수정 테이프 또는 연필지우개 사용 가능)
◇ 답안 내용 및 답안지 여백에는 성명, 수험번호 등 개인 신상과 관련된 어떤 내용, 불필요한 기표하면 감점 처리됩니다.

사례 4)
　◆ 답안 작성 시 유의사항 ◆
　□ 논술고사 시간은 90분이며, 답안의 자수 제한은 없습니다.
　□ 1번 문항의 답은 답안지 1면에 작성해야 하고, 2번 문항의 답은 답안지 2면에
작성해야 합니다. 1, 2번을 바꾸어 작성하는 경우 모두 '0점 처리'됩니다.
　□ 연습지는 별도로 제공하지 않습니다. 필요한 경우 문제지의 여백을 이용하시기
바랍니다.
　□ 답안은 검정색 또는 파란색 펜으로만 작성하며 연필, 샤프는 사용할 수 없습니다.
　□ 답안 수정은 수정할 부분에 두 줄로 긋거나 수정테이프(수정액은 사용 불가)를
사용해서 수정합니다.
　□ 답안지에는 답 이외에 아무 표시도 해서는 안 됩니다.
　□ 답안지 교체는 고사 시작 후 70분까지 가능하며, 그 이후는 교체가 불가합니다.

2. 제시문에 먼저 눈을 두지 말고 문제를 파악하라!!!

　대학별 고사인 논술의 어려운 점은 시간의 제한이 있는 글쓰기 시험이라는 것이다. 자유롭게 잘 쓸 수 있는 내용일지라도 시간의 제한이 있으면 애기가 달라진다. 특히 지금과 같이 각 대학별로 다양하게 등장하는 시험에 익숙하지 않은 수험생에게는 더 큰 부담으로 작용을 한다.

　대학에서는 다양하게 제시문과 문제를 분포시킨다. 문제를 등장시키고 제시문이 등장하는 경우, 그림과 도표, 그래프 등과 같이 자료를 제시하고 제시문과 문제를 함께 등장시키는 경우, 제시문을 많이 등장시키고 마지막에 문제를 제시하는 경우 등... 이렇듯 다양한 문제에 시간의 적절한 활용은 대학별 고사의 실전에서는 당락을 결정하는 중요 요소이다.

　이러한 실전적 논술에서 핵심은 바로 목적을 가지고 제시문의 읽기가 선행되어야 한다. 글 읽기의 핵심은 문제를 통해 논제를 구체적으로 파악하고 그 논제에 부합하게 제시문을 분석하는 것이다.

　① 문제를 먼저 확인하라!! - 제시문을 읽고 문제를 보면 다시 긴 제시문을 또 읽어 시간을 낭비한다.
　② 세부 논제 확인하라!! - 한 문제라도 그 문제 속에 다루는 논제는 여러 개가 될 수 있

다. 그 질문 내용을 파악하라. 그리고 요구한 논제에 맞게 글을 구성한다.
 ③ 전제적 요건 파악하라!! - 각 문제의 전제적 요건 및 글로 표현된 부연 설명 등이 중요한 키워드가 될 수 있다.

V. 건국대학교 기출

1. 2024학년도 건국대 인문사회계 I 수시 논술

※ [문제 1]: [가]와 [나]를 참고하여 [다]의 도표를 분석하시오. (401-600자) [40점]
※ [문제 2]: [가]와 [나]의 시각에서 [라]에 대하여 논하시오. (801-1,000자) [60점]

[가]

재작년이던가, 여름날에 있었던 일이다. 날씨가 화창하여 밀린 **빨래**를 해치웠었다. 성미가 비교적 급한 나는 **빨래**를 하더라도 그날로 풀을 먹여 다려야지 그렇지 않으면 찜찜해서 심기가 홀가분하지 않다. 그날도 여름 옷가지를 **빨아** 다리고 나서 노곤해진 몸으로 마루에 누워 쉬려던 참이었다. 팔베개를 하고 누워서 서까래 끝에 열린 하늘을 무심히 바라보고 있었다. 그러다가 모로 돌아누워 산봉우리에 눈을 주었다. 갑자기 산이 달리 보였다. 하, 이것 봐라 하고 나는 벌떡 일어나, 이번에는 가랑이 사이로 산을 내다보았다. 우리들이 어린 시절 동무들과 어울려 놀이를 하던 그런 모습으로.

그건 새로운 발견이었다. 하늘은 호수가 되고, 산은 호수에 잠긴 그림자가 되었다. 바로 보면 굴곡이 심한 산의 능선이 거꾸로 보니 훨씬 유장하게 보였다. 그리고 숲의 빛깔은 원색이 낱낱이 분해되어 멀고 가까움이 선명하게 드러나 얼마나 아름다운지 몰랐다. 나는 하도 신기해서 일어서서 바로 보다가 다시 거꾸로 보기를 되풀이했었다.

이러한 동작을 누가 지켜보고 있었다면 필시 미친 줄으로 여겼을 것이다. 그러나 여기에서 나는 새로운 사실을 캐낼 수 있었다.

우리가 일상적으로 사람을 대하거나 사물을 보고 인식하는 것은 틀에 박힌 고정관념에 지나지 않는다. 그렇기 때문에 이미 알아 버린 대상에서는 새로운 모습을 찾아내기 어렵다. 아무개 하면, 자신의 인식 속에 들어와 이미 굳어버린 그렇고 그런 존재로밖에 볼 수가 없는 것이다. 이건 얼마나 그릇된 오해인가. 사람이나 사물은 끝없이 형성되고 변모하는 것인데.

그러나 보는 각도를 달리함으로써 그 사람이나 사물이 지닌 새로운 면을, 아름다운 비밀을 찾아낼 수 있다. 우리들이 시들하게 생각하는 그저 그렇고 그런 사이라 할지라도 선입견에서 벗어나 맑고 따뜻한 '열린 눈'으로 바라본다면 시들한 관계의 뜰에 생기가 돌 것이다.

- 고등학교 『화법과 작문』

[나]

좋은 논쟁이란 '상호 부딪침'이 있는 논쟁을 뜻한다. 그러자면 논점이 팽팽하게 부딪쳐야 한다. 서로의 의견이 갈리는 부분에서 만나 마치 싸움터에서 장수들이 겨루듯 자신의 논리로 상대와 맞서 싸워야 한다.

논쟁이 생산적일 수 있는 이유는 바로 이 '만남'과 '부딪침'에 있다. 서로의 생각이 얼마나 다른지, 어느 부분이 어떻게 다른지는 서로 견주어 봐야 알 수 있는 일이다. 그런 이유로 논쟁은 싸움 같지만 사실은 상호 이해의 장이요, 청중들에게는 즐거움과 교육의 장이다. 서로 부딪치는 지점을 논쟁 용어로는 '접점'이라고 하는데, '상호 갈등 해소를 위한 개념적 장소' 쯤으로 풀이할 수 있다.

  이러한 접점에서 만나지 않는 사람들, 즉 다른 의견을 듣지 않는 사람들은 마치 메아리 방에서 살 듯 자신의 소리만 듣고 살 가능성이 크다. 아니면 비슷한 생각을 가진 사람끼리 만나 동종 교배 하듯 서로 동의하며 기존의 입장을 기형적으로 견고하게 다질지도 모른다. 서로 다른 의견을 가진 사람들 각각의 집단 편향(집단 극화)이나 쏠림 현상이 강화되는 것이다.

  이러한 현상은 인터넷 시대에 들어서서 더욱 심화되고 있다. 최근의 각종 연구 결과에 따르면, 이전과는 다르게 사람들은 소수의 여론 주도자에게 끌려다니지 않고 자신과 비슷한 생각을 가진 사람들에게 동조하면서 기존의 의견과 입장을 더욱더 강화하는 경향을 보이고 있다. 이에 따라 사람들의 의견이 극단적으로 나뉘는 현상마저 발생하고 있다.

- 고등학교 『독서』

[다]

[도표 1]

[스위스]   [벨기에]

스위스는 4개의 공용어와 방언이 사용되고 있으나, 지방의 특성을 최대한 살릴 수 있도록 지방자치제가 발달해 있어 갈등을 찾아보기 어렵다.

벨기에는 다른 언어를 사용하는 두 지역(플랑드르, 왈롱)으로 나뉘어 있는데, 산업과 소득 수준의 차이로 인해 두 지역 간의 경제적 격차가 크고 언어갈등도 심화되고 있다.

[도표 2]

※ 국가별 민주주의 지수

완전한 민주주의 (8.0이상)	노르웨이, 스위스, 핀란드, 영국, 미국
미흡한 민주주의 (4.0~8.0미만)	한국, 일본, 벨기에, 인도, 멕시코, 타이, 터키
권위주의 (4.0미만)	베트남, 수단, 러시아, 중국, 북한

(이코노미스트, 2015)

[도표 3]

※ 주요 국가 행복 지수 순위

순위	국가	지수
1	덴마크	7.526
2	스위스	7.501
3	아이슬란드	7.498
4	노르웨이	7.413
5	핀란드	7.404
6	캐나다	7.339
7	네덜란드	7.334
8	뉴질랜드	7.313
9	호주	7.291
10	스웨덴	7.104
...		
18	벨기에	6.929
53	일본	5.921
58	대한민국	5.835

(국제연합 지속가능발전 해법 네트워크(SDSN), 2016)

[라]

　그 무렵 집에 드나들던 파출부가 어느 날 나한테 이런 소리를 했다.

　"세상 사람들이 눈이 멀어도 분수가 있지. 왜 사모님 같은 분을 효부 표창에서 빠뜨리느냐 말예요. 별거 아닌 사람들이 다 효자 효녀 효부라고 신문에 나고 상금도 타던데."

　그 여자가 순진하게 분개하는 소리를 들으며 나는 나의 완벽한 위선에 절망했다. 나는 막다른 골목에 쫓긴 도둑이 살의를 품고 돌아서듯이 그 여자에게 돌아서서 무서운 얼굴로 말했다.

　"오늘 우리 어머님 목욕을 좀 시키고 싶은데 아줌마가 좀 도와줘야겠어요."

　"그럼은요. 도와 드리고말고요."

　"목욕탕에 물 받으세요."

　나는 벌써부터 내 속에서 증오와 절망적인 쾌감이 지글지글 끓어오르는 걸 느끼고 있었다. 아줌마 보는 앞에서 시어머님의 옷부터 벗기기 시작했다. 조금도 인정사정 두지 않고 거칠게 함부로 다루었다. 목욕 한번 시키려면 아이들까지 온 집안 식구가 총동원되어 좋은 말로 어르고 달래가며 아무리 참을성 있고 부드럽게 다루다가도 종당엔 다소 폭력적으로 굴어야 겨우 그게 가능했다. 그러나 이번엔 처음부터 폭력적으로 다루기로 작정하고 있었다. 그분도 내 살기등등한 태도에 뭔가 심상치 않은 걸 느끼고 그 어느 때보다도 심한 반항을 했다. 믿을 수 없을 만큼 강한 힘으로 저항했지만 나 역시 거침없이 증오를 드러내니까 힘이 무럭무럭 솟았다. 옷 한 가지를 벗겨 낼 때마다 살갗을 벗겨 내는 것처럼 절절한 비명을 질렀다. 보다 못한 아줌마가 제발 그만해 두라고 애걸했다. 알지 못하면 가만있어요. 이 늙은이는 이렇게 해야 돼요. 나는 씨근대며 말했다. 그리고 아줌마도 내 일을 도울 것을 명령

했다. 노인은 겁에 질려 목쉰 소리로 갓난 아기처럼 울었다. 발가벗긴 노인을 반짝 들어다 탕 속에 집어넣고 다짜고짜 때를 밀기 시작했다. 나 죽는다. 나 죽어. 저년이 나 죽인다. 노인은 온 동네가 떠나가게 비명을 질렀다. 나는 그러면 그럴수록 더 모질게 때를 밀었다.

"너무하세요. 그렇게 아프게 밀 게 뭐 있어요?"

아줌마가 노인 편을 들었다. 그녀는 이제 아무 도움도 안 됐다. 혼비백산한 얼굴로 구경만 했다.

"알지 못하면 가만히 있으라니까요 아무리 살살 밀어도 죽는시늉할 게 뻔해요."

골치가 빠개질 듯이 땡하고 귀에서 잉잉 소리가 났다. 나는 남의 일처럼 내가 미쳐가고 있다고 생각했다. 골속에 아니 온몸에 가득 찬 건 증오뿐이었다. 그런데도 나는 자꾸자꾸 증오를 불어넣고 있었다. 마치 터뜨릴 작정하고 고무풍선을 불듯이. 자신이 고무풍선이 된 것처럼 파멸 직전의 고통과 절정의 쾌감을 동시에 느끼고 있었다. 별안간 아찔하면서 온몸에서 힘이 쭉 빠졌다. 그런 중에도 나는 냉혹한 미소를 잃지 않았다. 이래도 나를 효부라고 할테냐고 묻고 싶었다.

그날 이후 나는 몸져누웠다. 파출부도 다시는 우리 집에 오지 않았다. 몸살에 신경 안정제의 후유증까지 겹쳐 정신과 치료까지 받지 않으면 안 되었다. 집안 꼴이 엉망이 되었다. 정신과 의사도 그런 귀띔을 했지만, 시어머님을 한동안 어디로 보낼 수 있었으면 하는 논의가 본격화된 것은 그분의 친정 조카들로부터였다.

> ※ 중간 부분 줄거리: '나'의 남편은 시어머니가 지낼 수 있는 양로원과 정신 치료를 겸한 수용 기관을 알아보기 시작했고, 일요일마다 괜찮다는 수용 기관을 찾아다녔지만 번번이 실망하여 돌아온다. 어느 일요일, 남편이 시어머니의 친정쪽에서 추천해준 어느 암자를 찾아가는 길에 '나'도 동행한다. 부부는 암자로 향하는 시골길을 걷다가 한 구멍가게에 들어가 땀을 식힌다.

나는 주인을 찾아가게 터 뒤로 돌아갔다. 좀 떨어진 데 초가가 보였다. 초가지붕 위엔 방금 떠오른 보름달처럼 풍만하고 잘생긴 박이 서너 덩이 의젓하게 자리잡고 있었다.

"여보 저 박 좀 봐요. 해산 바가지 했으면 좋겠네."

나는 생뚱한 소리로 환성을 질렀다.

"해산 바가지?"

남편이 멍청하게 물었다.

"그래요 해산 바가지요."

실로 오래간만에 기쁨과 평화와 삶에 대한 믿음이 샘물처럼 괴어 오는 걸 느꼈다.

내가 첫애를 뱄을 때 시어머님은 해산달을 짚어 보고 섣달이구나, 좋을 때다, 곧 해가 길어지면서 기저귀가 잘 마를 테니, 하시더니 그해 가을 일부러 사람을 시켜 시골에 가서 해산 바가지를 구해 오게 했다.

"잘생기고, 여물게 굳고, 정한 데서 자란 햇바가지여야 하네. 첫 손자 첫국밥 지을 미역 빨고 쌀 씻을 소중한 바가지니까."

이러면서 후한 값까지 미리 쳐주는 것이었다. 그럴 때의 그분은 너무 경건해 보여

나도 덩달아서 아기를 가졌다는 데 대한 경건한 기쁨을 느꼈었다. 이윽고 정말 잘 굳고 잘생기고 정갈한 두 짝의 바가지가 당도했고, 시어머니는 그걸 신령한 물건인 양 선반 위에 고이 모셔 놓았다. 또 손수 장에 나가 보얀 젖빛 사발도 한 쌍을 사다가 선반에 얹어 두었다. 그건 해산 사발이라고 했다.

  나는 내가 낳은 첫아이가 딸이라는 걸 알자 속으로 약간 켕겼다. 외아들을 둔 시어머니가 흔히 그렇듯이 그분도 아들을 기다렸음 직하고 더구나 그분의 남다른 엄숙한 해산 준비는 대를 이을 손자를 위해서나 어울림 직했기 때문이다. 그러나 퇴원한 나를 맞아들이는 그분에게서 섭섭한 티 따위는 조금도 찾아볼 수 없었다. 그 잘생긴 해산 바가지로 미역 빨고 쌀 씻어 두 개의 해산 사발에 밥 따로 국 따로 퍼다가 내 머리맡에 놓더니 정성껏 산모의 건강과 아기의 명과 복을 비는 것이었다. 그런 그분의 모습이 어찌나 진지하고 아름답던지, 비로소 내가 엄마 됐음에 황홀한 기쁨을 느낄 수가 있었고, 내 아기가 장차 무엇이 될지는 몰라도 착하게 자라라는 것 하나만은 믿어도 될 것 같은 확신이 생겼다. 대문에 인줄을 걸고 부정을 기(忌)하는 삼칠일 동안이 끝나자 해산 바가지는 정결하게 말려서 다시 선반 위로 올라갔다. 다음 해산 때 쓰기 위해서였다. 다음에도 또 딸이었지만 그 희색이 만면하고도 경건한 의식은 조금도 생략되거나 소홀해지지 않았다. 다음에도 딸이었고 그다음에도 딸이었다. 네 번째 딸을 낳고는 병원에서 밤새도록 울었다. 의사나 간호사까지 나를 동정했고 나는 무엇보다도 시어머니의 그 경건한 의식을 받을 면목이 없어서 눈물이 났다. 그러나 그분은 여전히 희색이 만면했고 경건했다. 다음에 아들을 낳았을 때도 더도 아니고 덜도 아닌 똑같은 영접을 받았을 뿐이었다. 그분은 어디서 배운 바 없이, 또 스스로 노력한 바 없이도 저절로 인간의 생명을 어떻게 대접해야 하는지를 알고 있는 분이었다. 그분이 아직 살아 있지 않은가. 그분의 여생도 거기 합당한 대우를 받아 마땅했다. 나는 하마터면 큰일을 저지를 뻔했다. 그분의 망가진 정신, 노추한 육체만 보았지 한때 얼마나 아름다운 정신이 깃들였었나를 잊고 있었던 것이다. 비록 지금 빈 그릇이 되었다 해도 사이비 기도원 같은 데 맡겨 있지도 않은 마귀를 내쫓게 하는 수모와 학대를 당하게 할 수는 없는 일이었다.

  나는 남편이 막걸릿병을 다 비우기도 전에 길을 재촉해 오던 길을 되돌아섰다. 암자 쪽을 등진 남편은 더 이상 땀을 흘리지 않았다. 시어머님은 그 후에도 삼년을 더 살고 돌아가셨지만 그동안 힘이 덜 들었단 얘기는 아니다. 그분의 망령은 여전히 해괴하고 새록새록 해서 감당하기 힘들었지만 나는 효부인 척 위선을 떨지 않음으로써 조금은 숨구멍을 만들 수가 있었다. 너무 속상할 때는 아이들이나 이웃 사람의 눈치 볼 것 없이 큰 소리로 분풀이도 했고 목욕시키거나 옷 갈아입힐 때는 아프지 않을 만큼 거칠게 다루기도 했다. 너무했다 뉘우쳐지면 즉각 애정 표시에도 인색하지 않았다.

  위선을 떨지 않고 마음껏 못된 며느리 노릇을 할 수 있고부터 신경 안정제가 필요 없게 됐다. 시어머니도 나를 잘 따랐다. 마치 갓난아기처럼 천진한 얼굴로 내 치마 꼬리만 졸졸 따라다녔다. 외출했다 늦게 돌아오면 그분은 저녁도 안 들고 어린애처

럼 칭얼대며 골목 밖에서 나를 기다리고 있곤 했다. 임종 때의 그분은 주름살까지
말끔히 가셔 평화롭고 순결하기가 마치 그분이 이 세상에 갓 태어날 때의 얼굴을
보는 것 같았다. 나는 마치 그분의 그런 고운 얼굴을 내가 만든 양 크나큰 성취감
에 도취했었다.

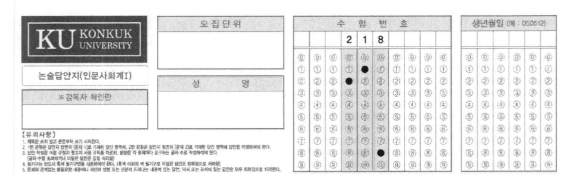

【문제 1】 이 답안 영역에는 1번 문항에 대한 답을 작성하시오. (401~600자)

【문제 2】 이 답안 영역에는 2번 문항에 대한 답을 작성하시오. (801~1,000자)

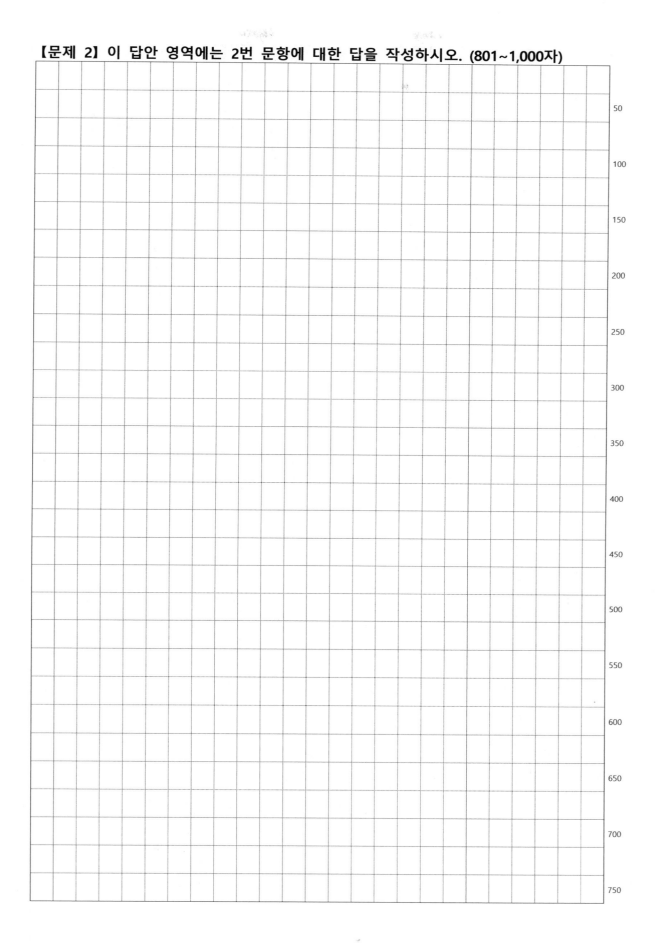

43

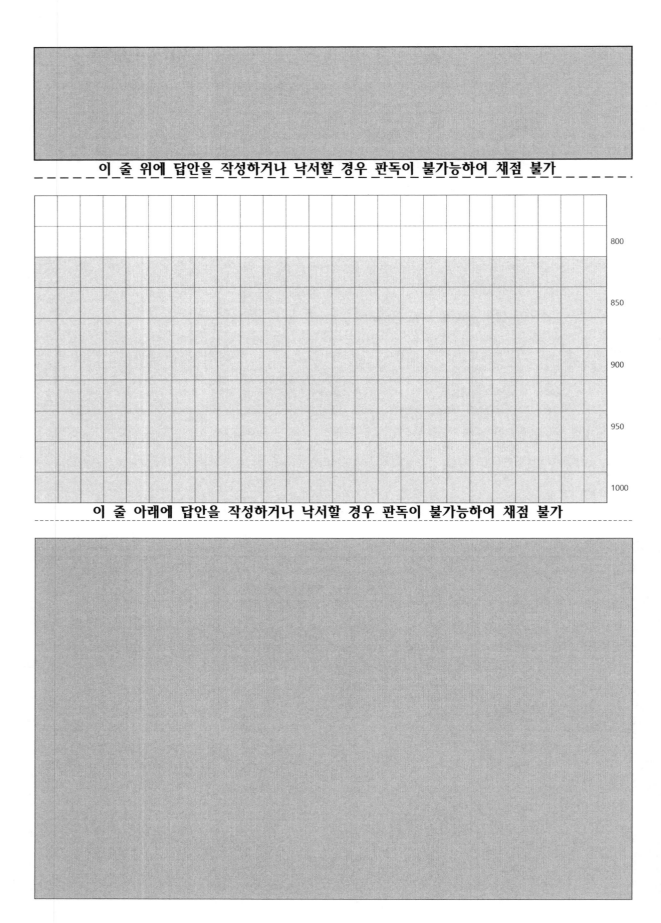

이 줄 위에 답안을 작성하거나 낙서할 경우 판독이 불가능하여 채점 불가

													800
													850
													900
													950
													1000

이 줄 아래에 답안을 작성하거나 낙서할 경우 판독이 불가능하여 채점 불가

2. 2024학년도 건국대 인문사회계II 수시 논술

※ [문제 1]: [가]와 [나]를 참고하여 [다]의 도표를 분석하시오. (401-600자) [40점]

[가]

재작년이던가, 여름날에 있었던 일이다. 날씨가 화창하여 밀린 빨래를 해치웠었다. 성미가 비교적 급한 나는 빨래를 하더라도 그날로 풀을 먹여 다려야지 그렇지 않으면 찜찜해서 심기가 홀가분하지 않다. 그날도 여름 옷가지를 빨아 다리고 나서 노곤해진 몸으로 마루에 누워 쉬려던 참이었다. 팔베개를 하고 누워서 서까래 끝에 열린 하늘을 무심히 바라보고 있었다. 그러다가 모로 돌아누워 산봉우리에 눈을 주었다. 갑자기 산이 달리 보였다. 하, 이것 봐라 하고 나는 벌떡 일어나, 이번에는 가랑이 사이로 산을 내다보았다. 우리들이 어린 시절 동무들과 어울려 놀이를 하던 그런 모습으로.

그건 새로운 발견이었다. 하늘은 호수가 되고, 산은 호수에 잠긴 그림자가 되었다. 바로 보면 굴곡이 심한 산의 능선이 거꾸로 보니 훨씬 유장하게 보였다. 그리고 숲의 빛깔은 원색이 낱낱이 분해되어 멀고 가까움이 선명하게 드러나 얼마나 아름다운지 몰랐다. 나는 하도 신기해서 일어서서 바로 보다가 다시 거꾸로 보기를 되풀이했었다.

이러한 동작을 누가 지켜보고 있었다면 필시 미친 중으로 여겼을 것이다. 그러나 여기에서 나는 새로운 사실을 캐낼 수 있었다.

우리가 일상적으로 사람을 대하거나 사물을 보고 인식하는 것은 틀에 박힌 고정관념에 지나지 않는다. 그렇기 때문에 이미 알아 버린 대상에서는 새로운 모습을 찾아내기 어렵다. 아무개 하면, 자신의 인식 속에 들어와 이미 굳어버린 그렇고 그런 존재로밖에 볼 수가 없는 것이다. 이건 얼마나 그릇된 오해인가. 사람이나 사물은 끝없이 형성되고 변모하는 것인데.

그러나 보는 각도를 달리함으로써 그 사람이나 사물이 지닌 새로운 면을, 아름다운 비밀을 찾아낼 수 있다. 우리들이 시들하게 생각하는 그저 그렇고 그런 사이라 할지라도 선입견에서 벗어나 맑고 따뜻한 '열린 눈'으로 바라본다면 시들한 관계의 뜰에 생기가 돌 것이다.

- 고등학교 『화법과 작문』

[나]

좋은 논쟁이란 '상호 부딪침'이 있는 논쟁을 뜻한다. 그러자면 논점이 팽팽하게 부딪쳐야 한다. 서로의 의견이 갈리는 부분에서 만나 마치 싸움터에서 장수들이 겨루듯 자신의 논리로 상대와 맞서 싸워야 한다.

논쟁이 생산적일 수 있는 이유는 바로 이 '만남'과 '부딪침'에 있다. 서로의 생각이 얼마나 다른지, 어느 부분이 어떻게 다른지는 서로 견주어 봐야 알 수 있는 일이다. 그런 이유로 논쟁은 싸움 같지만 사실은 상호 이해의 장이요, 청중들에게는 즐거움과 교육의 장이다. 서로 부딪치는 지점을 논쟁 용어로는 '접점'이라고 하는데, '상호 갈등 해소를 위한 개념적 장소'쯤으로 풀이할 수 있다.

이러한 접점에서 만나지 않는 사람들, 즉 다른 의견을 듣지 않는 사람들은 마치 메아리 방에서 살 듯 자신의 소리만 듣고 살 가능성이 크다. 아니면 비슷한 생각을 가진 사람끼리 만나 동종 교배 하듯 서로 동의하며 기존의 입장을 기형적으로 견고하게 다질지도 모른다. 서로 다른 의견을 가진 사람들 각각의 집단 편향(집단 극화)이나 쏠림 현상이 강화되는 것이다.

이러한 현상은 인터넷 시대에 들어서 더욱 심화되고 있다. 최근의 각종 연구 결과에 따르면, 이전과는 다르게 사람들은 소수의 여론 주도자에게 끌려다니지 않고 자신과 비슷한 생각을 가진 사람들에게 동조하면서 기존의 의견과 입장을 더욱더 강화하는 경향을 보이고 있다. 이에 따라 사람들의 의견이 극단적으로 나뉘는 현상마저 발생하고 있다.

- 고등학교 『독서』

[다]

[도표 1]

[스위스]

스위스는 4개의 공용어와 방언이 사용되고 있으나, 지방의 특성을 최대한 살릴 수 있도록 지방자치제가 발달해 있어 갈등을 찾아보기 어렵다.

[벨기에]

벨기에는 다른 언어를 사용하는 두 지역(플랑드르, 왈롱)으로 나뉘어 있는데, 산업과 소득 수준의 차이로 인해 두 지역 간의 경제적 격차가 크고 언어갈등도 심화되고 있다.

[도표 2]

※ 국가별 민주주의 지수

완전한 민주주의 (8.0이상)	노르웨이, 스위스, 핀란드, 영국, 미국
미흡한 민주주의 (4.0~8.0미만)	한국, 일본, 벨기에, 인도, 멕시코, 타이, 터키
권위주의 (4.0미만)	베트남, 수단, 러시아, 중국, 북한

(이코노미스트, 2015)

[도표 3]
※ 주요 국가 행복 지수 순위

순위	국가	지수
1	덴마크	7.526
2	스위스	7.501
3	아이슬란드	7.498
4	노르웨이	7.413
5	핀란드	7.404
6	캐나다	7.339
7	네덜란드	7.334
8	뉴질랜드	7.313
9	호주	7.291
10	스웨덴	7.104
...		
18	벨기에	6.929
53	일본	5.921
58	대한민국	5.835

(국제연합 지속가능발전 해법 네트워크(SDSN), 2016)

[라]

① 다항식 $P(x)$가 일차식 $x - \alpha$로 나누어떨어지면 $P(\alpha) = 0$이다.

② $P(\alpha) = 0$이면 다항식 $P(x)$는 일차식 $x - \alpha$로 나누어떨어진다.

- 고등학교 『수학』

[마]

연속확률변수 X의 확률밀도함수 $f(x)$가

$$f(x) = \frac{1}{\sqrt{2\pi}\,\sigma} e^{-\frac{(x-m)^2}{2\sigma^2}}$$

(x는 모든 실수, m은 상수, σ는 양수, e는 2.718281$\cdots$인 무리수)

일 때, X의 확률분포를 정규분포라 하고, 이것을 기호로 $N(m,\ \sigma^2)$과 같이 나타낸다.

- 고등학교 『확률과 통계』

[바]

확률변수 X가 정규분포 $N(m,\ \sigma^2)$을 따를 때, 확률변수

$$Z = \frac{X - m}{\sigma}$$

은 표준정규분포 $N(0,\ 1)$을 따른다.

- 고등학교 『확률과 통계』

[사]

일반적으로 두 사건 A, B에 대하여 $P(B|A) = P(B)$또는 $P(A|B) = P(A)$일 때, 두 사건 A, B는 서로 독립이라고 한다.

[아]

실업률은 경제 활동 인구 중에서 실업자가 차지하는 비율로 현재 경제 상황을 판단할 수 있는 중요한 지표이다.

- 고등학교 『경제』

[자]

물가 지수를 이용하면 두 시점 간의 물가 변화를 측정할 수 있다. 예를 들어 2015년의 물가 수준을 100으로 하여 2016년의 물가 지수를 작성했더니 105였다면, 물가 수준이 1년간 5% 상승했다는 뜻이다.

- 고등학교 『경제』

[차]

미분가능한 함수 $f(x)$에 대하여 $f'(a)=0$일 때, $x=a$의 좌우에서

① $f'(x)$의 부호가 양에서 음으로 바뀌면 $f(x)$는 $x=a$에서 극대이고, 극댓값 $f(a)$를 갖는다.

② $f'(x)$의 부호가 음에서 양으로 바뀌면 $f(x)$는 $x=a$에서 극소이고, 극솟값 $f(a)$를 갖는다.

- 고등학교 『수학 Ⅱ』

[카]

닫힌구간 $[a, b]$에서 연속인 함수 $f(x)$의 한 부정적분을 $F(x)$라고 하면 정적분 $\displaystyle\int_a^b f(x)dx$는 다음과 같이 정의된다.

$$\int_a^b f(x)dx = [F(x)]_a^b = F(b) - F(a)$$

- 고등학교 『수학 Ⅱ』

[타]

일반적으로 함수 $y=f(x)$의 미분가능한 모든 x에 미분계수 $f'(x)$를 대응시키면 새로운 함수 $f'(x) = \displaystyle\lim_{\Delta x \to 0} \frac{f(x+\Delta x)-f(x)}{\Delta x}$를 얻는다. 이때 이 함수 $f'(x)$를 함수 $f(x)$의 도함수라 하고, 이것을 기호로 $f'(x)$, y', $\dfrac{dy}{dx}$, $\dfrac{d}{dx}f(x)$와 같이 나타낸다.

- 고등학교 『수학Ⅱ』

※ [문제 2-1]: [라], [마], [바], [사], [아], [자]를 참고하여 다음 물음에 답하시오. [15점]

건우가 눈을 떠보니 새로운 세계에 온 것을 알게 되었다. 그곳은 우리가 사는 세상과 비슷해 보이지만, 요정과 거인, 마법사들이 사는 신기한 세상이었다. 여러 가지 차이점

이 있었지만, 그중에서도 가장 큰 차이는 화폐가 존재하지 않는다는 것이었다. 화폐가 없으므로 시장에서 물품을 사려면 상대가격을 이용하여 물물교환을 해야만 했다. 예를 들어 귤, 사과, 배의 세 가지 상품이 시장에 있을 때, 사과 1개는 귤 2개와 교환할 수 있고, 배 1개는 사과 2개와 교환할 수 있다. 이 교환 비율에 의하면 필연적으로 배 1 개의 가격을 다시 귤 4개로도 평가할 수 있다. 결국, 이 경우 상품의 가격은 모두 3개 존재하는 것이다.

(1) 만약 이 세상에 존재하는 상품의 가격이 모두 351개 있다면 시장에서 거래되는 상품은 모두 몇 개인지 구하시오. (단, 상품의 개수는 3보다 큰 자연수이다.) [7점]

(2) 건우의 제안으로 화폐가 도입되어 높은 경제성장을 달성한 이 세상은 건우를 경제부처 장관으로 임명하여 실업률과 물가 상승률에 대한 분석을 요청하였다. 과거 자료들을 살펴본 결과 이 세상의 실업률은 평균이 0.04, 분산이 0.0001이고, 물가 상승률은 평균이 0.02, 분산이 0.0004인 정규분포를 각각 따른다는 사실을 알게 되었다. 이때 실업률이 0.05 이상이고 물가 상승률이 0.06 이상일 확률을 a라고 할 때, $100 \times a$를 구하시오.
(단, 실업률과 물가 상승률은 서로 독립이라고 가정한다. 확률변수 Z가 표준정규분포 $N(0, 1)$을 따를 때,

$$P(0 \leq Z \leq 0.5) = 0.1915, \quad P(0 \leq Z \leq 1) = 0.3413,$$
$$P(0 \leq Z \leq 1.5) = 0.4332, \quad P(0 \leq Z \leq 2) = 0.4772$$

이다. 만약 정답이 소수가 나오면 소수점 셋째 자리에서 반올림하시오.) [8점]

※ **[문제 2-2]: [차], [카]를 참고하여 다음 물음에 답하시오. [20점]**

반도체를 생산하여 판매하는 K사는 갑국에 위치해 있지만 을국에 물품을 수출하며, 또한 생산에 필요한 원자재를 을국으로부터 수입한다. 을국의 경기가 좋으면 K사가 생산하는 반도체에 대한 수요가 증가해 K사의 매출액이 늘어난다. 반면 을국의 물가가 상승하면 원자재가격 상승으로 인해 K사의 비용이 증가한다. 을국이 경제 활성화 정책을 사용할 경우 을국의 경기가 좋아져 K사가 생산하는 반도체에 대한 수요가 증가하며 동시에 을국의 물가가 상승해 K사의 비용도 증가한다. 한편 기술이 발전함에 따라 시간이 지날수록 비용이 낮아진다. 구체적으로, 을국이 사용하는 경제 활성화 정책의 강도를 m이라고 할 때 t시기 K사가 직면하는 수요곡선과 생산비용의 식은 아래와 같다. (t는 실수이며, $0 \leq t \leq 25$)

$$\text{수요곡선: } P = -20Q + 40 + m$$
$$\text{생산비용: } C(Q) = 5Q^2 + 10 + m - t$$

여기서 Q는 K사의 반도체 생산량, P는 반도체 가격, $C(Q)$는 K사가 반도체를 Q개 생산하는 데 드는 비용이다. 매 시기 을국이 m을 먼저 결정한 후 K사가 주어진 수요곡선과 생산비용하에서 이윤을 극대화하는 생산량을 결정한다. 이윤은 매출액에서 생산비용을 뺀 값이며, 매출액은 가격에 판매량을 곱한 값이다. (단, 생산량과 판매량은 같다고 가정한다.)

(1) t시기 을국이 사용하는 경제 활성화 정책의 강도를 m이라고 할 때 K사의 이윤이 최대가 되게 하는 생산량은 얼마인가? [5점]

(2) 갑국과 을국의 무역전쟁으로 을국이 갑국에 위치한 K사의 이윤이 최소가 되게 하는 정책을 사용한다고 하자. 이 경우 t시기 을국이 사용하는 경제 활성화 정책의 강도 m은 얼마인가? [10점]

(3) t시기 K사의 이윤을 $f(t)$라고 하면 $t=0$에서 $t=s$까지 K사의 누적이윤은 $\int_0^s f(t)dt$ 이다. (1)과 (2)의 상황에서 K사의 누적이윤이 48이 되는 시점 s값을 구하시오. [5점]

※ [문제 2−3]: [차], [타]를 참고하여 다음 물음에 답하시오. [25점]
다음은 K국의 3개년도 출산율 표이다.

연도	2012	2016	2020
출산율	1.1	1.0	0.7

이 표로부터 2030년 K국의 출산율을 예측하기 위해 연도에 따른 출산율의 변화를 나타내는 식 $y=ax+b$를 구하려고 한다. (단, x값은 연도를 뜻하며, 식의 x값에 특정 연도를 대입하여 나온 y값이 해당 연도의 출산율 예측값이다.)
수식을 완성하기 위해 다음의 문제를 순서대로 풀어보시오. 단, 계산의 복잡성을 피하고자 2012년을 12로, 2016년을 16으로, 2020년을 20으로 하여 계산한다. 즉 $x_1=12$, $x_2=16$, $x_3=20$으로 하고, 연도별 출산율은 $y_1=1.1$, $y_2=1.0$, $y_3=0.7$로 한다. 다음의 곱셈표를 이용하시오.

곱셈표	12 (2012년)	16 (2016년)	20 (2020년)	1.1	1.0	0.7
12 (2012년)	144	192	240	13.2	12.0	8.4
16 (2016년)	192	256	320	17.6	16.0	11.2
20 (2020년)	240	320	400	22.0	20.0	14.0
1.1	13.2	17.6	22.0	1.2	1.1	0.8
1.0	12.0	16.0	20.0	1.1	1.0	0.7
0.7	8.4	11.2	14.0	0.8	0.7	0.5

(1) 연도 x_1, x_2, x_3에 대해 $y=ax+b$를 이용하여 계산한 출산율 예측값과 실제 출산율 y_1, y_2, y_3값의 오차가 각각 e_1, e_2, e_3이라고 할 때, $S=e_1^2+e_2^2+e_3^2$을 a와 b의 식으로 표현하시오. [10점]

(2) $b=1.7$일 때, S를 최소가 되게 하는 a값을 구한 뒤 소수점 셋째 자리에서 반올림하시오. [10점]

(3) 위의 문제 (2)에서 구한 a와 b값을 대입하여 $y=ax+b$를 완성하고, 이 식을 이용하여 2030년 ($x=30$) K국의 출산율 예측값을 구하시오. [5점]

모집단위

성   명

수 험 번 호
2 1 8

생년월일 (예 : 050512)

연습용 답안으로 실제 답안과 다를 수 있습니다.

【문제 1】 이 답안 영역에는 1번 문항에 대한 답을 작성하시오. (401~600자)

【문제 2-1】이 답안 영역에는 2-1번 문항에 대한 답을 작성하시오.

【문제 2-2】이 답안 영역에는 2-2번 문항에 대한 답을 작성하시오.

【문제 2-3】이 답안 영역에는 2-3번 문항에 대한 답을 작성하시오.

3. 2024학년도 건국대 인문사회계 I 모의 논술

[문제 1]: [가]와 [나]를 참조하여 [다]의 도표를 분석하시오. (401-600자) [40점]
[문제 2]: [가]와 [나]의 핵심 개념을 활용하여 [라]의 주요 인물의 태도 변화에 대해 논하시오. (801-1,000자) [60점]

[가]

고자(告子)가 말하였다. "사람의 본성은 여울물과 같아서 동쪽을 터 주면 동쪽으로 흐르고 서쪽을 터 주면 서쪽으로 흐른다. 사람의 본성을 선이나 악으로 구분 지을 수 없음은 여울물에 동서의 구분이 없는 것과 같다." 그러자 맹자(孟子)가 말하였다. "물에 진실로 동서의 구분이 없지만 위아래의 구분도 없단 말인가? 사람의 본성이 날 때부터 착한 것은 물이 항상 아래로 흐르는 것과 같으니, 사람이란 날 때부터 악한 사람이 없으며 물 또한 아래로 내려가지 않는 법이 없다. 지금 물을 손으로 쳐서 이마 높이까지 튀어 오르게 할 수도 있고 거꾸로 거스르게 하여 산 높은 곳에 있게 할 수도 있지만, 이것이 어찌 물의 본성이겠는가? 형세가 그렇게 만든 것일 뿐이니 사람이 악한 짓을 하게 되는 것 또한 이와 같다."

(중략)

정약용은 인간을 선하고자 하면 선할 수 있고 악하고자 하면 악할 수 있는 자유 의지, 즉 자주지권(自主之權)을 부여받은 존재라고 주장하였다.

> 하늘은 인간에게 자주지권(自主之權)을 주어, 선(善)을 하고자 하면 선을 할 수 있고, 악(惡)을 하고자 하면 악을 할 수 있게 하였다. (인간의 마음은) 이리저리 움직여서 고정되어 있지 않으니, 자주지권은 자기에게 있다. 이것은 동물에게 정해진 마음이 있는 것과 같지 않다. 그러므로 선을 행하면 자기의 공이 되고 악을 행하면 자기의 죄가 되는 것이니, 이것은 마음의 자주지권이며, 이른바 본성이 아니다.
>
> - 정약용, 「맹자요의」

정약용은 자주지권을 바탕으로 도덕 행위에 대한 책임은 인간 자신에게 있음을 명확히 하였다. 이러한 시각에서 그는 성리학과 달리 덕을 인간의 선천적 본성으로 보지 않고, 일상적 실천을 통해 형성되어 가는 것으로 보았다. 그래서 그는 "선을 따르기란 산을 오르는 것과 같이 어렵고, 악을 따르기란 언덕이 무너지는 것과 같이 쉽다."라는 말로 일상에서의 윤리적 실천을 강조하였다.

-고등학교 「윤리와 사상」

[나]

실제 세상인 사회와 가상 공간인 인터넷을 비교한다면 뜬금없다는 생각이 들 만큼 둘의 성격은 서로 다르다. 그런데 신기하게도 이 둘을 한 가지 틀로 볼 수 있는데, 그 이유는 모두가 네트워크라는 공통점이 있기 때문이다. 네트워크란 점과 선으로 연결된 형태를 말한다. 사회 네트워크에서는 개인들 하나하나가 점이 되고 그 개인의 사회관계가 선이 되어, 가족, 친지, 친구, 직장 동료 등이 선으로 연결된 네트워크가 된다. 인터넷에서는 점이 컴퓨터이고 컴퓨터를 연결하는 랜 케이블이나 기기를 연결하는 전자기파가 선이 되어, 결국 점과 선으로 연결된 네트워크가 된다. 네트워크 이론에서는 점을 '노드(node)'라고 하고, 선을 '연결선'이라고 한다.

네트워크는 생긴 모양에 따라 고속도로망 같은 네트워크와 항공망 같은 네트워크로 나눌 수 있다. 고속도로망 같은 네트워크는 각 노드에 연결되는 선의 수가 거의 균일한 형태를 띠는 것을 말한다. 그리고 항공망 같은 네트워크는 각 노드에 연결되는 선이 몇 개의 노드에 집중되는 '허브(hub)'를 가지고 있어 복잡한 형태를 띠고 있는 것을 말하는데, 이를 '척도 없는 복잡계 네트워크'라고 한다. 척도가 없다는 것은, 평균 연결선 개수를 쉽게 정할 수 있는 고속도로망과는 달리 항공망에서는 각 노드를 연결하는 선의 개수가 적은 노드부터 연결이 많은 허브까지, 분포가 넓어서 특정한 숫자(척도)를 정할 수 없다는 뜻이다.

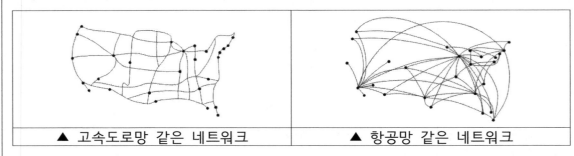

▲ 고속도로망 같은 네트워크　　　▲ 항공망 같은 네트워크

그런데 우리가 살고 있는 세상을 네트워크로 표현해 보면 많은 경우 복잡한 형태인 항공망 같은 척도 없는 네트워크가 된다. 그래서 세상은 복잡계 네트워크라고 할 수 있다. 그렇다면 세상이 왜 항공망처럼 허브를 가진 복잡계 네트워크가 될까? 논문을 쓸 때 연구자들은 유명하지 않은 논문보다는 유명한 논문을 인용하고 싶어 한다. 한번 유명한 논문이 되면 그 논문은 계속해서 더 많이 인용되면서 자연스럽게 그 논문에 연결선이 많아지는 네트워크가 되는 것이다. 이것은 누리 문서라든가 친구 관계에도 마찬가지이다.

-고등학교 「독서」

[다]

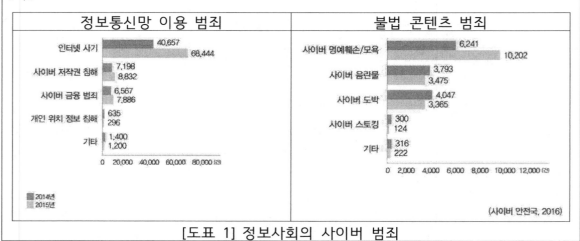

[도표 1] 정보사회의 사이버 범죄

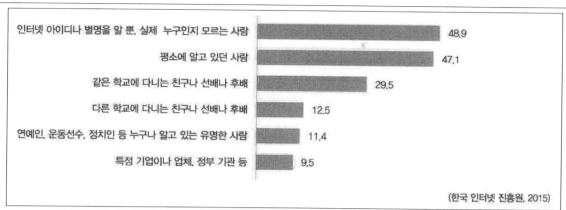

인터넷 아이디나 별명을 알 뿐, 실제 누구인지 모르는 사람	48.9
평소에 알고 있던 사람	47.1
같은 학교에 다니는 친구나 선배나 후배	29.5
다른 학교에 다니는 친구나 선배나 후배	12.5
연예인, 운동선수, 정치인 등 누구나 알고 있는 유명한 사람	11.4
특정 기업이나 업체, 정부 기관 등	9.5

(한국 인터넷 진흥원, 2015)

[도표 2] 학생의 사이버 폭력 가해 대상(중복응답 (단위: %), 2015년)

-고등학교 「통합사회」

[라]

※ 앞부분 줄거리: 1948년 10월 19일 여수에서 국군 14연대가 반란을 일으키자 좌익 반군들은 순천까지 그 세력을 확대한다. 20일에는 남로당 조직에 연결되어 있던 벌교 지역 좌익 세력들까지 반군에 합세하여 벌교를 장악한다. 빨치산인 염상진은 부하들을 이끌고 경찰서를 습격한다. 그리고 그날 학병으로 참전했다 돌아온 김범우를 찾아와 피신할 것을 권한다. 김범우가 피신해 있는 동안, 지주인 아버지 김사용은 인민재판에 불려 나간다.

김범우는 숨을 몰아쉬며 회전을 시작하려는 감정에 제동을 걸려고 애를 썼다. 자신의 앞에 펼쳐진 현실은 전과 같은 절망의 벽이 아니라 죽음인 것처럼 느껴지고 있었다.

다음 날부터 정신 바짝 차린 문 서방이 가져오는 소식을 대하며 김범우는 절망감에 휘말리고 있었다.

"작은서방님, 작은서방님, 어르신네가, 어르신네가 살아나셨구만요, 살아나셨다니께요."

문 서방이 사립문을 차고 들며 숨이 넘어가고 있었다.

"무슨 소리요, 문 서방!"

"긍께 머시냐, 이, 이, 인민재판*에서……."

김범우는 전신이 허물어지는 것 같은 허탈에 빠져 비칠비칠 주저앉으며 말했다.

"자세히 얘기해보시오."

"긍께, 어르신 차례가 되얐았는디, 워메 참말로 환장허겄등거. 어르신네는 두 눈 딱 감고 단상에 꼿꼿허게 스셨는디, 누가 벌떡 일어남스로 소리 질르기를, 김사용은 지주지만 인민의 적은 아니다. 큰아들 범준은 독립투사고 김사용은 독립 자금을 댔다. 인민의 피를 제대로 쓴 것이다. 고것만이 아니라 큰아들 김범준은 해방되고 3년이 지난 지끔꺼정 소식이 없다. 못헐 말로 죽은 것이라면 조국 독립을 위해 하나뿐인 목심을 바친 것이다. 그라고 지주 김사용은 작인*들헌테 질로 후허게 헌 사람이다. 고건 시상이 다 아는 일이다. 그렇게 김사용은 숙청에서 빼야 헌다, 고 허

드랑께요. 그 말을 위원장이 접수헌다고 발표허고는 또 모인 사람들헌테 워떻게 헐랑가 묻드만요. 워메, 고때 사람 미치겄등거. 근디 여그저그서 옳소, 옳소, 허는 소리가 터짐스로 박수를 안 치겄소. 워메 나는 이때다 싶어 목구녕이 찢어져라 옳소, 옳소, 소리 질르고 손바닥이 떨어져 나가그라 박수를 쳤구만요. 그려서 어르신이 화를 면허시고 단상을 내려오시는디……. 지가 쫓아가 어르신을 부축험시로 을매나 죄시럽고 눈물이 나든지…….”

문 서방은 목이 잠기며 눈물을 훔쳤다. 그런 문 서방의 그지없이 착하고 선량함이 그의 가슴을 뭉클하게 했다.

“고맙소, 문 서방, 너무 애썼어요.”

김범우는 애써 웃어 보이며 말했다.

“무신 당찮은 말씀이시다요. 정작 고마운 사람은 따로 있제라. 어르신 구헐라고 나선 그 하대치란 사람 말이어라우.”

하대치, 귀에 익은 듯한 이름이면서도 딱히 잡히는 것이 없었다.

“그래요? 그 사람이 누구요?”

“하매 작은서방님도 알 성불른디요. 위원장 염상진얼 그림자맹키로 따라댕김서 빨갱이 허다 징역살이도 함께헌…….”

“아, 알았어요.”

김범우의 기억 저편에서 흐리게 떠오르는 사내가 있었다. 얼굴 생김은 거의 기억이 없고 키가 작은 다부진 체격에 꼭 돌덩이 같은 인상을
풍기던 사내였다. 염상진이 출감해서 돌아오던 날 역에 마중 나갔다가 보았던 것이다.

“하대치 그 사람이 어르신네 소작을 부친 것도 아니고, 무신 은혜럴 입었다고 그리 발 벗고 나섰는지, 참말로 몰를 일이랑께요.”

문 서방은 영문을 몰라 하고 있었다. 그건 염상진이 꾸민 완벽한 연극이었다. 그러나 대사로 사용된 아버지의 행적까지 연극은 아니었다. 그건 있는 그대로였다. 남들과 똑같이 체포를 해 가고, 인민재판에 회부하고, 부하를 시켜 발언하게 하고, 그리고 석방시키는 과정을 거친 염상진의 의도는 결코 단순하지가 않았다. 공적인 목적과 사적인 정리(情理)가 복합적으로 작용했을 것이었다. 객관적으로 별로 흠잡힐 데 없는 아버지를 인민재판을 거쳐 석방시킴으로써 자기네들의 공정성과 신중성을 널리 선전하고 싶었을 것이다. 그리고 다른 지주들을 처단하는 확실한 이유 설명의 본보기로 삼을 수 있었을 것이다. 뿐만 아니라 개인적으로는, 그의 어린 날로부터 따뜻한 정과 깊은 이해를 베풀어 온 아버지를 떳떳하게 보호하고 싶었을 것이다. 한 번의 행위로 두 가지 이상의 목적을 충족시킬 줄 아는 염상진, 그는 역시 단세포가 아니었다.

“헌디 말이요, 서방님. 인민재판이라등가 먼가가 끝나고 쥑이는 굿판이 벌어졌는디, 워메 징허기도 허고…….”

“어디서 말인가요?”

김범우는 문득 생각에서 깨어나며, 한결 느긋해진 태도로 말하고 있는 문 서방에게 눈길을 돌렸다.

"워디긴 워디어라, 북국민핵교 마당에서 인민재판을 끝내고 그 질로 소화다리로 끌고 갔구만이라. 사람덜이 벌 떼맹키로 모였는디, 사람덜헌테 귀경시키대끼 줄줄이 세워 놓고 쥑였당께요."

"문 서방도 그걸 구경했단 말이오?"

"하먼이라, 징허기는 혔어도 그건 돈 내고도 못헐 존 귀경거리였는디요."

"그게 무슨 소리요, 문 서방. 남들은 죽어 가는데 그걸 보고 좋은 구경거리라니."

김범우의 음성은 뜨거웠고 눈 가장자리에는 파르르 경련이 일었다.

"존 귀경거리고말고라. 죄는 진 대로 가고 공은 닦은 대로 간다고, 즈그눔덜이 평소에 읎이 사는 사람덜 아프고 씨린 맘 몰라주고 행투* 고약허게 해 감서 배터지게 묵고 살았응게 고렇게 당혀서 싸제라. 고것들이 하나씩 죽어 자빠지는디, 씨엉쿠* 잘됐다. 씨엉쿠 잘되았다, 허는 소리가 속에서 절로 솟기드만요. 고런 맘이 워디 나 혼자뿐이었을랍디여. 말을 안 혔응게 그렇제 귀경허는 전부가 다 똑겉은 맘이었을 꺼구만이라."

문 서방은 완전히 다른 사람으로 돌변해 있었다. 그의 눈은 증오로 타고, 얼굴은 분노로 일그러져 있었다. 김범우는 하나의 악마를 보고 있었다. 아버지를 위해 눈물을 머금던 아까의 그 착하고 선량하던 모습은 간 곳이 없었다. 김범우는 섬뜩하게 끼쳐 오는 두려움을 느꼈다.

"문 서방, 애썼어요. 그만 쉬도록 해요."

김범우는 땅바닥을 내려다본 채 중얼거리듯 말했다.

문 서방이 돌아서고 나서도 김범우는 의식의 공백 속에 빠져 있었다. 그는 사고(思考)를 정리하려 했지만 뜻대로 되지 않았다. 전혀 다른 두 모습의 문 서방, 그 어느 쪽이 진짜인가. 어떻게 한 사람이 그렇게 표변할 수 있는가. 그 어느 쪽이 진실인가. 사람이 어떻게 그토록 이중적일 수 있을까. 그때 퍼뜩 떠오르는 말이 있었다.

"있는 자들은 자기들만 사람인 줄 알지. 더러 그렇지 않은 우등생도 있지만 말야. 난 그 단순한 자만을 고맙게 생각하네. 거기에 우리가 설 자리가 있고, 그게 그들 스스로가 빠져들어 갈 함정이니까."

염상진의 말이었다. 그렇다, 인간은 복합적 사고와 다양한 감정의 줄기를 소유한 동물이다. 문 서방의 전혀 다른 두 모습은 그런 인간의 속성이 표출된 것일 뿐이다. 그러므로 그 두 가지 모습은 다 문 서방의 참모습인 것이다. 인간의 마음속에는 선과 악이 공존하면서 외부의 영향과 상황에 따라 그것은 반응하는 것이다. 문 서방은 아버지에게는 선한 인간으로 반응했고, 다른 사람들에게는 악한 인간으로 반응한 것뿐이다. 만약 아버지가 악한 지주였다면 문 서방은 여지없이 악한 반응을 보였을 것이다. 그러므로 문 서방의 악은 악이 아니라 선인 것이었다. 염상진의 자신감 넘치는 얼굴이 확대되어 오고 있었다.

　문 서방은 연거푸 이틀을 끔찍한 소식만 가지고 왔다. 김범우는 속이 메슥거리다 못해 생목*이 치밀어 오르는 것을 견뎌 내며 문 서방의 이야기를 다 들었다. 죽이는 자와 죽는 자가 대치한 현장, 그 빛과 어둠으로 양분된 극단의 행위에 대한 이야기를 듣는 것만이 현재로서 자신이 할 수 있는 유일한 일이었던 것이다.

　"소화다리 아래 갯물에고 갯바닥에고 시체가 질펀허니 널렸는디, 아이고메 인자 징혀서 더 못 보겄구만이라. 재미가 오진* 싸까쓰*도 똑겉은 거 두 번씩 보먼 질리는 법인디, 사람 쥑이는 거 날이 날마동 보자니께 환장허겄구만요. 그라고, 그 사람덜이 가난허고 배곯는 사람덜편이랑께 나쁠 것은 없는디, 사람도 지각각 죄도 지각각이라고, 사람마동 진 죄가 달블* 것인디 워째서 마구잽이로 쥑이기만 허는지, 날이 갈수록 그 사람덜이 무서짐스로* 겁이 살살 난당께요."

　김범우는 놀란 눈으로 문 서방을 건너다보고 있었다. 그건 바로 염상진이 빠지고 있는 함정이었다. 염상진이 문 서방의 말을 들었으면
무어라고 할 것인지 궁금했다.

* 인민재판: 공산주의 국가에서 일정한 자격을 갖춘 법관 대신 인민이 뽑은 사람이 대중 앞에서 그들을 배심으로 삼아 재판, 처결하는 방식의 재판
* 작인: 소작인. 다른 사람의 농지를 빌려 농사를 짓고 그 대가로 사용료를 지급하는 사람
* 행투: 행티. 행짜(심술을 부려 남을 해롭게 하는 행위)를 부리는 버릇
* 씨엉쿠: '시원하게'의 방언
* 생목: 제대로 소화되지 아니하여 위에서 입으로 올라오는 음식물이나 위액
* 오진: 마음에 흡족하게 흐뭇한
* 싸까쓰: 서커스
* 달블: '다를'의 방언
* 무서짐스로: '무서워지면서'의 방언

- 고등학교 「문학」

연습용 답안으로 실제 답안과 다를 수 있습니다.

【문제 1】이 답안 영역에는 1번 문항에 대한 답을 작성하시오. (401~600자)

【문제 2】 이 답안 영역에는 2번 문항에 대한 답을 작성하시오. (801~1,000자)

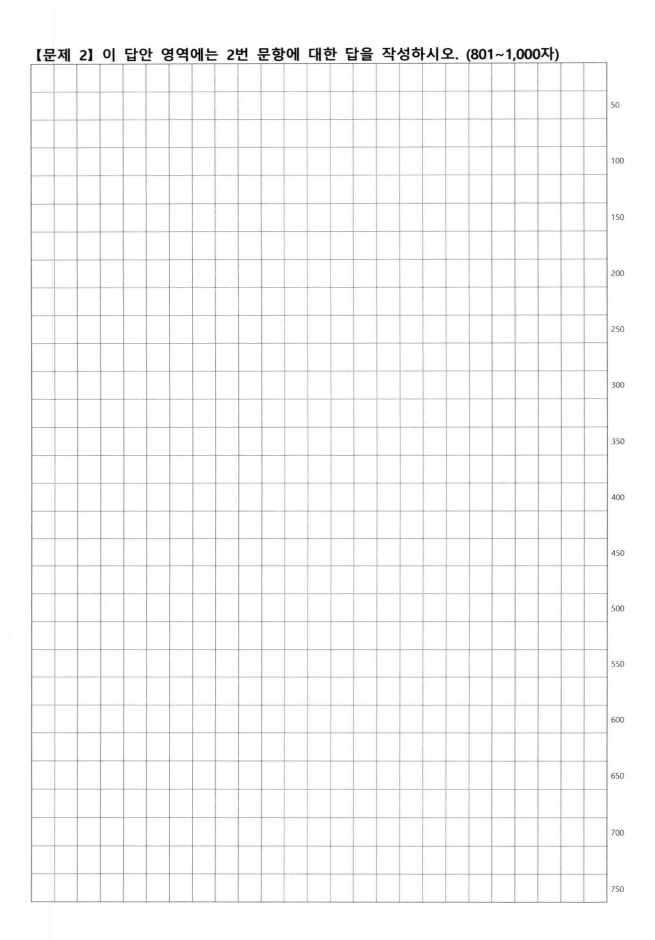

이 줄 위에 답안을 작성하거나 낙서할 경우 판독이 불가능하여 채점 불가

800

850

900

950

1000

이 줄 아래에 답안을 작성하거나 낙서할 경우 판독이 불가능하여 채점 불가

4. 2024학년도 건국대 인문사회계II 모의 논술

[문제 1]: [가]와 [나]를 참조하여 [다]의 도표를 분석하시오. (401-600자) [40점]

[가]
고자(告子)가 말하였다. "사람의 본성은 여울물과 같아서 동쪽을 터 주면 동쪽으로 흐르고 서쪽을 터 주면 서쪽으로 흐른다. 사람의 본성을 선이나 악으로 구분 지을 수 없음은 여울물에 동서의 구분이 없는 것과 같다." 그러자 맹자(孟子)가 말하였다. "물에 진실로 동서의 구분이 없지만 위아래의 구분도 없단 말인가? 사람의 본성이 날 때부터 착한 것은 물이 항상 아래로 흐르는 것과 같으니, 사람이란 날 때부터 악한 사람이 없으며 물 또한 아래로 내려가지 않는 법이 없다. 지금 물을 손으로 쳐서 이마 높이까지 튀어 오르게 할 수도 있고 거꾸로 거스르게 하여 산 높은 곳에 있게 할 수도 있지만, 이것이 어찌 물의 본성이겠는가? 형세가 그렇게 만든 것일 뿐이니 사람이 악한 짓을 하게 되는 것 또한 이와 같다."
(중략)
정약용은 인간을 선하고자 하면 선할 수 있고 악하고자 하면 악할 수 있는 자유 의지, 즉 자주지권(自主之權)을 부여받은 존재라고 주장하였다.

　하늘은 인간에게 자주지권(自主之權)을 주어, 선(善)을 하고자 하면 선을 할 수 있고, 악(惡)을 하고자 하면 악을 할 수 있게 하였다. (인간의 마음은) 이리 저리 움직여서 고정되어 있지 않으니, 자주지권은 자기에게 있다. 이것은 동물에게 정해진 마음이 있는 것과 같지 않다. 그러므로 선을 행하면 자기의 공이 되고 악을 행하면 자기의 죄가 되는 것이니, 이것은 마음의 자주지권이며, 이른바 본성이 아니다. - 정약용, 「맹자요의」

정약용은 자주지권을 바탕으로 도덕 행위에 대한 책임은 인간 자신에게 있음을 명확히 하였다. 이러한 시각에서 그는 성리학과 달리 덕을 인간의 선천적 본성으로 보지 않고, 일상적 실천을 통해 형성되어 가는 것으로 보았다. 그래서 그는 "선을 따르기란 산을 오르는 것과 같이 어렵고, 악을 따르기란 언덕이 무너지는 것과 같이 쉽다."라는 말로 일상에서의 윤리적 실천을 강조하였다.
-고등학교 「윤리와 사상」

[나]
실제 세상인 사회와 가상 공간인 인터넷을 비교한다면 뜬금없다는 생각이 들 만큼 둘의 성격은 서로 다르다. 그런데 신기하게도 이 둘을 한 가지 틀로 볼 수 있는데, 그 이유는 모두가 네트워크라는 공통점이 있기 때문이다. 네트워크란 점과 선으로 연결된 형태를 말한다. 사회 네트워크에서는 개인들 하나하나가 점이 되고 그 개인의 사회관계가 선이 되어, 가족, 친지, 친구, 직장 동료 등이 선으로 연결된 네트워크가 된다. 인터넷에서는 점이 컴퓨터이고 컴퓨터를 연결하는 랜 케이블이나 기기를 연결하는 전자기파가 선이 되어, 결국 점과 선으로 연결된 네트워크가 된다. 네트워크 이론에서는 점을 '노드(node)'라고 하고, 선을 '연결선'이라고 한다.

네트워크는 생긴 모양에 따라 고속도로망 같은 네트워크와 항공망 같은 네트워크로 나눌 수 있다. 고속도로망 같은 네트워크는 각 노드에 연결되는 선의 수가 거의 균일한 형태를 띠는 것을 말한다. 그리고 항공망 같은 네트워크는 각 노드에 연결되는 선이 몇 개의 노드에 집중되는 '허브(hub)'를 가지고 있어 복잡한 형태를 띠고 있는 것을 말하는데, 이를 '척도 없는 복잡계 네트워크'라고 한다. 척도가 없다는 것은, 평균 연결선 개수를 쉽게 정할 수 있는 고속도로망과는 달리 항공망에서는 각 노드를 연결하는 선의 개수가 적은 노드부터 연결이 많은 허브까지, 분포가 넓어서 특정한 숫자(척도)를 정할 수 없다는 뜻이다.

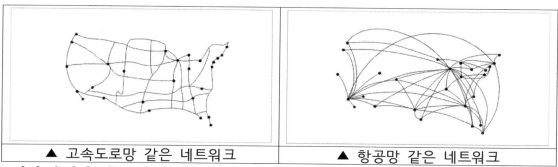

| ▲ 고속도로망 같은 네트워크 | ▲ 항공망 같은 네트워크 |

그런데 우리가 살고 있는 세상을 네트워크로 표현해 보면 많은 경우 복잡한 형태인 항공망 같은 척도 없는 네트워크가 된다. 그래서 세상은 복잡계 네트워크라고 할 수 있다. 그렇다면 세상이 왜 항공망처럼 허브를 가진 복잡계 네트워크가 될까? 논문을 쓸 때 연구자들은 유명하지 않은 논문보다는 유명한 논문을 인용하고 싶어 한다. 한번 유명한 논문이 되면 그 논문은 계속해서 더 많이 인용되면서 자연스럽게 그 논문에 연결선이 많아지는 네트워크가 되는 것이다. 이것은 누리 문서라든가 친구 관계에도 마찬가지이다.

-고등학교 「독서」

[다]

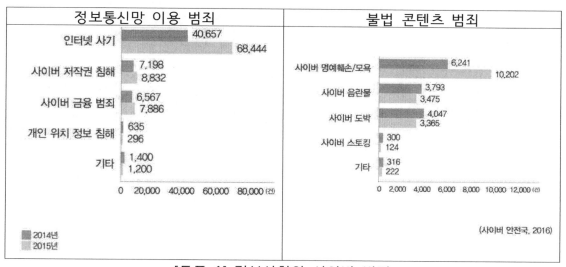

[도표 1] 정보사회의 사이버 범죄

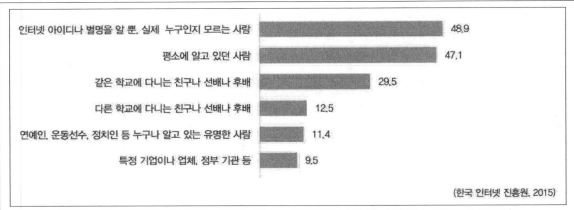

[도표 2] 학생의 사이버 폭력 가해 대상(중복응답 (단위: %) , 2015년)

-고등학교 「통합사회」

[문제 2]: 다음을 읽고 물음에 답하시오. [60점]

미분가능한 함수 $f(x)$가 $f'(a)=0$이고 $x=a$의 좌우에서

① $f'(x)$의 부호가 양(+)에서 음(-)으로 바뀌면 $f(x)$는 $x=a$에서 극대이고, 극댓값은 $f(a)$이다.

② $f'(x)$의 부호가 음(-)에서 양(+)으로 바뀌면 $f(x)$는 $x=a$에서 극소이고, 극솟값은 $f(a)$이다.

-고등학교 「수학II」

[마]

미분가능한 함수 $y=f(x)$의 도함수는 $f'(x)=\lim_{\Delta x \to 0} \dfrac{f(x+\Delta x)-f(x)}{\Delta x}$이다.

-고등학교 「수학II」

[바]

시간의 흐름에 따라 개인의 삶이 어떻게 진전되는지, 가족의 모습은 어떻게 변화하는지를 몇 가지 단계로 나타낸 것을 생애 주기 또는 라이프 사이클이라고 한다. 생애 주기의 각 단계에 따라 소득, 필요한 자금의 내용과 크기가 달라진다. 생애 주기에 따른 재무 계획은 단순히 장래를 대비하기 위해 절약해서 쓰고 남은 돈을 저축하는 개념에서 한걸음 더 나아가는 계획이다. 일생을 살아가면서 발생할 수 있는 중요한 수입과 지출의 항목 및 크기를 예상해 보고 언제, 어느 정도의 돈을 저축하고 쓸 것인지를 사전에 계획해 보는 것이다. 한 사람의 소득은 대체로 20대부터 50대까지 증가하여 최고점에 도달한 후 감소하기 시작한다. 특히 은퇴와 더불어 소득이 급격히 감소하므로 그동안 축적해 놓은 자산에서 발생하는 소득이나 연금 등으로 살아가야 한다. 소비 지출도 목돈 드는 일이 생길 때마다 급격히 커져서 지출이 소득보다 훨씬 많을 때도 있다. 특히 나이가 60대에 접어들면 소득이 큰 감소하고 소비가 소득보다 많아지는 것이 일반적이다. 그러므로 소득이 소비보다 많을 때 저축이나 투자를 통해 자산을 충분히 축적하기 위한 생애에 걸친 재무 계획을 수립해야 한다.

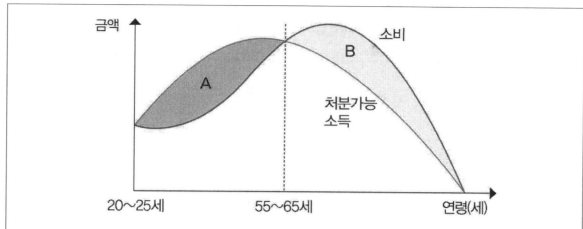

금액

소비

B

처분가능
소득

A

20~25세   55~65세   연령(세)

-고등학교 「경제」

[사]

　닫힌구간　[a, b]에서　연속인　함수　$f(x)$의　한　부정적분을　$F(x)$라고　하면　정적분는　$\int_a^b f(x)dx$　다음과　같이　정의된다.

$$\int_a^b f(x)dx = [F(x)]_a^b = F(b) - F(a)$$

-고등학교 「수학 II」

※ [문제 2-1]: [라]를 참고하여 다음 물음에 답하시오. [15점]

　지민이네 가족은 소고기와 콜라에 120만큼의 예산을 지출할 계획이다. 지민이네 가족이 소고기를 A킬로그램, 콜라를 B킬로그램 소비할 때 지민이네 가족이 얻는 효용 $U(A, B)$는 아래 식과 같다.

$$U(A, B) = AB$$

소고기 1킬로그램 당 가격은 4이고, 콜라 1킬로그램 당 가격은 2이다. 주어진 예산을 모두 사용하여 지민이네 가족이 얻는 효용이 최대가 되는 소고기의 양　와 콜라의 양를 구하시오.

※ [문제 2-2]: [라]를 참고하여 다음 물음에 답하시오. [20점]

　쌀농사를 짓는 건국이는 시장가격에 영향을 주지 않은 채 원하는 수량만큼의 쌀을 팔수 있다. 즉, 시장가격은 건국이의 쌀 생산량에 관계없이 1킬로그램 당 P로 일정하다. 건국이가 Q 만큼의 쌀을 생산할 때 드는 비용 $C(Q)$는 아래 식과 같다.

$$C(Q) = 16 + 4Q + Q^2$$

　건국이는 이윤이 최대가 되도록 하는 양만큼 쌀을 생산한다. 단, 최대로 얻을 수 있는 이윤이 0 이하인 경우에는 쌀농사를 짓지 않는다. 이윤은 수입에서 비용을 뺀 값이다. 건국이가 쌀농사를 짓기 위한 조건을 구하시오.

※ [문제 2-3]: [마], [바], [사]를 참고하여 다음 물음에 답하시오. [25점]

　　현재 20세인 K씨는 60년 이후인 80세까지 살 것으로 예측하고, 그때까지 생애 주기에 따라 재무 계획을 수립하려고 한다. K씨는 향후 예상 소비 지출액은 정해져 있다고 가정하고, 소득을 증가시켜 안락한 노후를 보내려 한다. 다음 삼차함수 $h(x)$는 x년 이후 예상되는 K씨의 연간 소비 지출액을 나타낸다. (단, $0 \leq x \leq 60$, 단위: 백만 원)

$$h(x) = -0.001x^2(x-60)$$

　　K씨의 연간소득은 50세가 되는 30년 이후까지 증가하고, 이후 감소한다고 한다. K씨는 자산 관리, 외국어 능력 개발 등 소득증대를 위한 개인적 노력을 하여 향후 소득을 증가시키려 노력한다. 다음 함수 $g(x)$는 이를 나타내는 x년 이후 K씨의 처분가능소득을 나타낸다.

(단, 　$0 \leq x \leq 60$, 단위: 백만 원)

$$g(x) = \begin{cases} \left(-\dfrac{s^2}{4}+s+1\right)x & (0 \leq x \leq 30) \\ -\left(-\dfrac{s^2}{4}+s+1\right)x - 15s^2 + 60s + 60 & (30 < x \leq 60) \end{cases}$$

(단, s는 K씨의 소득증대를 위한 개인적 노력의 강도를 나타내는 상수이다. $0 \leq s \leq 30$)

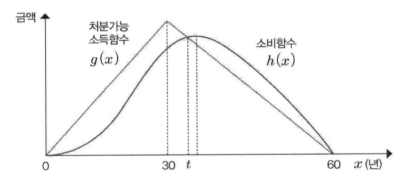

다음 각 질문에 답하고, 그 근거를 제시하시오.

(1) K씨의 소비 지출액이 최고점에 다다를 때는 몇 년 후인가? [5점]

(2) 개인적 노력이 없을 때 ($s=0$), 몇 년 이후 K씨의 소비지출액은 처분가능소득보다 많아지는가? [5점]

　　($\sqrt{10} \approx 3.16$임을 이용하여 답을 구할 것)

(3) K씨는 안정적인 노후설계를 위해, 최대의 소득 및 저축액을 갖도록 노력하고 있다. 향후 h년까지 K씨의 누적저축액 $Q(h)$은 누적소득에서 누적소비액의 차로 다음과 같이 정의된다.

$$Q(h) = \int_0^h g(x) - h(x)dx$$

현재부터 향후 30년까지 개인적 노력으로 생긴 누적저축액이 최대가 되는 노력의 강도 s의 값 및 이때 누적저축액의 최댓값을 구하시오. [15점]

연습용 답안으로 실제 답안과 다를 수 있습니다.

【문제 1】 이 답안 영역에는 1번 문항에 대한 답을 작성하시오. (401~600자)

【문제 2-1】 이 답안 영역에는 2-1번 문항에 대한 답을 작성하시오.

【문제 2-2】 이 답안 영역에는 2-2번 문항에 대한 답을 작성하시오.

【문제 2-3】 이 답안 영역에는 2-3번 문항에 대한 답을 작성하시오.

5. 2023학년도 건국대 인문사회계 I 수시 논술

※ [문제 1]: [가]와 [나]를 참고하여 [다]의 도표를 분석하시오. (401-600자) [40점]

※ [문제 2]: [가]와 [나]의 관점을 반영하여 [라]의 인물 간 관계 양상을 논하시오.
　　　　　(801-1,000자) [60점]

[가]

　우리 라코타족 원주민들에게는 모든 생명체가 인격을 갖추고 있었다. 오직 모습만 우리와 다를 뿐이었다. 모든 존재 속에 지혜가 전수되었다. 세상은 거대한 도서관이었으며, 그 속의 책들이란 돌과 나뭇잎, 풀, 실개천, 새와 들짐승들이었다. 그들은 우리와 마찬가지로 대지의 성난 바람과 부드러운 축복을 나눠가졌다. 자연의 학생만이 배울 수 있는 것을 우리는 배웠으며, 그것은 바로 아름다움을 느끼는 일이었다. 우리는 결코 폭풍이나 난폭한 바람, 차가운 서리와 폭설에 악담을 퍼붓지 않았다. 그렇게 하는 것은 인간의 어리석음을 드러내는 일에 지나지 않았다. 무엇이 우리 앞에 닥쳐오든지 우리는 필요하다면 더 많은 노력과 힘으로 우리 자신을 적응시켰다. 하지만 불평하지 않았다.

　오직 얼굴 흰 사람들의 눈에만 자연이 '야생'으로 보인다. 오직 그들에게만 이 대지가 야생 동물들과 야만인들이 떼 지어 몰려다니는 곳으로 여겨진다. 우리 원주민들에게 자연은 길들어 있는 온순한 것이었다. 대지는 기름지고, 우리는 위대한 신비가 내려 주는 가득한 축복 속에 있었다. 동쪽으로부터 털 많은 사람들이 와서 우리와 우리가 사랑하는 형제자매들에게 수많은 불의를 저질렀을 때, 우리에게는 그것이야말로 야만적인 일이었다. 얼굴 흰 사람들이 다가가자 동물들은 달아나기 시작했고, 그때부터 무법천지의 시대가 시작된 것이다.

　아메리카 원주민은 흙과 하나다. 그곳이 숲이든, 평원이든, 고원이든, 인디언은 그 풍경과 하나다. 왜냐하면, 이 대륙을 만든 손이 그곳에 사는 인간도 만들었기 때문이다. 아메리카 원주민은 야생 해바라기처럼 자연스럽게 성장했으며, 들소처럼 자연에 속한 존재였다.

-고등학교 『독서』

[나]

　움직임의 속도, 이는 단지 행동의 속도만을 뜻하지는 않는다. 우리가 맨눈으로는 꽃이 피는 것을 보지 못함은 꽃 피는 속도와 우리 지각의 속도 간의 간극때문이다. 지각뿐 아니라 생각도 속도를 갖는다. 지각이나 발걸음보다 생각의 속도는 훨씬 더 편차가 크다.

　함께 산다는 것은 속도를 맞추어 사는 것이다. 걸음걸이의 속도를 맞추지 않고서는 함께 걸을 수 없는 것처럼, 속도를 맞추지 않고서는 함께 행동할 수 없고, 함께 대화할 수 없으며, 함께 생활할 수 없다. 물론 속도를 맞춘다는 것이 숫자로 표시되는 어떤 크기를 같은 값이 되게 만드는 것은 아니다. 각자의 신체와 영혼마다 각기 다른 속도가 있기에, 그것을 어느 하나에 일치시키려 한다면 '일치'는 자기 속도에 대한 억압이 된다. (중략)

속도를 맞춘다는 것은 리듬을 맞추는 것이다. 몸의 리듬, 영혼의 리듬, 말의 리듬, 생각의 리듬……. 리듬은 박자와 달라서, 하나의 박자 안에서 다른 속도의 움직임을 허용한다. 다른 속도를 갖는 것들이 하나처럼 움직일 수 있게 해 주는 것, 그것이 리듬이다. 오케스트라의 악기들이 교향곡의 같은 소절을 연주할 때 현과 목관, 금관, 타악기는 각각 다른 속도로 연주하지만 하나의 리듬을 형성한다. 하나의 소리 안에 상이한 속도들이 공존하고, 느린 속도와 빠른 속도가 하나의 박자 안에서 일치할 수 있는 것이다. 리듬을 맞춘다는 것은 허용되는 차이 안에서 서로에게 속도를 맞추어 응답하는 것이다. 역으로, 응답하는 능력이란 리듬을 맞추는 능력이다. 리듬을 놓치면, 타이밍을 놓치면, 응답은 응답이 아닌 것이 된다.

누구도 혼자 사는 법은 없기에, 산다는 것은 언제나 살면서 만나는 이웃과 리듬을 맞추는 것이다. 농부는 대지의 변화에, 소와 벼의 움직임에 리듬을 맞추어야 하고, 노동자는 벨트 컨베이어의 속도에 신체의 속도를 맞추어야 한다. 속도에는 허용되는 리듬의 차이가 큰, 여유 있는 속도가 있고, 그게 아주 작은, 조급하고 팍팍한 속도가 있다. 그렇기에 속도와 리듬은 삶의 단면이다. 나의 속도는 내가 어떻게 사는지를 보여 준다. 즉, 나에게 요구되는 속도는 내가 어떤 세상에 사는지를 보여 주는 것이다.

-고등학교 『독서』

[다]

[도표 1] 다양한 지수로 본 한국

지표		순위	참고
인간개발(2014년) (수명, 건강, 생활수준, 지식 접근성)	인간개발 지수	17위	-노르웨이(1위), 오스트레일리아(2위), 네덜란드(5위)
	불평등 조정 인간개발 지수	36위	-노르웨이(1위), 네덜란드(2위), 오스트레일리아(4위)
긍정적 경험(2015년) (일상 속 행복감)		118위	-143개국 중 -파라과이(1위), 콜롬비아·에콰도르(2위)
어린이·청소년의 행복(2016년)	물질적 행복지수	3위	-OECD 20개국 기준 -핀란드(1위), 덴마크(2위), 독일(4위)
	주관적 행복지수	22위	-OECD 22개국 기준 -에스파냐(1위), 스위스·오스트리아(2위), 덴마크(4위)
환경 성과 지수(2016년)		80위	-180개국 중 -핀란드(1위), 아이슬란드(2위), 덴마크(4위)

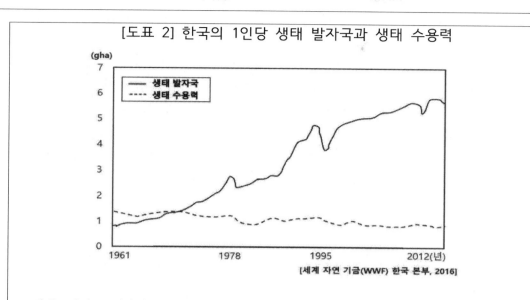

[도표 2] 한국의 1인당 생태 발자국과 생태 수용력

[세계 자연 기금(WWF) 한국 본부, 2016]

* 생태 발자국: 인간이 소비하는 자원과 서비스를 생산하고 폐기물을 처리하는 데 필요한 땅의 면적.
* 생태 수용력: 지구가 인간이 소비하는 자원과 서비스를 끊임없이 재생산하는 공간.

[라]

 자그마한 여행 가방 하나를 들고 처음 집 안으로 들어서던 날의 여자 모습이 떠오른다. 초가을이었다. 마당에는 가을비에 떨어져 내린 풋감이 데굴데굴 굴러다녔다. 여자는 두 손을 모으고 정중히 허리를 굽혔다. 태국말로 와이*라 부르는 인사법이었다.

 내 이름은 능 르타이입니다.

 여자 목소리가 가까이서 들리는 것 같다. 말끝을 경쾌하게 추켜올리는 특유의 말투다. 그 말투는 언제나 사원의 처마 끝을 연상케 한다. 하늘을 향해 치솟은 섬세한 황금 장식……. 에메랄드라는 이름이 붙은 태국 사원을 나는 여자 앞으로 가끔 배달되던 그림엽서에서 처음 보았다. 방콕 왕궁 안에 있다는 그 사원은 매우 화려하고 아름다웠다. 엽서엔 뜻을 전혀 알 수 없는 글자가 빼곡했다. 단정한 필치의 태국 문자는 일년생 풀과 꽃이 심긴 화분을 일렬로 세워 놓은 다음 옆에서 그대로 그려 놓은 펜화처럼 보였다. 우편함에서 꺼내 온 여러 개의 우편물 중에서 그 엽서를 찾아내 건네주자 여자가 몹시 기뻐하며 내게 수없이 와이를 했다. 난 여자의 와이에 답해 주지 않았다. 이제 와 생각하니 나는 여자의 와이에 한번도 제대로 답을 준 적이 없었다. 처음엔 낯설어서, 나중엔 여자를 무시하려고 일부러 그랬다. 하지만 여자는 몸에 밴 와이 인사 습관을 버리지 못했다. 두 손을 모았다가는 화들짝 놀라 다시 손을 내려놓곤 했다. 그날, 엽서를 받자마자 읽어 내려가던 여자 표정이 생각난다.

 사원의 종소리가 조용히 야자나무 숲을 흔드는 고향 풍경이 머릿속으로 펼쳐지기라도 한 걸까. 여자의 입가엔 엷은 미소가 어리고 양쪽 뺨은 발그레해졌다. 글썽이는 여자의 크고 둥근 눈이 한 쌍의 은빛 물고기처럼 빛났다. 마침 고모가 쌍둥이를 태운 유모차를 끌고 마당으로 들어섰다. 여자는 당황한 표정으로 허둥대며 손에 들고 있던 엽서를 앞치마 안으로 숨겼다. 눈치 빠른 고모가 여자의 앞치마를 들췄다. 무슨 비밀이라도 되나 보지? 이리 줘봐. 고모 눈초리가 심하게 외돌았다. 쯧쯧, 이게 글자야 벌레야, 뭐가 뭔지 통 모르겠네. 엽서를 빼앗아 한참을 들여다보던 고모는 안절부절못하는 여자에게 내던지듯 되돌려 주며 강하게 쏘아붙였다. 자네, 우리 모르게 수작 부리다간 큰코다쳐.

여자는 고모 말뜻을 알아차린 것처럼 보였다. 그즈음 여자의 한국말 실력은 고작 안녕하세요, 감사합니다, 정도여서 수작이라든가 큰코다친다는 말을 알아들을 리 없었을 텐데도, 여자는 두려움으로 가득 찬 눈을 조용히 내리뜨며 바르르 몸을 떨었다.

(중략)

처음부터 고모는 여자를 믿지 못했다. 고모가 여자를 의심하는 데는 이유가 있었는데, 그건 여자가 돈을 벌기 위해 아버지한테 시집온 사실을 누구보다 잘 알기 때문이었다. 아버지는 매달 여자네 집으로 얼마의 돈을 부쳤다. 그 돈으로 여자네 병든 어머니와 사업 실패로 알거지가 된 아버지, 그리고 어린 동생들이 먹고산다고 했다. 그런 고모의 속마음을 아는지 모르는지 여자는 자주 고모한테 말했다. 태풍 때문에 강이 뒤집혔어요. 내 아버지 양어장, 홍수에 쓸려 나갔어요. 우리 집 괜찮았는데, 가난해졌어요. 우리 식구 살기 힘들어요. 그래서 나 시집왔어요. 나 아저씨 좋아요. 나 술집에서 일한 적 없어요. 여자는 한국말을 꽤 빨리 배웠다. 말끝을 추켜올리는 이상한 억양도 많이 누그러졌고, 피부도 한결 하얘졌다. 그럴수록 고모는 여자를 더 경계했다. 고모는 여자를 집 밖에 나가지 못하게 했다. 집 근처 가게에서 물건을 사는 것 말고는 거의 아무 데도 가지 못하게 했다. 아버지 수발이나 열심히 들면 된다고 했다. 하지만 여자는 점차 바깥 구경을 하고 싶어 했다. 가끔 알아들을 수 없는 태국 말을 내뱉곤 했다. 나중에 알게 되었지만 "나는 야자 껍질 속 지렁이로 살고 싶지 않아요."라는 뜻이었다. 하긴 야자 껍질 속에서만 살기에는 너무 젊었다. 여자는 가끔 아버지 산책을 핑계로 역 근처 대형 할인점까지 가기도 했고, 피시방이며 노래방, 술집이 즐비한 골목을 지나다니기도 했다. 호기심 가득한 여자는 가끔 아버지를 완전히 잊고 휠체어를 끌다 몇 차례 장애물에 부딪히기도 했다. 아버지 이마에 툭 튀어나온 혹을 본 고모는 목소리 높여 여자를 나무랐다.

여자가 시집온 지 2년쯤 지났을 때다. 아버지는 저녁이면 여자를 앉혀 놓고 한글을 가르치기 시작했다. 마치 재미있는 놀이를 하나 찾아낸 것처럼 아버지는 그 일에 열중했다. 저녁에 학원에서 돌아와 현관에 들어서면 아버지와 여자가 거실에 펴 놓은 두리반* 앞에서 머리를 맞댄 채 쿡쿡거리며 웃기도 했고, 한글 카드로 알아맞히기 게임이나 받아쓰기를 하기도 했다. 어떨 땐 태국 쌀국수를 끓여 밤참으로 먹었다. 젊은 배우들이 출연해 사랑을 키워 가는 드라마를 가까이 붙어 앉아 보기도 했다. 아버지는 더 이상 종일 내가 돌아오기만 기다리던 예전의 아버지가 아니었다. 여자와 함께 새로운 행복을 키워 가는 듯 보였다.

　　※ 중간 부분 줄거리 : 외국에서 온 동네의 색시들이 돈을 훔쳐 달아났다는 이야기를 들은 고모
　　는 여자(능 르타이) 또한 그럴까 봐 의심한다. 여자는 고모에게 자신은 남편 ('나'의 아버지)을
　　사랑하기에 도망가지 않을 거라 말한다. 그러던 어느 날 밤에 '나'는 여자의 방에서 누군가의
　　그림자를 보게 되고, 얼마 뒤 기차역 근처에서 여자가 동남아시아 사내와 이야기하는 장면을
　　휴대 전화로 찍게 된다. 사진을 본 고모는 아버지가 말리는 것을 무시하고 펄펄 뛰면서 여자
　　를 잡아 흔들며 차서 넘어뜨린다. 여자는 고향 사람 만난 것이 죄냐고, 당신네 사람들 이상하
　　다고 울부짖으며 항변한다. 싸움을 말리던 아버지는 병세가 악화되어 병원으로 실려간다. 그
　　리고 여자는 임신으로 입덧을 시작한다. 고모는 집안 망신 난다며 낙태하라고 압박하지만 여
　　자는 그러면 죽어서 부처님 앞에 못 간다며 배를 감싸고 눈물로 저항한다.

　늦여름의 더위마저 물러난 어느 날이었다. 새벽녘에 이슬이 비친 여자는 한밤중에 가서 아기를 낳았다. 아들이었다. 내가 두려워하던 모든 일들이 하나둘 현실이 되어 갔다. 나는 점점 더 평범하지 않은 아이가 되어 갔다. 친어머니는 죽고 아버지는 불구자이며 외국인 계모를 두었다. 그것도 모자라 이제 혼혈 이복동생이 생겼다.

　힘들게 목숨을 지켜 준 생모의 고난을 위로하려는 듯이 아기는 잔병치레 없이 잘 자랐다. 여자가 푸념 반, 농담 반으로 말했다. 우리 아기가 망고 나무 아기라서 그래요. 여자는 태국에서 가져온, 전통 그림이 실린 책을 펼쳐 보여 주었다. 커다란 망고 나무 가지에 마치 가지나 오이처럼 정수리에 꽃받침을 가진 사람이 매달려 있는 그림이었다. 이것 봐요. 우리 태국에서는 망고 나무에서 아기가 주렁주렁 열려요. 고모와 나는 여자 말을 듣고 웃지 않을 수 없었다. 우리 수동이는 아버지가 망고 나무라서 병 없이 오래오래 잘 살 거예요. 두고 보세요. 아주 훌륭하게 잘 자랄 테니까요.

　아기는 하루가 다르게 성장해 갔다. 하지만 그보다 더 빨리 아버지의 생명이 사그라졌다. 아버지가 마지막 숨을 거둔 건 아기가 첫돌을 맞이한 지 얼마 지나지 않아서였다. 첫서리가 하얗게 내려앉은 새벽이었다. 여자의 울음소리는 얼어붙은 대기를 찢으며 멀리멀리 퍼져 나갔다.

　아버지의 죽음으로 여자와 나의 인연은 낡은 실밥처럼 약해졌다. 아버지의 연금도 줄어 나와 여자, 아기가 나누어 쓰기에 터무니없이 부족했다. 나는 대학 등록금을 걱정했고, 여자는 친정 식구들에게 돈을 보내지 못해 늘 안타까워했다. 여자가 끝내 아기를 데리고 전라도에 사는 친구가 다니는 공장에 들어가 일하겠다며 보따리를 쌌다. 아기는 두고 가. 내가 어떻게든 키워 볼 테니. 영문도 모른 채 눈웃음 짓는 아기 얼굴을 바라보던 고모가 힘없이 말했다. 쌍둥이에 둘러싸인 고모는 몇 년 새 부쩍 늙어 보였다. 여자가 고개를 살래살래 흔들며 말했다. 말끝을 올리는 버릇이 조금 남아 짐짓 명랑하게 들렸다. 고맙지만, 얼마 있다가 친정으로 보낼 거예요. 거기 가면 아기 봐 줄 동생들이 있으니까. 여자는 수국이 푸르게 피어 있는 마당을 가로질러 대문 밖으로 걸어 나갔다. 긴 겨울이 끝나고 아지랑이가 들녘을 가득 채우는 이른 봄이었다. 그리고 그것이 내가 본 그녀의 마지막 모습이었다.

※ 중간 부분 줄거리 : '나'는 지금 슬픈 소식을 알리러 여자(능 르타이)의 고향인 태국 아유타야를 찾아가고 있는 중이다. 열차가 곧 역에 도착할 거라는 안내방송을 들으며 '나'는 여자에게 전해 주지 못했던 그녀 아버지의 편지를 꺼내서 펼쳐 든다. 한국어로 번역해서 간직해 온 편지에는 태국의 축제 소식과 함께 먼 나라로 시집간 딸에 대한 걱정과 사랑의 마음이 절절히 담겨 있다. <라마야나>* 속 시타 왕비 이야기를 하면서 딸의 미래를 축복하고 기원하는 내용도 들어 있다. 편지의 마지막에는 딸과 가족, 가까이 사는 이웃의 행운을 빈다는 말과 함께 '너를 사랑하는 아버지가'라는 글자가 씌어 있다. 편지를 보던 나는 다시 과거 회상에 잠겨든다.

　고모와 나는 불길 속에서 처참한 최후를 맞이한 여자의 시신 앞에서 아무 말도 할 수 없었다. 임시로 마련한 상황실 너머로 보이는 사고 현장은 불에 탄 건물의 잔해에서 나오는 검은 연기와 사람들의 아우성, 일반인의 접근을 막으려는 경찰의 호각 소리로 아수라장이었다. 소방 시설이 전혀 되어 있지 않은 영세한 피혁 공장에서 난 불이라 손쓸 새 없이 어어, 하는 사이에 전소되고 말았다. 여자 손에 끼워져 있던 결혼반지만이 불길 속에서 살아남아 한낮의 태양 아래서 여전히 황금빛을 발했다. 여자의 마지막 비명처럼 그 빛은 내 가슴을 사납게 할퀴었다. 몇몇 방송사 기자들이 여자의 시신을 카메라로 찍어 댔다. 고모는 카메라 앞에서 두 팔을 벌렸다. 그만 찍어요, 그만. 고모는 능 르타이가 이런 모습을 세상에 보이는 걸 원치 않으리라 생각한 듯했다. 여자는 아주 예쁘고 행복한 신부이고 싶었을 거다. 꽃가마배를 탄 아유타 공주만큼은 아니더라도 언제까지고 사랑받는 신부이기를…….

　여자의 친정아버지 말대로라면, 그러니까 <라마야나> 이야기대로라면 여자는 아요디아의 왕비처럼 불길 속에서 어떻게든 살아남았어야 했다. 하지만 운명은 진실을 밝혀 주지 않은 채 여자를 데려가 버렸다. 부정한 여자인 탓일까. 아니면 왕비가 아니었기에 불의 신이 관심을 주지 않았던 걸까. 그렇다면 신들도 우리 인간과 다를 게 없단 말인가. 혼란스러운 생각이 머릿속에서 소용돌이쳤다.

　어쩌면 여자의 운명은 처음부터 그리 정해져 있었는지 모른다. 여자는 아유타국의 공주처럼 황금과 시종, 쇠를 가득 실은 꽃가마배를 타고 이 땅에 오지 못했으니까. 낡고 조그만 가방 하나 들고 낯선 타국살이를 시작해야 하는 가난한 처녀였으니까. '아버지'라는 글자 위로 기어코 한 방울 눈물이 떨어져 얼룩진다. 글자와 글자 사이에서 연둣빛 싹이 돋아난다. 싹은 삽시간에 줄기를 키우고 가지를 만들어 무럭무럭 자라난다. 가지 끝에 꽃이 피었다 지더니 이윽고 생명체 하나가 부풀어 오른다. 오이나 수세미처럼 물방울이 땅 위로 떨어지려다 멈춘 모양새다. 나무 아비의 갈등과 방황, 곤혹스러움이 차마 열매를 땅으로 떨어뜨리지 못하는 걸까. 이윽고 나무 아기가 까맣게 눈을 뜬다. 수동아, 나는 아기 이름을 낮게 불러 본다.

　플랫폼으로 길게 미끄러져 들어간 열차가 오랜 흔들림을 멈춘다. 나는 책과 편지를 가방에 넣은 다음 열차에서 내린다. 점차 사위어 가는 해가 도시 전체를 부드러운 망고빛으로 감싸고 있다. 가슴이 뛴다. 여자의 친정으로 미리 연락을 취해 놨으니 개찰구 밖에 아이가 나와 있을지 모르겠다. 여자의 예언대로 아이는 잘 자라고 있을까. 얼마나 자랐을까. 주홍색 꽃을 가득 단 오래된 나무 한 그루가 서 있는 역사 앞 광장으로 걸어간다. 나무 그늘 아래서 아이가 흙장난을 하고 있다. 아이 옆에는 부채를 든 노인이 앉아 있다. 능 르타이 사진을 가슴께에 붙인 나를 알아봤는지 노인은 자리에서 일어나 손짓한다. 아이는 나무 주위를 뱅글뱅글 돌며 장난친다. 까르륵 웃어 대는 아이 모습은 영락없는 나무 요정이다. (중략) 나는 아이를 번쩍 안아 올린다. 수동아, 나 수경이 누나야, 잘 지냈어? 낯선 손길에 놀란 아이는 눈을 동그랗게 뜨고 쳐다본다. 작고 작은 은빛 물고기 한 쌍, 찬란하게 빛을 발한다.

- 와이: 두 손을 모아 합장하는 인사. 불교식 인사법으로 바른 자세, 정중함, 예의가 중요하다.
- 두리반: 여럿이 둘러앉아 먹을 수 있는, 크고 둥근 상.
- <라마야나>: 고대 인도의 대서사시. 불교 국가에서 널리 읽힌다.

- 고등학교 『국어』

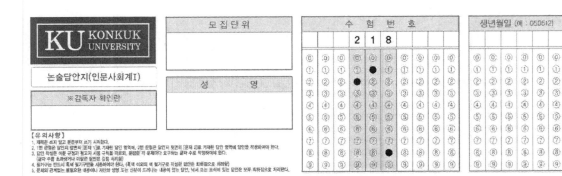

【문제 1】 이 답안 영역에는 1번 문항에 대한 답을 작성하시오. (401~600자)

【문제 2】 이 답안 영역에는 2번 문항에 대한 답을 작성하시오. (801~1,000자)

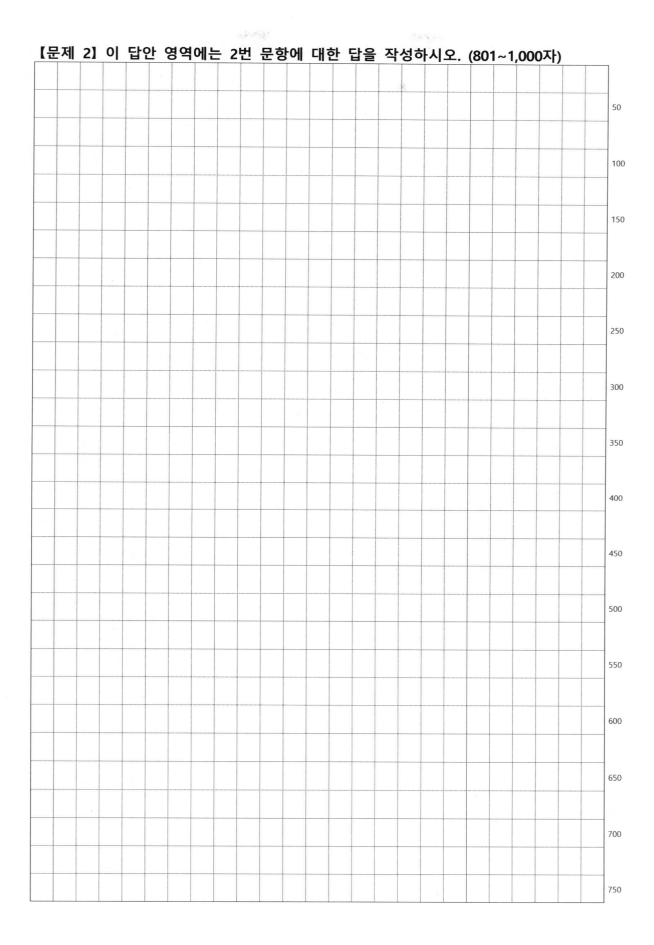

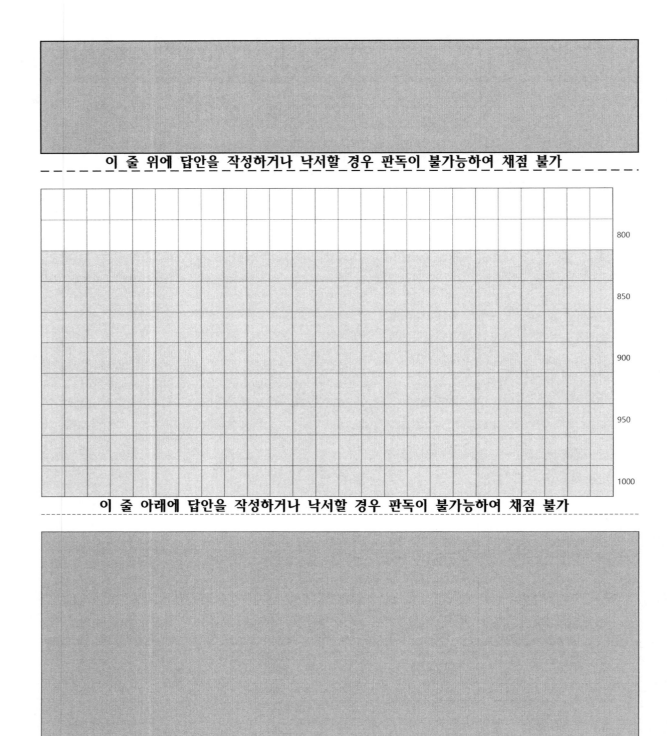

이 줄 위에 답안을 작성하거나 낙서할 경우 판독이 불가능하여 채점 불가

800

850

900

950

1000

이 줄 아래에 답안을 작성하거나 낙서할 경우 판독이 불가능하여 채점 불가

6. 2023학년도 건국대 인문사회계II 수시 논술

※ [문제 1]: [가]와 [나]를 참고하여 [다]의 도표를 분석하시오. (401-600자) [40점]

[가]

우리 라코타족 원주민들에게는 모든 생명체가 인격을 갖추고 있었다. 오직 모습만 우리와 다를 뿐이었다. 모든 존재 속에 지혜가 전수되었다. 세상은 거대한 도서관 이었으며, 그 속의 책들이란 돌과 나뭇잎, 풀, 실개천, 새와 들짐승들이었다. 그들은 우리와 마찬가지로 대지의 성난 바람과 부드러운 축복을 나눠가졌다. 자연의 학생 만이 배울 수 있는 것을 우리는 배웠으며, 그것은 바로 아름다움을 느끼는 일이었 다. 우리는 결코 폭풍이나 난폭한 바람, 차가운 서리와 폭설에 악담을 퍼붓지 않았 다. 그렇게 하는 것은 인간의 어리석음을 드러내는 일에 지나지 않았다. 무엇이 우 리 앞에 닥쳐오든지 우리는 필요하다면 더 많은 노력과 힘으로 우리 자신을 적응시 켰다. 하지만 불평하지 않았다.

오직 얼굴 흰 사람들의 눈에만 자연이 '야생'으로 보인다. 오직 그들에게만 이 대지가 야생 동물들과 야만인들이 떼 지어 몰려다니는 곳으로 여겨진다. 우리 원주 민들에게 자연은 길들어 있는 온순한 것이었다. 대지는 기름지고, 우리는 위대한 신비가 내려 주는 가득한 축복 속에 있었다. 동쪽으로부터 털 많은 사람들이 와서 우리와 우리가 사랑하는 형제자매들에게 수많은 불의를 저질렀을 때, 우리에게는 그것이야말로 야만적인 일이었다. 얼굴 흰 사람들이 다가가자 동물들은 달아나기 시작했고, 그때부터 무법천지의 시대가 시작된 것이다.

아메리카 원주민은 흙과 하나다. 그곳이 숲이든, 평원이든, 고원이든, 인디언은 그 풍경과 하나다. 왜냐하면, 이 대륙을 만든 손이 그곳에 사는 인간도 만들었기 때문 이다. 아메리카 원주민은 야생 해바라기처럼 자연스럽게 성장했으며, 들소처럼 자 연에 속한 존재였다.

-고등학교 『독서』

[나]

움직임의 속도, 이는 단지 행동의 속도만을 뜻하지는 않는다. 우리가 맨눈으로는 꽃이 피는 것을 보지 못함은 꽃 피는 속도와 우리 지각의 속도 간의 간극때문이다. 지각뿐 아니라 생각도 속도를 갖는다. 지각이나 발걸음보다 생각의 속도는 훨씬 더 편차가 크다.

함께 산다는 것은 속도를 맞추어 사는 것이다. 걸음걸이의 속도를 맞추지 않고서 는 함께 걸을 수 없는 것처럼, 속도를 맞추지 않고서는 함께 행동할 수 없고, 함께 대화할 수 없으며, 함께 생활할 수 없다. 물론 속도를 맞춘다는 것이 숫자로 표시 되는 어떤 크기를 같은 값이 되게 만드는 것은 아니다. 각자의 신체와 영혼마다 각 기 다른 속도가 있기에, 그것을 어느 하나에 일치시키려 한다면 '일치'는 자기 속도에 대한 억압이 된다. (중략)

속도를 맞춘다는 것은 리듬을 맞추는 것이다. 몸의 리듬, 영혼의 리듬, 말의 리듬, 생각의 리듬……. 리듬은 박자와 달라서, 하나의 박자 안에서 다른 속도의 움직임 을 허용한다. 다른 속도를 갖는 것들이 하나처럼 움직일 수 있게 해 주는 것, 그것 이 리듬이다. 오케스트라의 악기들이 교향곡의 같은 소절을 연주할 때 현과 목관,

금관, 타악기는 각각 다른 속도로 연주하지만 하나의 리듬을 형성한다. 하나의 소리 안에 상이한 속도들이 공존하고, 느린 속도와 **빠른** 속도가 하나의 박자 안에서 일치할 수 있는 것이다. 리듬을 맞춘다는 것은 허용되는 차이 안에서 서로에게 속도를 맞추어 응답하는 것이다. 역으로, 응답하는 능력이란 리듬을 맞추는 능력이다. 리듬을 놓치면, 타이밍을 놓치면, 응답은 응답이 아닌 것이 된다.

누구도 혼자 사는 법은 없기에, 산다는 것은 언제나 살면서 만나는 이웃과 리듬을 맞추는 것이다. 농부는 대지의 변화에, 소와 벼의 움직임에 리듬을 맞추어야 하고, 노동자는 벨트 컨베이어의 속도에 신체의 속도를 맞추어야 한다. 속도에는 허용되는 리듬의 차이가 큰, 여유 있는 속도가 있고, 그게 아주 작은, 조급하고 팍팍한 속도가 있다. 그렇기에 속도와 리듬은 삶의 단면이다. 나의 속도는 내가 어떻게 사는지를 보여 준다. 즉, 나에게 요구되는 속도는 내가 어떤 세상에 사는지를 보여 주는 것이다.

-고등학교 『독서』

[다]

[도표 1] 다양한 지수로 본 한국

지표		순위	참고
인간개발(2014년) (수명, 건강, 생활수준, 지식 접근성)	인간개발 지수	17위	-노르웨이(1위), 오스트레일리아(2위), 네덜란드(5위)
	불평등 조정 인간개발 지수	36위	-노르웨이(1위), 네덜란드(2위), 오스트레일리아(4위)
긍정적 경험(2015년) (일상 속 행복감)		118위	-143개국 중 -파라과이(1위), 콜롬비아·에콰도르(2위)
어린이·청소년의 행복(2016년)	물질적 행복지수	3위	-OECD 20개국 기준 -핀란드(1위), 덴마크(2위), 독일(4위)
	주관적 행복지수	22위	-OECD 22개국 기준 -에스파냐(1위), 스위스·오스트리아(2위), 덴마크(4위)
환경 성과 지수(2016년)		80위	-180개국 중 -핀란드(1위), 아이슬란드(2위), 덴마크(4위)

[도표 2] 한국의 1인당 생태 발자국과 생태 수용력

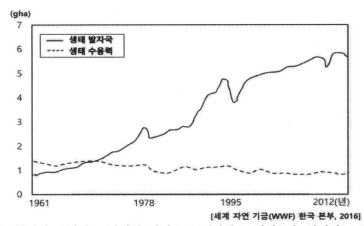

[세계 자연 기금(WWF) 한국 본부, 2016]

* 생태 발자국: 인간이 소비하는 자원과 서비스를 생산하고 폐기물을 처리하는 데 필요한 땅의 면적.
* 생태 수용력: 지구가 인간이 소비하는 자원과 서비스를 끊임없이 재생산하는 공간.

※ [문제 2]: 다음을 읽고 물음에 답하시오. [60점]

[라]

일반적으로 사건 A가 일어났다고 가정할 때 사건 B가 일어날 확률을 사건 A가 일어났을 때의 사건 B의 조건부확률이라 하며, 이것을 기호로 $P(A \cap B)$와 같이 나타낸다.

$$P(B|A) = \frac{P(A \cap B)}{P(A)}$$

- 고등학교 『확률과 통계』

[마]

한 국가의 총체적인 경제 활동 수준을 경기라고 한다. 경기는 여러 요인에 따라 호황과 침체를 반복하는데, 이러한 현상을 경기 변동이라고 한다. 경제 안정화 정책은 물가 안정과 고용 안정을 위해 정부 또는 중앙은행이 실시하는 정책이다.

- 고등학교 『경제』

[바]

한국은행의 물가는 시장에서 거래되는 상품들의 가격을 종합하여 평균한 가격 수준을 의미한다. 물가 수준을 측정하기 위해서 물가 지수를 이용하는데, 물가 지수를 이용하면 두 시점 간의 물가 변화를 측정할 수 있다. 예를 들어 2015년의 물가 수준을 100으로 하여 2016년의 물가 지수를 작성했더니 105였다면, 물가 수준이 1년간 5% 상승했다는 뜻이다.

- 고등학교 『경제』

[사]

한국은행의 물가 안정 목표치를 크게 밑도는 저물가가 경기 회복의 복병으로 떠올랐다. 일반적으로 물가 하락은 경제에 긍정적인 작용을 하는 것으로 알려져 있지만 항상 그런 것은 아니다. 물가가 더 떨어질 것이라는 심리가 확산되면 가계와 기업이 소비와 투자를 줄이기 때문이다. 최근 일본 정부와 일본은행은 돈 풀기를 통한 경기 부양 정책을 실시하였다. 일본은행은 금융 정책 결정 회의가 끝난 뒤 정부와의 공동 성명을 통해 "2%의 물가 상승 목표를 가능한 한 빨리 달성할 방침"이라고 발표하였다.

- 고등학교 『경제』

[아]

미분가능한 함수 $y = f(x)$의 도함수는 $f'(x) = \lim_{\Delta x \to 0} \dfrac{f(x + \Delta x) - f(x)}{\Delta x}$ 이다.

- 고등학교 『수학 II』

[자]

닫힌구간 $[a, b]$에서 연속인 함수 $f(x)$의 한 부정적분을 $F(x)$라고 하면 정적분 $\displaystyle\int_a^b f(x)dx$는 다음과 같이 정의된다.

- 고등학교 『수학 II』

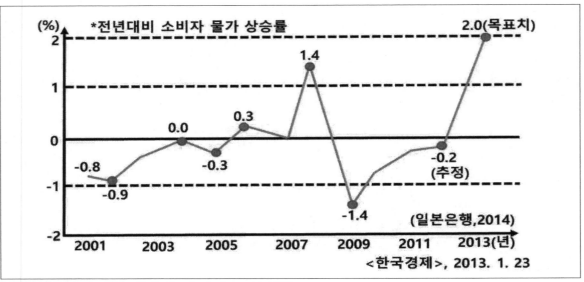

※ [문제 2-1]: 다음 물음에 답하시오. [15점]

두 개의 지역 A와 B로 구성된 국가가 있다. A지역의 미세먼지 농도는 a이며, B지역의 미세먼지 농도는 b이다. 경제적 기회의 차이로 동일한 개인이 A지역에 거주하는 경우와 B지역에 거주하는 경우 얻을 수 있는 소득이 다를 수 있다. 개인이 특정 지역에 거주하면서 얻는 만족도는 소득이 높아질수록 높아지지만, 그 지역의 미세먼지 농도가 높아질수록 감소한다. 구체적으로, 개인이 A지역에 거주할 경우 얻는 소득을 x, B지역에 거주할 경우 얻는 소득을 z 라고 하면, 각 지역에 거주할 경우 얻는 만족도는 다음과 같다. (단, $a>0, b>0, x>0, z>0$)

> A지역에 거주할 경우 얻는 만족도: $f(x)=-a+\log_2 x$
>
> B지역에 거주할 경우 얻는 만족도: $f(x)=-b+\log_2 x$

아래 표와 같이 그룹1은 두 지역에서 얻을 수 있는 소득이 동일하고, 그룹2는 A지역에서 B지역의 2배, 그룹3은 4배, 그룹4는 8배, 그룹5는 16배의 소득을 얻을 수 있다.

(단위:만원)

인구 비중	A지역에서 얻을 수있는 월소득	B지역에서 얻을 수있는 월소득
그룹1: 30%	100	100
그룹2: 10%	200	100
그룹3: 30%	400	100
그룹4: 20%	800	100
그룹5: 10%	1,600	100

사람들은 A와 B 두 지역 중 본인이 더 높은 만족도를 얻을 수 있는 곳에 거주한다. 두 지역에서 얻을 수 있는 만족도가 동일할 경우 A지역에 거주한다고 가정하자. 전체 인구 중 30%가 A지역에, 70%가 B지역에 거주하게 되는 조건을 a와 b에 대한 식으로 나타내시오.

H국의 경제는 그 시점을 예측할 수는 없지만 회복기, 호황기, 후퇴기, 그리고 불황기를 순환하며 성장한다. 하지만 이렇게 네 가지의 경기로 구분 짓는 것은 너무 복잡하기 때문에, 한 연구자는 경제의 상태를 단순화하여 불황기와 그렇지 않은 시기의 두 가지로 나누어 분석하기로 했다. 경기 변동을 단순화함에 따라 경제의 상태가 불황인 경우 숫자 1로 표현하였고, 그렇지 않은 시기를 숫자 0으로 나타냈다. 아래 표는 이와 같은 규칙에 따라 연구자가 수집한 사용 가능한 모든 분기별 자료를 보여준다.

연도	2017				2018				2019				2020				2021			
분기	I	II	III	IV	I	II	III	IV	I	II	III	IV	I	II	III	IV	I	II	III	IV
상태	0	0	1	1	0	0	0	0	0	1	1	1	0	0	0	0	0	1	1	0

여기서 I은 1분기(1월~3월), II는 2분기(4월~6월), III은 3분기(7월~9월), 그리고 IV는 4분기(10월~12월)를 나타낸다. 예를 들어 2017년 1분기는 불황이 아니었고, 2017년 3분기는 불황이었다.

(1) 직전 분기가 불황이었을 때 다음 분기가 불황이 아닐 확률과, 직전 분기가 불황이었을 때 다음 분기가 불황일 확률을 소수로 구하시오. (단, 소수점 **셋째** 자리에서 반올림할 것.) [10점]

(2) 직전 분기가 불황이 아니었을 때 다음 분기가 불황이 아닐 확률과, 직전 분기가 불황이 아니었을 때 다음 분기가 불황일 확률을 소수로 구하시오. (단, 소수점 **셋째** 자리에서 반올림할 것.) [10점]

※ [문제 2-3]: [마], [바], [사], [아], [자]를 참고하여 다음 물음에 답하시오. [25점]

현재 시점에서 x년 이후의 K국 물가상승률(%)을 나타내는 함수 $f(x)$를 다음과 같이 정의하자.

$$y = f(x) = \int_0^x \{3at^2 - h(x)\}dt$$

(단, a는 상수이고 함수 $h(t)$는 일차함수이다. $x \geq 0$)

(1) 함수 $h(t) = 9t - 6$이고 지난 50년간 K국의 평균 물가상승률이 4.5%라고 할 때, K국의 물가상승률은 몇 년 이후에 4.5%에 도달하는지 구하시오. (단, $a = 1$) [5점]

(2) K국 중앙은행의 물가 목표치를 크게 밑도는 저물가가 경기 회복의 복병으로 떠올랐다. 따라서 K국 정부는 공격적인 경기 부양 정책을 시행하려 한다. 이를 감안한 함수가 $h(t) = -6(m + m^2)t + 6m^3$이라고 하자. m은 경기 부양 정책의 강도를 나타낸다. 정책 시행 후, 물가상승률이 양수인 시기가 존재하게 하는 m의 조건을 구하시오. (단, $a = -2, m \geq 1$) [10점]

(3) 현재 시점에서 x년 이후 인접국 J국의 물가상승률(%)은 함수 $g(x)=\dfrac{3}{2}x$이다. K국과 J국의 물가상승률은 1년이 지난 시점($x=1$)과 2년이 지난 시점($x=2$)에 동일해진다. 한편 주요 수출국 A국은 원자재 가격상승 등 국제 정세의 변화로 높은 물가상승률이 예상되어 물가 상승을 억제하기 위한 n개의 정책을 도입하려고 한다. A국의 x년 이후의 물가상승률(%)은 함수 $g_A(x)=\left(3-\dfrac{n}{4}\right)x$이다. A국 중앙은행은 자국의 물가상승률을 K국의 물가상승률보다 항상 낮거나 같게 유지하려고 한다. 이를 위해 필요한 정책 개수 n의 최솟값을 구하시오. (단, $a=1$) [10점]

연습용 답안으로 실제 답안과 다를 수 있습니다.

【문제 1】이 답안 영역에는 1번 문항에 대한 답을 작성하시오. (401~600자)

【문제 2-1】 이 답안 영역에는 2-1번 문항에 대한 답을 작성하시오.

【문제 2-2】 이 답안 영역에는 2-2번 문항에 대한 답을 작성하시오.

【문제 2-3】 이 답안 영역에는 2-3번 문항에 대한 답을 작성하시오.

7. 2023학년도 건국대 인문사회계Ⅰ 모의 논술

[문제 1] [가]와 [나]의 핵심 개념을 활용하여 [다]의 자료를 분석하시오. (401~600자) [40점]

[문제 2] [가]와 [나]를 참조하여 [라]에 나타난 두 공연에 대해 논하시오. (801~1000자) [60점]

[가] 지금까지 경제학은 물적 자본과 인적 자본을 중심으로 대부분의 논의를 전개해 왔다. 그런데 1990년대 후반에 이르러 사회 자본이 사회적 거래 비용을 절감시켜 물적·인적 자원의 생산성을 높인다는 점이 밝혀지면서 경제학에서도 사회 자본에 많은 관심을 두게 되었다. 이른바 사회 자본을 잘 갖춘 나라들의 경제 발전이 더 용이하다는 것이다. 동일한 조건의 국가들이라고 해도 경제 발전에 차이가 나타나는 까닭을 규명하다 보니, 사회 전체에 공유된 가치의 차이가 차별적인 요소로 드러났기 때문이다. 이러한 사회 자본의 핵심 가운데 하나가 '사회적 신뢰'이다. 똑같은 물적·인적 자원을 갖췄다 하더라도 사회 안에 신뢰가 부족하면 치러야 할 부가 비용이 높아진다.

사회 자본이라는 개념을 널리 알린 로버트 퍼트넘은 자기의 저서 「나 홀로 볼링」에서 미국 사회의 사회 자본이 쇠퇴하는 현상을 분석했다. 이에 따르면 1950년대 이후 미국에서는 거의 모든 단체 활동 분야에서 사람들의 참여율이 떨어졌다. 공적인 부분에서든 사적인 부분에서든 남과 어울려 무엇인가를 하는 활동들이 수치적으로 뚜렷하게 줄어들었다는 것이다.

이렇게 사람들이 타인과 어울리는 일이 줄어들면서 나타난 대표적 현상 가운데 하나가 '혼자 볼링 치기'이다. 퍼트넘은 이것을 미국 사회에서 개인화가 심화된 대표적인 사례로 포착했다. 퍼트넘은 이처럼 사회 공동체가 해체되고, 혼자 놀기를 즐기게 된 현상들이 나타나게 된 원인과 의미 등을 분석하면서 사회 자본의 중요성을 역설했다. 그가 강조한 사회 자본이란 "개인들 사이의 연계, 그리고 이에서 발생하는 사회 관계망, 호혜성과 신뢰의 규범"과 같은 개념이다. 그에 따르면 사회 자본이 줄어든 사회는 많은 문제가 생길 수밖에 없는 반면, 사람들의 사회적 참여가 늘어 사회 자본이 살아나게 된 사회는 공동체가 살아나고 공공의 선이 실현될 수 있다고 한다.

- 고등학교 「독서」

[나] 다윈은 변이가 쌓여 점차 환경에 더 잘 적응된 방식으로 변화한다고 생각했다. 하지만 '더 잘 적응한 방식'이 오로지 '한 가지 방식'뿐이라고 말한 적은 없다. 오히려 자연 선택의 다양성에 대해 더 많은 주의를 기울였다. 좀 더 구체적으로 말하자면, 다윈은 "변화는 생명체가 환경에 더욱 잘 적응하기 위해서, 번식 행위를 통해 우연히 이루어진다. 그 과정에 어떤 외부의 힘이 개입하여 작용하지 않으며, 모든 생명체에는 우열이 없다."라고 썼다. 이 글 어디에서도 약한 것이 강한 것보다 열등하며, 강자가 약자를 짓밟아도 좋다는 뜻은 담겨 있지 않다. 다윈은 다

양한 생물 종을 관찰한 뒤, 생물체를 있게 한 원동력은 환경에 적응하며 얻게 된 '다양성'이라는 결론을 내렸다.

다윈이 획일성보다는 다양성에 더욱 주목했음은 '다윈 핀치'라는 별명으로 잘 알려진 갈라파고스 핀치에 관한 연구에서 뚜렷이 드러난다. 1835년 9월, 남아메리카 에콰도르의 서쪽 해안에서 1,000킬로미터 떨어진 곳에 있는 갈라파고스 제도에 도착한 다윈은 이 섬에 서식하는 핀치를 통해 흥미로운 사실을 발견했다. 갈라파고스 제도에는 모두 13종의 핀치가 서식하는데, 이들은 크기나 습성 등은 비슷하지만 부리의 모양은 천차만별이었다. 이들 핀치는 저마다 독특한 부리 모양을 가지고 있는데, 그 모양은 그들이 주로 먹는 먹이와 관련이 있었다. 예를 들어 나무껍질 안쪽에 숨어 있는 벌레를 잡아먹는 핀치는 단단한 나무껍질 속에 부리를 밀어 넣고 벌레를 찍어 올리기에 유리한 긴 주삿바늘처럼 생긴 부리를 가지고 있고, 견과류나 씨앗을 주식으로 삼는 핀치는 단단한 껍질을 부술 수 있는 튼튼하고 강한 지렛대 모양의 부리를 가지고 있었다. 갈라파고스 제도에 사는 13종의 핀치는 모두 부리의 모양이 달랐고, 그 부리들만큼이나 그들의 먹잇감도 달랐다.

다윈은 다양한 핀치의 부리 모양과 먹이의 관계를 관찰한 결과, 13종의 핀치는 원래 하나의 종이었으나 오랜 세월 저마다 처한 환경에서 가장 능률적으로 구할 수 있는 먹잇감을 찾는 동안 다양하게 변화해 왔을 것이라고 생각했다. 여기서 흥미로운 것은 시간의 흐름에 따라 핀치들이 하나의 우수한 종으로 통합되는 쪽이 아니라, 여러 개의 다양한 종으로 쪼개졌다는 것이다. 또한 이들의 먹잇감이 구하기 쉽고 찾기 쉬운 한 종류로 모이지 않고, 다양하게 세분되었다는 점 역시 주목할 만하다. 만약 13종의 핀치가 모두 한 가지 먹잇감에만 집착했다면 어땠을까? 아마 먹잇감이 부족해서 갈라파고스 제도에 사는 핀치의 수는 훨씬 적었을 것이다. 그러나 13종의 핀치는 각자 처한 환경에 따라 작은 곤충, 큰 곤충, 날아다니는 곤충, 나무껍질 안쪽에 숨어 있는 곤충, 딱딱한 씨앗과 부드러운 열매 등 종마다 다양한 먹잇감을 택하는 전략을 취했다. 그래서 같은 먹이 사슬 안에서 종끼리 경쟁할 필요 없이 제한된 서식지 안에서 더 많은 수의 핀치가 살아갈 수 있었다. 이처럼 진화의 가장 큰 무기는 다양성의 증가다.

- 고등학교 「독서」

[다]

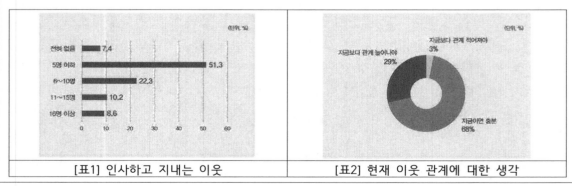

| [표1] 인사하고 지내는 이웃 | [표2] 현재 이웃 관계에 대한 생각 |

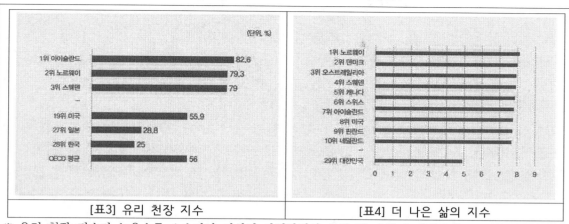

| [표3] 유리 천장 지수 | [표4] 더 나은 삶의 지수 |

※ 유리 천장 지수가 높을수록 소수자나 여성의 사회참여와 조직 내 승진이 자유로움
※ 각국의 주거, 소득, 일자리, 건강, 안전 등을 두루 평가하여 산출됨

- 고등학교 「통합사회」, 「경제」

[라]

  엇박자 D와 나는 같은 고등학교를 다녔고, 같은 합창단에 있었다. 합창단이라는 이름이 붙어 있긴 했지만 애당초 제대로 된 합창은 불가능한 집단이었다. 합창단은, 개성을 신장하고 건전한 취미와 특수 기능 및 민주적 생활 활동을 육성하기 위한 학교의 '특별 활동' 중 하나였지만, 특별한 일이 생기지 않고서는 전혀 활동을 하지 않았다. 특별한 일이라는 건 1년에 한 번 있는 학교 축제가 전부였고, 그마저도 관심을 갖는 사람이 없었다. 노래를 부르는 사람도, 노래를 듣는 사람도, 그저 그러려니, 실수를 하면 하는가 보다, 듣지 않으면 그런가 보다, 돌을 던지면 던지는가 보다, 돌에 안 맞으면 잘못 던졌나 보다, 노래를 한 곡만 부르면 힘든가 보다, 그렇게 생각했다. 무관심이야말로 합창단의 모토라 할 만했다. 내가 합창단을 선택한 이유 역시 마찬가지였다. 누구도 신경 쓰지 않는 특별 활동을 하고 싶었고, 특별히 어떤 활동을 하고 싶은 생각이 전혀 없었다. 부모님은 이혼을 한 직후였고, 동생은 가출을 마치고 돌아온 후 또 다른 가출을 준비하던 시기였고, 나 역시 가출에 버금갈 만한 인생의 파격을 찾고 있던 시기였다. 그런 상황에 처한 고등학생에게 '합창'이라는 단어는 이상적이지만 불가능한 유토피아의 느낌이었다.

  합창단 활동에 가장 열성적이었던 사람은 엇박자 D였다. 대부분의 아이들은 마지못해, 될 대로 되라는 심정으로 특별 활동반 중의 하나를 선택했지만 그는 달랐다. 첫 모임에서부터 남달랐다. 혹시, 정말 혹시, 단장을 맡고 싶은 사람이 있냐는 음악 선생님의 질문에 그는 번쩍 손을 들었다. 너무나 진지한 얼굴이었기 때문에 음악 선생님과 나머지 아이들은 당황할 수밖에 없었다. "그래, 그럼, 네가 단장을 맡으면 되겠네, 뭐, 딱히 할 일은 없고, 축제 때 부를 노래의 악보를 복사하는 거랑, 그리고, 음, 뭐, 딴 일은 거의 없긴 하겠지만, 아무튼 네가 단장이 됐으니까…… 그래. 축하한다." 라는 선생님의 축하 말씀이 끝나자 그가 입을 열었다.

  "축제 때는 어떤 곡을 부르게 되나요?"

  "그거야 지금 정하긴 힘들고, 다섯 달이나 남았으니까 앞으로 생각해 봐야겠지."

"오늘은 그럼 어떤 곡을 연습하나요?"

"연습? 아, 그래, 연습. 오늘은 첫날이니까 자습을 하도록 하자."

"개인 노래 연습을 하는 건가요?"

"자, 그럼 각자 공부해라. 중간고사 얼마 안 남았지? 노래 연습하고 싶으면 밖에 나가서 해도 되고."

특별한 일이 없기 때문에 우리는 음악실에 앉아 각자의 공부를 했다. 실망한 엇박자 D가 밖으로 나가서 노래 연습을 했는지는 잘 기억나지 않는다. 아무도 엇박자 D를 신경 쓰지 않았다. 음악 선생님은 첫날이니까 자습을 한다고 했지만, 다음 주에도 그다음 주에도, 그리고 그다음 주에도 자습은 계속 이어졌다. 우리는 커다란 음악실에 앉아 영어 단어를 외우고, 수학 공식을 외우고, 세계의 지리를 외웠다. 합창단에 들어가면 아무런 활동도 하지 않고 열심히 공부를 할 수 있다는 사실을 엇박자 D 빼고는 모두 알고 있었다. 나는 음악실 의자의 보조 책상에 엎드려 밀린 잠을 보충했다. 합창단이 연습을 시작한 것은 그로부터 4개월 후, 그러니까 축제 한 달 전이었다.

축제 때 부를 노래를 정하는 데는 1분도 걸리지 않았다. 누군가 그즈음 가장 인기 있던 발라드 곡을 추천했(다기보다 그냥 제목을 댔)고, 모두들 찬성했다. 어떤 노래였는지는 기억나지 않지만 합창을 하기에 적절하지 않은 노래였다. 단순한 멜로디였고, 뭐 이런 노래를 부르는 데 여러 명이 뛰어들어야 하나 싶을 정도로 부르기 쉬운 노래였다. 우리는 노래를 정한 후 다시 자습에 몰두했다. 연습이 시작된 건 그다음 주였다. 지금도 첫 연습을 하던 그 순간이 생생하게 기억난다.

"자, 자, 쉬운 노래니까 딱 한 번만 맞춰 보고 자습하자."

음악 선생님이 피아노 반주를 시작한 후, 우리는 엇박자 D의 진면목을 처음 알게 됐다. 그는 놀라울 정도의 박치이자 음치였다. 음악이 시작되고, 아이들은 모두 열심히 노래를 불렀다. 그러나 시간이 지나면서 아이들의 표정이 일그러지기 시작했다. 노래와 목소리 사이에서 뭔가 불길한 기운이 꿈틀거리고 있었다. 그 불길한 기운은 순식간에 아이들의 목소리를 집어삼켰다. 다섯 소절쯤 지나자 노래는 엉망진창이 되었다.

"야, 아무리 편안한 맛에 들어왔다지만 그래도 명색이 합창단인데 노래를 이렇게 못할 수가 있냐?"

음악 선생님은 반주를 멈추고 화를 냈다. 처음부터 다시 불러 보았지만 불길한 기운은 사라지지 않았다. 세 번째에야 선생님은 그 불길한 기운을 감지했다.

"잠깐, 이 목소리 누구야? 계속 불러 봐."

음악 선생님은 세 줄로 서 있던 스물두 명의 아이들 앞을 천천히 걸었다. 모두들 긴장했다. 내 노래 실력이 합창을 망칠 정도는 아니라는 생각과 그래도 혹시 나일지도 모른다는 불안감이 아이들의 노래에 배어났다. 불안한 마음이 부르는 노래는, 이미 노래가 아니었다.

"단장, 이거 네 목소리 아냐? 모두 멈추고 단장 혼자 불러 봐."

엇박자 D의 노래는 들어 줄 만했다. 부드러운 느낌도 잘 살아 있었고, 박자도 이상하지 않았다. 음악 선생님은 고개를 갸웃거렸다. 뭔가 이상하긴 한데 어느 부분이 어느 정도로 이상한지, 고치려면 어떻게 해야 하는 것인지, 답을 말해 줄 수가 없었던 것이다.

다시 합창을 시도해 봤지만 결과는 마찬가지였다. 엇박자 D의 목소리만 들리면 아이들은 갈피를 잡지 못했고, 음은 뒤죽박죽이 됐으며 박자는 제멋대로 변했다. 그의 목소리는 전파력이 강한 바이러스였다. 음악 선생님은 엇박자 D에게 자진 사퇴를 권했지만 그는 받아들이지 않았다. 축제 때 합창단에서 노래를 부를 것이라는 광고를 여러 곳에 해 두었다는 것이 이유였다.

"좋아, 대신 넌 절대 소리 내지 마. 그냥 입만 벙긋벙긋하는 거야. 알았지?" (중략)

※ 중략된 부분의 줄거리: 엇박자 D가 노래를 부른 탓에 합창단의 축제 공연은 엉망이 된다. 이에 음악 선생님은 합창을 멈추게 하고 그에게 망신을 주었다. 시간이 흐른 뒤 공연 기획자로 일하고 있던 '나'는 20년 만에 무성 영화 전문가가 된 엇박자 D의 연락을 받게 된다. '나'는 유명 가수인 '더블더빙'의 공연 기획자로 이름을 올려 보고 싶은 욕심에 엇박자 D가 기획하는 '더블더빙과 무성 영화의 만남'이라는 주제의 공연을 함께 준비하게 된다. 엇박자 D의 부탁으로 '나'는 고등학교 시절 합창단을 함께했던 몇몇 친구들을 공연에 초청한다. 공연의 막이 오르고, 객석을 가득 메운 관객은 무성 영화와 음악이 만난 특별한 공연에 흠뻑 빠져든다.

관객들이 가장 즐거워했던 순간은 무성 영화의 장면에 맞춰 더블더빙이 연주를 할 때였다. 〈재채기〉라는 아주 짧은 무성 영화였다. 영화가 시작되면 한 여자의 커다란 얼굴이 나타난다. 여자는 코가 간지럽다. 재채기가 나오려고 한다. 참아 보지만 쉽지가 않다. 내용은 그게 전부다. 재채기가 나올까 말까 하는 장면에 맞춰 더블더빙이 재미난 연주를 들려줬다. 관객들은 무성 영화를 보며 한 번 웃고, 더블더빙의 연주를 들으며 또 한 번 웃었다. 여자의 찡그린 얼굴과 더블더빙이 들려주는 음악은 묘하게 리듬이 맞질 않았다. 정확하게 딱딱 들어맞는 게 아니라 조금씩 엇박자였다. 관객들은 그걸 더 재미있어하는 것 같았다. 더블더빙이 엇박자 D를 위해 이런 음악을 만든 것은 아니겠지만 마치 그에게 바치는 노래 같다는 생각이 들었다. '엇박자 D를 위한 엇박자 연주곡.'

공연이 끝났지만 관객들은 돌아갈 생각을 하지 않았다. 모두 앙코르를 외치고 있었다. 물론 앙코르곡을 준비해 두었다. 더블더빙이 다시 나타났고, 모든 조명이 꺼졌다. 관객들의 소리도 어둠 속으로 가라앉았다. 여러 가지 소리들이 하나의 기다랗고 평평한 일직선으로 변했다. 어디선가 음악 소리가 들렸다. 음악 소리는 너무 작아서 거의 들리지 않았다. 시나리오대로라면 그들의 최고 히트곡을 연주할 차례였다. 뭔가 잘못된 게 틀림없었다.

"음향, 뭐가 잘못된 거야? 음향 점검해 봐."

무선 헤드셋으로 엇박자 D의 목소리가 들렸다.

"아니야, 잘못된 건 없어. 너 몰래 만들어 둔 시나리오야. 20년 전 친구들에게 바치는 선물이야."

아주 작게 들리던 음악 소리가 조금씩 커졌다. 스피커에서 흘러나온 음악은 관객들 사이로 서서히 스며들었다. 누군가의 노래였다. 아무런 반주도 없이 누군가 노래를 부르고 있었다. 어디선가 들어본 노래였다. 그제야 노래의 제목이 생각났다. <오늘 나는 고백을 하고>라는 노래였다. 20년 전 축제 때 우리가 함께 불렀던 바로 그 노래였다. 노래를 부르는 사람이 누군지는 알 수 없었다. 나나 친구들의 목소리는 아니었다. 엇박자 D의 목소리도 아니었다. 한 사람의 목소리가 두 사람의 목소리로 바뀌었다. 두 사람의 목소리가 세 사람의 목소리로 바뀌었고, 네 사람, 다섯 사람의 목소리로 바뀌었다. 합창을 하고 있었다. 하지만 합창이라고 하기에는 서로의 음이 맞질 않았다. 박자도 일치하지 않았다.

"22명의 음치들이 부르는 20년 전 바로 그 노래야. 내가 제일 좋아하는 음치들의 목소리로만 믹싱한 거니까 즐겁게 감상해 줘."

무선 헤드셋에서 다시 엇박자 D의 목소리가 들렸다. 조명은 하나도 켜지질 않았다. 완전한 어둠 속에서 노래가 흘러나오고 있었다. 어둠 속이어서 그런 것일까. 노래는 아름다웠다. 서로의 음이 달랐지만 잘못 부르고 있다는 느낌은 들지 않았다. 마치 화음 같았다. 어둠 속이어서 그럴지도 모른다. 음치들의 노래는 어두운 방에서 전원 스위치를 찾는 왼손처럼 더듬더듬 어디론가 내려앉았다. 아무도 웃지않았다. 몇몇 관객은 후렴을 따라 부르기까지 했다. 1절이 끝나자 피아노 소리가 들렸다. 그리고 조명이 켜졌다. 더블더빙이 <오늘 나는 고백을 하고>의 간주를 연주했고, 관객들의 박수가 터져 나왔다. 몇몇은 휘파람을 불었고, 누군가 브라보를 외쳤다.

음치들의 노래 2절이 시작되자 더블더빙은 다시 연주를 멈췄다. 악기를 연주하면 그들의 노랫소리가 이상하게 들릴 것이 분명했다. 22명의 노래가 절묘하게 어우러지는 이유는, 아마도 엇박자 D의 리믹스 덕분일 것이다. 22명의 노랫소리를 절묘하게 배치했다. 목소리가 겹치지만 절대 서로의 소리를 해치지 않았다. 노래를 망치지 않았다.

앞자리에 앉은 친구들의 얼굴에는 아득하게 흐려진 어떤 것을 추억하는 듯한 표정이 서려 있었다. 그들은 모두 입을 벙긋거리며 노래를 따라 부르고 있었다. 나도 모르게 나 역시 노래를 따라 부르고 있었다. 오래된 노래였지만 가사가 모두 기억났다. 20년 전과 달리 이번에는 우리들이 립싱크를 하고 있었다. 음치들의 노랫소리에 맞춰 우리는 입을 벙긋거렸다. 노래를 따라 부르긴 했지만 입 밖으로 소리를 내지는 않았다. 그저 입만 벙긋거렸다. 다른 친구들도 모두 그러는 것 같았다. 우리는 그것이 엇박자 D에 대한 예의라고 생각하고 있었다.

- 고등학교 「독서」

【문제 1】 이 답안 영역에는 1번 문항에 대한 답을 작성하시오. (401~600자)

【문제 2】 이 답안 영역에는 2번 문항에 대한 답을 작성하시오. (801~1,000자)

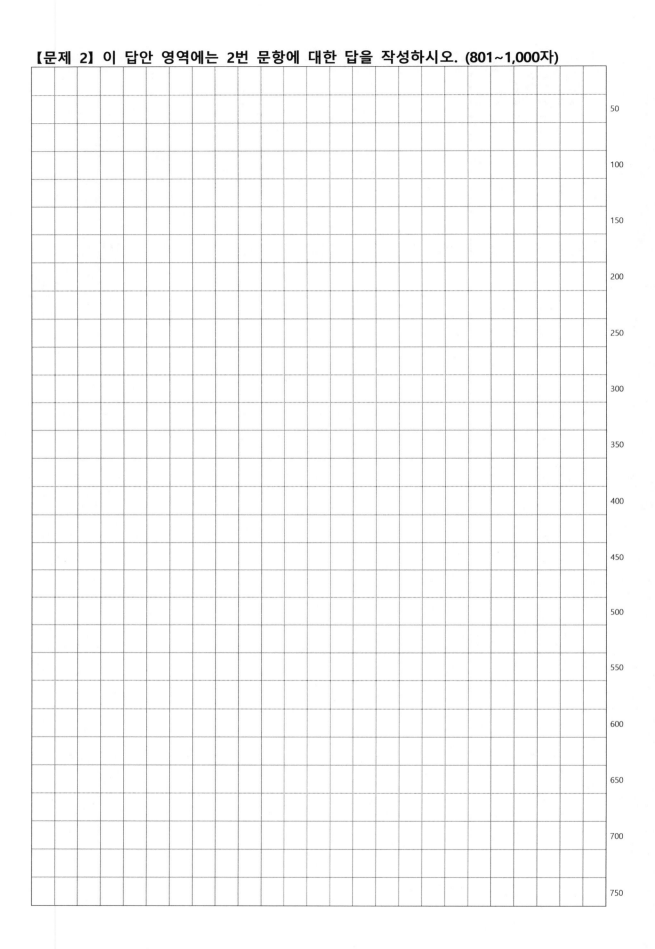

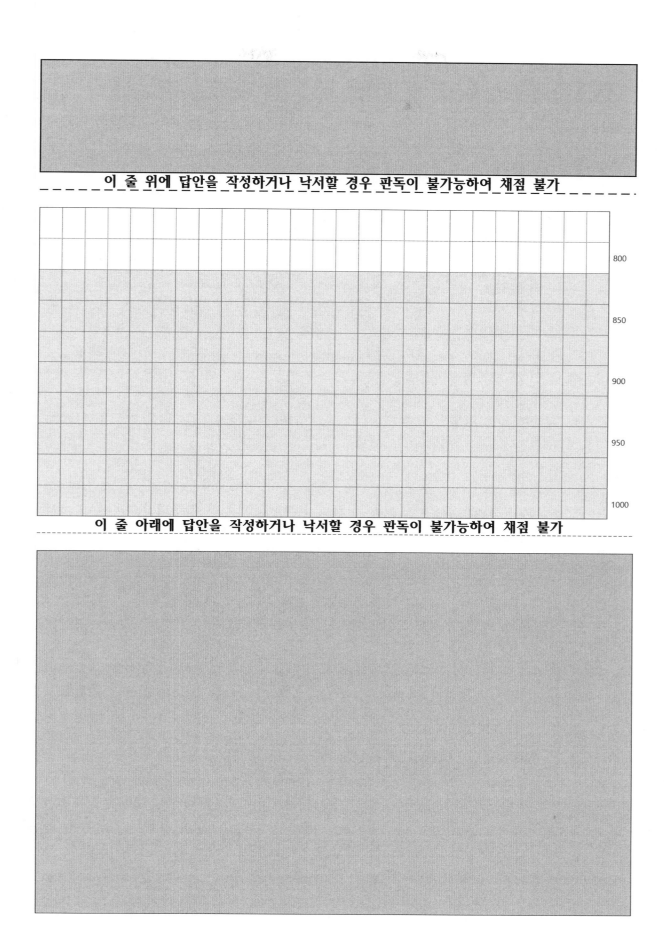

이 줄 위에 답안을 작성하거나 낙서할 경우 판독이 불가능하여 채점 불가

800

850

900

950

1000

이 줄 아래에 답안을 작성하거나 낙서할 경우 판독이 불가능하여 채점 불가

8. 2023학년도 건국대 인문사회계Ⅱ 모의 논술

[문제 1] [가]와 [나]의 핵심 개념을 활용하여 [다]의 자료를 분석하시오. (401~600자)
[40점]

[가] 지금까지 경제학은 물적 자본과 인적 자본을 중심으로 대부분의 논의를 전개해 왔다. 그런데 1990년대 후반에 이르러 사회 자본이 사회적 거래 비용을 절감시켜 물적·인적 자원의 생산성을 높인다는 점이 밝혀지면서 경제학에서도 사회 자본에 많은 관심을 두게 되었다. 이른바 사회 자본을 잘 갖춘 나라들의 경제 발전이 더 용이하다는 것이다. 동일한 조건의 국가들이라고 해도 경제 발전에 차이가 나타나는 까닭을 규명하다 보니, 사회 전체에 공유된 가치의 차이가 차별적인 요소로 드러났기 때문이다. 이러한 사회 자본의 핵심 가운데 하나가 '사회적 신뢰'이다. 똑같은 물적·인적 자원을 갖췄다 하더라도 사회 안에 신뢰가 부족하면 치러야 할 부가 비용이 높아진다.

 사회 자본이라는 개념을 널리 알린 로버트 퍼트넘은 자기의 저서 「나 홀로 볼링」에서 미국 사회의 사회 자본이 쇠퇴하는 현상을 분석했다. 이에 따르면 1950년대 이후 미국에서는 거의 모든 단체 활동 분야에서 사람들의 참여율이 떨어졌다. 공적인 부분에서든 사적인 부분에서든 남과 어울려 무엇인가를 하는 활동들이 수치적으로 뚜렷하게 줄어들었다는 것이다.

 이렇게 사람들이 타인과 어울리는 일이 줄어들면서 나타난 대표적 현상 가운데 하나가 '혼자 볼링 치기'이다. 퍼트넘은 이것을 미국 사회에서 개인화가 심화된 대표적인 사례로 포착했다. 퍼트넘은 이처럼 사회 공동체가 해체되고, 혼자 놀기를 즐기게 된 현상들이 나타나게 된 원인과 의미 등을 분석하면서 사회 자본의 중요성을 역설했다. 그가 강조한 사회 자본이란 "개인들 사이의 연계, 그리고 이에서 발생하는 사회 관계망, 호혜성과 신뢰의 규범"과 같은 개념이다. 그에 따르면 사회 자본이 줄어든 사회는 많은 문제가 생길 수밖에 없는 반면, 사람들의 사회적 참여가 늘어 사회 자본이 살아나게 된 사회는 공동체가 살아나고 공공의 선이 실현될 수 있다고 한다.

- 고등학교 「독서」

[나] 다윈은 변이가 쌓여 점차 환경에 더 잘 적응된 방식으로 변화한다고 생각했다. 하지만 '더 잘 적응한 방식'이 오로지 '한 가지 방식'뿐이라고 말한 적은 없다. 오히려 자연 선택의 다양성에 대해 더 많은 주의를 기울였다. 좀 더 구체적으로 말하자면, 다윈은 "변화는 생명체가 환경에 더욱 잘 적응하기 위해서, 번식 행위를 통해 우연히 이루어진다. 그 과정에 어떤 외부의 힘이 개입하여 작용하지 않으며, 모든 생명체에는 우열이 없다."라고 썼다. 이 글 어디에서도 약한 것이 강한 것보다 열등하며, 강자가 약자를 짓밟아도 좋다는 뜻은 담겨 있지 않다. 다윈은 다양한 생물 종을 관찰한 뒤, 생물체를 있게 한 원동력은 환경에 적응하며 얻게 된 '다양성'이라는 결론을 내렸다.

다윈이 획일성보다는 다양성에 더욱 주목했음은 '다윈 핀치'라는 별명으로 잘 알려진 갈라파고스 핀치에 관한 연구에서 뚜렷이 드러난다. 1835년 9월, 남아메리카 에콰도르의 서쪽 해안에서 1,000킬로미터 떨어진 곳에 있는 갈라파고스 제도에 도착한 다윈은 이 섬에 서식하는 핀치를 통해 흥미로운 사실을 발견했다. 갈라파고스 제도에는 모두 13종의 핀치가 서식하는데, 이들은 크기나 습성 등은 비슷하지만 부리의 모양은 천차만별이었다. 이들 핀치는 저마다 독특한 부리 모양을 가지고 있는데, 그 모양은 그들이 주로 먹는 먹이와 관련이 있었다. 예를 들어 나무껍질 안쪽에 숨어 있는 벌레를 잡아먹는 핀치는 단단한 나무껍질 속에 부리를 밀어 넣고 벌레를 찍어 올리기에 유리한 긴 주삿바늘처럼 생긴 부리를 가지고 있고, 견과류나 씨앗을 주식으로 삼는 핀치는 단단한 껍질을 부술 수 있는 튼튼하고 강한 지렛대 모양의 부리를 가지고 있었다. 갈라파고스 제도에 사는 13종의 핀치는 모두 부리의 모양이 달랐고, 그 부리들만큼이나 그들의 먹잇감도 달랐다.

다윈은 다양한 핀치의 부리 모양과 먹이의 관계를 관찰한 결과, 13종의 핀치는 원래 하나의 종이었으나 오랜 세월 저마다 처한 환경에서 가장 능률적으로 구할 수 있는 먹잇감을 찾는 동안 다양하게 변화해 왔을 것이라고 생각했다. 여기서 흥미로운 것은 시간의 흐름에 따라 핀치들이 하나의 우수한 종으로 통합되는 쪽이 아니라, 여러 개의 다양한 종으로 쪼개졌다는 것이다. 또한 이들의 먹잇감이 구하기 쉽고 찾기 쉬운 한 종류로 모이지 않고, 다양하게 세분되었다는 점 역시 주목할 만하다. 만약 13종의 핀치가 모두 한 가지 먹잇감에만 집착했다면 어땠을까? 아마 먹잇감이 부족해서 갈라파고스 제도에 사는 핀치의 수는 훨씬 적었을 것이다. 그러나 13종의 핀치는 각자 처한 환경에 따라 작은 곤충, 큰 곤충, 날아다니는 곤충, 나무껍질 안쪽에 숨어 있는 곤충, 딱딱한 씨앗과 부드러운 열매 등 종마다 다양한 먹잇감을 택하는 전략을 취했다. 그래서 같은 먹이 사슬 안에서 종끼리 경쟁할 필요 없이 제한된 서식지 안에서 더 많은 수의 핀치가 살아갈 수 있었다. 이처럼 진화의 가장 큰 무기는 다양성의 증가다.

- 고등학교 「독서」

[다]

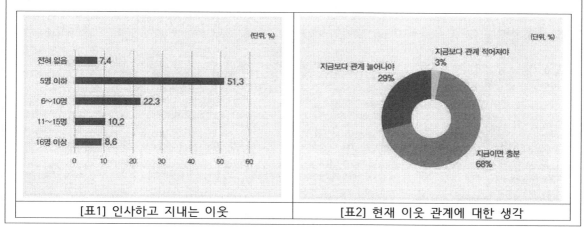

[표1] 인사하고 지내는 이웃	[표2] 현재 이웃 관계에 대한 생각

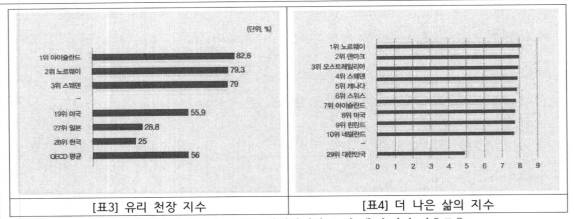

| [표3] 유리 천장 지수 | [표4] 더 나은 삶의 지수 |

※ 유리 천장 지수가 높을수록 소수자나 여성의 사회참여와 조직 내 승진이 자유로움
※ 각국의 주거, 소득, 일자리, 건강, 안전 등을 두루 평가하여 산출됨

- 고등학교 「통합사회」, 「경제」

[문제 2] 다음 제시문을 읽고 물음에 답하시오. [총 60점]

[라]

일반적으로 사건 A가 일어났다고 가정할 때 사건 B가 일어날 확률을 사건 A가 일어났을 때의 사건 B의 조건부확률이라 하며, 이것을 기호로 $P(B|A)$와 같이 나타낸다.

$$P(B|A) = \frac{P(A \cap B)}{P(A)}$$

- 고등학교 「확률과통계」

[마]

소비자가 상품의 소비를 통해 얻는 만족감을 효용이라고 한다.

- 고등학교 「경제」

[바]

일반적으로 함수 $f(x)$에서 x값이 a가 아니면서 a에 한없이 가까워질 때, $f(x)$의 값이 일정한 값 L에 한없이 가까워지면 함수 $f(x)$는 L에 수렴한다고 한다.

- 고등학교 「수학Ⅱ」

[사]

미분가능한 함수 $y = f(x)$의 도함수는 $f'(x) = \lim_{\Delta x \to 0} \frac{f(x + \Delta x) - f(x)}{\Delta x}$이다

- 고등학교 「수학Ⅱ」

[아]

한 나라의 경제가 성장하려면 반드시 질 좋은 생산 요소가 많아야 하고, 우수한 생산 기술이 있어야 한다. 전체 인구 중에서 15세 이상의 일할 능력이 있다고 간주되는 인구를 노동가능인구 혹은 생산 가능 인구라고 하며, 노동가능인구는 경제 활동 인구와 비경제 활동 인구로 나뉜다. 경제 성장에서는 기술 진보도 중요하지만

노동 투입량 또한 여전히 중요하다. 그래서 인구가 적은 나라는 이민 정책으로 외국에서 이민을 받아들인다. 한국은행에서 2017년 '인구 고령화가 경제 성장에 미치는 영향'이라는 보고서를 발표하였다. 인구 고령화가 진행되면 경제에서 노동 공급이 줄고 노동 생산성이 떨어진다. 또 저출산, 고령화에 따른 총인구 감소로 시장 규모가 줄어들면 소비와 투자가 위축될 개연성이 크다. 보고서는 정년 연장, 여성의 경제 활동 참가, 노동 생산성 증진이 경제 성장률에 긍정적 영향을 미칠 것으로 예측하였다.

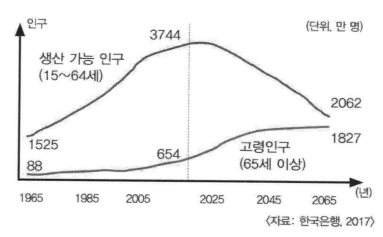

〈자료: 한국은행, 2017〉

- 고등학교 「경제」

[자]

닫힌구간 $[a, b]$에서 연속인 함수 $f(x)$의 한 부정적분을 $F(x)$라고 하면 정적분 $\int_a^b f(x)dx$는 다음과 같이 정의된다.

$$\int_a^b f(x)dx = [F(x)]_a^b = F(b) - F(a)$$

-고등학교 「수학Ⅱ」

[문제 2-1] [라]를 참고하여 다음 물음에 답하시오. [15점]

40세 미만 직원 비율이 40%, 40세 이상 직원 비율이 60%인 회사가 있다. 이 회사에서 직원들을 대상으로 안정과 성장 중 무엇이 더 중요한 가치인지 설문조사를 실시하였다. 직원들은 반드시 둘 중 하나만 선택해야 한다. 40세 미만 직원들 중 20%는 안정을 더 중요시하고, 나머지 80%는 성장을 더 중요시하는 것으로 나타났다. 40세 이상 직원들 중 70%는 안정을 더 중요시하고, 나머지 30%는 성장을 더 중요시하는 것으로 나타났다. 이 회사 직원 중 한 명에게 물어보니 그는 안정과 성장 중 안정을 더 중요시한다고 한다. 이 직원이 40세 미만일 확률은 얼마인가?

[문제 2-2] [마]와 [바]를 참고하여 다음 물음에 답하시오. [20점]

두 사람 A와 B가 있다고 하자. 두 사람은 놀이공원에 함께 놀러가며 등산도 함께 다닌다. 두 사람의 월 평균 놀이공원 방문 횟수를 x, 월 평균 등산 횟수를 y라고 하자. A

는 놀이공원을 싫어하며 등산을 좋아한다. 또한 놀이공원의 미세먼지 농도가 더 높을수록 놀이공원을 더 싫어한다. 반면 B는 놀이공원을 좋아하고 등산을 싫어한다. 놀이공원의 미세먼지 농도를 p라고 하자. 구체적으로 A와 B의 효용은 다음과 같다.

$$\text{A의 효용: } \alpha - \left(\sqrt{4p^2 + 3p} - 2p\right)x + y$$

$$\text{B의 효용: } \beta + \frac{1}{4}x - y$$

(두 사람의 효용을 나타내는 식에서 α와 β는 양의 상수이다.)

  (1) 놀이공원의 미세먼지 농도가 한없이 높아질 때 (즉, $p \to \infty$), A의 효용을 α, x, y의 식으로 나타내시오. [5점]

  (2) (1)의 경우와 같이 놀이공원의 미세먼지 농도가 한없이 높아질 때, 두 사람이 모두 0이상의 효용을 누리면서 놀이공원에 월 평균 0.5회 이상 가게 되는 x와 y의 조합이 존재할 조건을 α와 β의 식으로 제시하시오. [15점]

[문제 2-3] [사], [아], [자]를 참고하여 다음 물음에 답하시오. [25점]

현재 K국의 생산 가능 인구는 정점에 이르러 있고, 출산율 저하, 고령인구 증가 등으로 향후 K국의 생산 가능 인구는 지속적으로 감소될 것이라 예측되고 있다. 이에 정부는 정년 연장, 여성 경제 참여 독려, 이민 조건 완화 등 노동력 확보 정책을 추진하기로 하였다. 다음 이차함수 $Q(x)$는 정부의 노동력 확보 정책을 적용했을 때, x년 이후 K국의 생산 가능 인구를 나타낸다. (단위: 만 명)

$$Q(x) = \left(\frac{1}{3}a^3 - \frac{3}{2}a^2 + 2a - 1\right)x^2 + 4000$$

(a는 노동력 확보 정책 강도를 나타내는 상수이다. $(0 \le a \le 2)$)

또한, x년 이후 K국의 예상되는 고령인구는 다음의 함수로 나타낸다.

$$P(x) = 20x + 700$$

다음 각 질문에 답하고, 그 근거를 제시하시오.

(1) 노동력 확보 정책이 부재하였을 때, 몇 년 이후 고령 인구는 생산 가능 인구를 추월하게 되는가? [5점] ($5.8 < \sqrt{34} < 5.9$임을 이용하여 답을 구할 것)

(2) 노동력 확보 정책이 부재하였을 때, x년 이후 K국의 생산 가능 인구를 $Q_0(x)$라고 하자. 그림에서와 같이 함수 $Q(x)$와 $Q_0(x)$사이의 면적 S는 현재부터 x년까지 증가한 누적 생산인구 $G(x)$를 나타낸다. 현재부터 향후 50년까지 노동력 확보 정책으로 늘어난 생산 가능 인구가 최대가 되는 a값 및 이때 최댓값을 구하시오. [20점]

연습용 답안으로 실제 답안과 다를 수 있습니다.

【문제 1】 이 답안 영역에는 1번 문항에 대한 답을 작성하시오. (401~600자)

【문제 2-1】 이 답안 영역에는 2-1번 문항에 대한 답을 작성하시오.

【문제 2-2】 이 답안 영역에는 2-2번 문항에 대한 답을 작성하시오.

【문제 2-3】 이 답안 영역에는 2-3번 문항에 대한 답을 작성하시오.

9. 2022학년도 건국대 인문사회계 I 수시 논술

※ [문제 1]: [가]와 [나]의 핵심 개념을 활용하여 [다]의 자료를 분석하시오.(401-600자) [40점]

※ [문제 2]: [가], [나]와 관련지어 [라]의 인물들에 대해 논평하시오.(801-1000자) [60점]

[가]

 맹자는 대인(大人)과 소인(小人)은 타고나는 것이 아니라 각 개인의 수양 과정에 따른 결과라고 주장한다. 말하자면 사람의 '큼[大]'과 '작음[小]'은 애초에 사람 안에 있으며 그중 어느 쪽을 기르느냐에 따라 그 사람이 어떤 사람인가가 결정된다는 것이다. 맹자는 어째서 어떤 사람은 '큰 사람'이 되고 어떤 사람은 '작은 사람'이 되느냐는 물음에, '큰 몸[大體]'을 따르면 '큰 사람'이 되고 '작은 몸[小體]'을 따르면 '작은 사람'이 된다고 말한다.

 맹자는 '큰 몸'이 먼저 서게 되면 '작은 몸'이 '큰 몸'을 해치지 못한다고 말한다. 더 나아가 맹자는 감각적인 욕구를 충족하는 일이 때로는 단지 '작은 몸'을 위한 일에 그치지 않는다고 말한다. 먹고 마시는 일과 같은 감각적 욕구와 관련된 활동은 '작은 몸'을 기르는 일이다. 그러나 '큰 몸'이 먼저 서 있는 상황에서라면, 즉 선한 본성에서 유래한 도덕적인 마음을 발휘하고 있는 상황에서 하는 감각적 욕구와 관련된 활동은 단지 '작은 몸'을 위한 일이 아니다. 먹고 마시는 일을 즐긴다 하더라도 의롭고 예에 맞게 하려고 노력한다면 그 일은 '작은 몸'뿐 아니라 '큰 몸'을 위하는 일이기도 하다. 따라서 이런 경우에 감각적 욕구와 관련된 '작은 몸'의 활동은 의(義)나 예(禮)와 관련된 '큰 몸'의 활동에 종속되어 있다고 말할 수 있다.

 '작은 몸'은 수동적이기 때문에 외부에 의해 끌려갈 수 있으며, '큰 몸', 즉 마음에 이끌려 갈 수도 있다. 예컨대 어떤 상황에서 남을 불쌍하게 여기는 타고난 착한 마음이 들어 이를 저버리지 않고 집중하면 '작은 몸'은 따라오게 된다. 즉 어떤 동기가 실천으로 자연스럽게 옮겨 가게 된다. 이와 반대의 경우도 생각해 볼 수 있다. 누구나 먹고 마셔야만 살 수 있다. 그런데 어떤 사람이 먹고 마시는 일로 타인의 비난을 산다면 이는 그가 먹고 마시는 일 자체 때문이 아니다. 자기 안에 있는 귀중한 인의(仁義)를 저버리고, 먹고 마시는 일과 같이 외부 대상을 추구하는 일에만 몰두하기 때문이다.

 '작은 몸'인 감각 기관이 외부 대상에 끌려가 무절제하게 욕망에 탐닉하게 되는 경우 그 책임은 마음에 있다. 이는 각 개인이 저지르는 악의 기원과 그 책임의 소재를 말해 준다. 언뜻 보기에 각 개인이 저지르는 악은 감각 기관의 활동으로 발생하는 것처럼 보이지만, 실제로는 마음이 제 역할을 하지 않았기 때문에 생겨난다. 우리 몸에 무언가 있기 때문에 악을 저지르는 것이 아니라 마음이 무언가를 하지 않기 때문에 악을 저지르게 되는 것이다.

-고등학교 『독서』

[나]

전통적 경제학에서는 전형적인 인간형으로 호모 에코노미쿠스(Homo economicus)를 설정한다. 호모 에코노미쿠스는 사랑이나 미움, 기쁨이나 슬픔 같은 인간의 체취가 제거된 존재이다. 그가 지니고 있는 유일한 관심은 물질적 측면이고, 그는 오직 물질적 동기에 의해 움직인다. 한마디로 호모 에코노미쿠스는 '자신의 이익을 합리적으로 추구하는 존재'이다. 그러나 최근에는 호모 에코노미쿠스를 전형적 인간형으로 보는 전통 경제학의 시각에 반기를 드는 경제학자들이 나타났다. 이들은 인간이 호모 에코노미쿠스가 아니라는 다양한 증거를 제시하였다.

도로나 공원처럼 여러 사람이 공동으로 소비하는 것을 '공공재'라고 부른다. 공공재의 또 다른 예로는 국방 서비스나 경찰 서비스를 들 수 있다. 그런데 이 공공재에는 독특한 성격이 있어 시장에서는 그것을 취급하기 어렵다. 예컨대 국방 서비스를 생산, 공급하는 기업이 있다고 가정해 보자. 이 기업은 한 사람당 연간 5백만 원만 내면 철통 방위를 약속한다는 신문 광고도 냈다. 과연 국민들은 돈을 내고 이 서비스를 이용하려 할까? 국민들은 국방 서비스를 산 사람만 골라서 외적으로부터 지켜 줄 수 없다는 점을 알기에 굳이 자신이 그 비용을 지불하려 하지는 않을 것이다. 이처럼 개인이나 기업이 비용을 들여 공공재를 생산할 때 아무 비용을 지불하지 않은 사람도 비용을 지불한 사람과 함께 그 혜택을 누릴 수 있게 된다. 대부분의 공공재를 정부가 생산, 공급하는 것은 바로 이 때문이다.

이기적인 사람은 어떤 공공재가 필요하다고 생각하면서도 필요하지 않다고 말한다. 그렇게 함으로써 공공재 생산에 드는 비용 부담에서 벗어날 수 있기 때문이다. 그런 다음 다른 사람들이 비용을 들여 공공재를 생산하면 여기에 편승해 그 혜택을 누린다. 공공재가 가진 성격으로 인해 그렇게 해도 된다는 것을 알기 때문이다. 돈을 내지 않고 남의 차에 올라타는 사람처럼, 공공재에도 무임승차를 하는 사람이 발생할 가능성이 크다. 바로 이 무임 승차자들 때문에 시장이 공공재를 생산, 공급하는 일을 제대로 감당하지 못하는 것이다.

공공재에 무임승차를 한다는 것은 자기가 속한 공동체의 이익을 무시하고 개인적인 이익만을 취하려고 행동한다는 뜻이다. 호모 에코노미쿠스라면 당연히 이런 이기적 행동을 하게 된다. 그러나 무임승차를 할 수 있는 상황이라 해서 사람들이 언제나 무임승차를 하려고 할까? 이 의문에 대한 답을 얻기 위해 실험을 해 보았다. (중략)

※ 중략된 실험 내용: 사람들에게 표를 나누어주고 흰색 상자와 푸른색 상자에 넣게 한다. 흰색 상자에 표를 넣으면 자신만 이익을 얻고, 푸른색 상자에 표를 넣으면 자신의 몫은 줄어들지만 모두에게 이익이 돌아간다.

실험의 결과는 무임승차를 하려는 경향이 의외로 약한 것으로 드러났다. 조건을 조금씩 달리해서 여러 번 실험을 거듭해 보았지만, 사람들이 가진 표를 전부 흰색 상자에 넣는 경우는 거의 눈에 띄지 않았다. 평균적으로 자신이 가진 표의 40퍼센트에서 60퍼센트에 이르는 표를 푸른색 상자에 넣는 것으로 드러났다. 무임승차를 할 수 있는 상황임을 알면서도 가진 표의 절반가량을 공공재 생산 비용에 자발적으로 기여한 것이다.

 지금까지의 전통적 경제학은 자신의 이익만을 추구하는 합리적 인간인 호모 에코노미쿠스의 경제 행위를 분석의 대상으로 삼았다. 그러나 공공재에 관한 실험을 통해 확인했듯이 현실의 인간은 경제학 교과서에 등장하는 호모 에코노미쿠스와 다르다. 우리가 경제 행위를 할 때 언제나 이기적으로, 합리적으로 행동하지는 않는다는 것이다.

-고등학교 『독서』

[다]

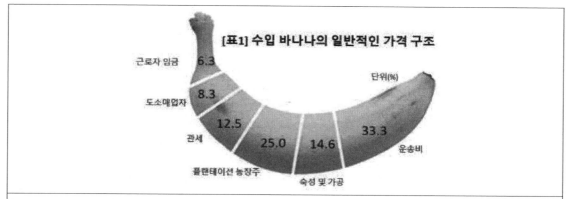

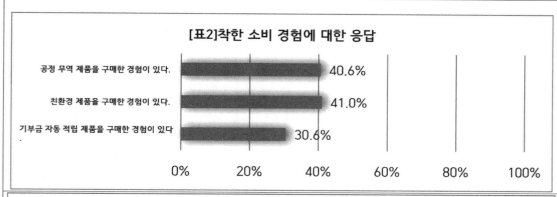

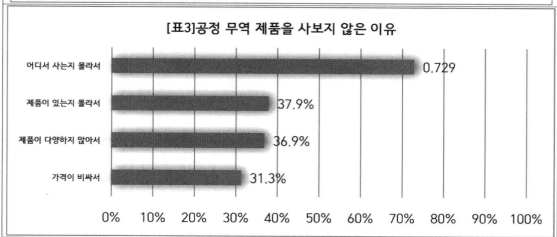

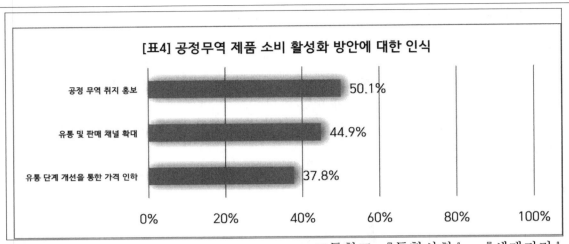

[표4] 공정무역 제품 소비 활성화 방안에 대한 인식

공정 무역 취지 홍보 — 50.1%
유통 및 판매 채널 확대 — 44.9%
유통 단계 개선을 통한 가격 인하 — 37.8%

(0% 20% 40% 60% 80% 100%)

-고등학교 『통합사회』, 『세계지리』

[라]

※ 앞부분 줄거리 : 부부는 어렵사리 연립 주택을 장만했는데 그 집에 이런저런 문제가 생겨 보수하느라 제법 많은 돈을 들이게 된다. 그러던 중 욕실 바닥에서 물이 새는 일이 생기자 이웃의 소개를 받아 임 씨에게 공사를 맡긴다. 하지만 부부는 임 씨의 본업이 연탄 배달이라는 사실을 알고는 욕실 공사를 맡긴 것을 후회한다. 욕실 공사를 예상보다 일찍 끝낸 임 씨가 수리할 곳이 더 있으면 고쳐주겠다고 하자 부부는 그에게 옥상 방수 공사를 부탁한다.

내레이터 : 간단하게 여겼던 옥상의 공사는 의외로 시간을 끌었다. 이미 밤은 시작된 것이나 진배없어 이웃집들의 창문에 하나둘 불이 밝혀졌다. 그런데도 임 씨는 만족하다 싶을 때까지는 일손을 놓고 싶지 않은 모양이었다. 몇 번씩이나 옥상에 얼굴을 디밀고 일의 진척 상황을 살피던 아내도 마침내 질렸다는 듯 입을 열었다.

아내 : (급하게) 대강 해 두세요. 날도 어두워졌는데 어서들 내려오시라구요.

임 씨 : (아내를 쳐다보고 여유 있게 말한다.) 다 되어 갑니다, 사모님. 하던 일이니 깨끗이 손봐 드려얍지요.

내레이터 : 임 씨가 일에 몰두해 있는 동안 그는 숨소리조차 내지 않고 일하는 양을 지켜보았다.

남편 : 저 열 손가락에 박힌 공이*의 대가가 기껏 지하실 단칸방만큼의 생활뿐이라면 좀 너무하지 않나?

내레이터 : 안타까움이 솟아오르기도 했다. 목욕탕 일도 그러했지만 이 사람의 손은 특별한 데가 있다는 느낌이었다. 자신이 주무르고 있는 일감에 한 치의 틈도 없이 밀착되어 날렵하게 움직이고 있는 임 씨의 열 손가락은 손가락 이상의 그 무엇이었다. 처음에는 이 사내가 견적대로의 돈을 다 받기가 민망하여 우정* 지어내 보이는 열정이라고 여겼었다. 옥상 일의 중간에 잠시 집에 내려갔을 때 아내도 그런 뜻을 표했다.

아내 : 예상 외로 옥상 일이 힘드나 보죠? (웃음) 저 사람도 이제 세상에 공돈은 없다는 사실을 깨달았을 거예요.

내레이터 : 하지만 우정 지어낸 열정으로 단정한다면 당한 쪽은 되려 그들이었다. 밤 여덟 시가 지나도록 잡부 노릇에 시달린 그도 고생이었고, 부러 만들어 시킨 일로 심적 부담을 느끼기 시작한 그의 아내 역시 안절부절못했으니까. 아내는 기다리는 동안 술상을 봐 놓고 있었다. 손발을 씻고 옷의 먼지를 털고 들어온 임 씨는 여덟 시가 넘어선 시간을 보고 오히려 그들 부부에게 미안해했다.

임 씨 : 시간이 벌써 이리 되었남요? 우리 사모님 오늘 너무 늦게까지 이거 고생이 많으십니다요. 사장님이야 더 말할 것도 없구, 참 죄송하게 되었습니다.

내레이터 : 임 씨는 그가 부어 주는 술을 두 손으로 황감히 받쳐 들고 조심스레 목울대로 넘겼다.

남편 : 이거 왜 이러십니까. 편히 드십시다. 나이도 서로 엇비슷할 텐데 말이오.

내레이터 : 그렇게 말은 했어도 그는 임 씨의 나이가 그보다 훨씬 많으면 왠지 괴롭겠다는 기분을 지울 수가 없었다. 찬바람이 불면 다시 온몸에 검댕 칠을 하는 연탄 배달에 나서야 하고 여름이 오면 정식으로 간판 달고 일하는 설비집 동료들이 손이 딸려야만 넘겨주는 일감에 매달려 하루 벌어 하루 먹고 사는 저 사내의 앞날이 창창하다는 게 위안이 될는지 그것도 모를 일이긴 했다.

임 씨 : 사장님은 금년 몇이시지요? 저는 토끼띠, 서른여섯 아닙니까.

내레이터 : 임 씨가 서른여섯에 토끼띠라면 그는 서른다섯의 용띠였다. 옆에 앉아서 지갑을 열었다 닫았다 하던 아내가 얼른······.

아내 : (고개를 들어 남편을 쳐다보며) 이 양반은······.

내레이터 : 하고 나서는 것을 그가 가로챘다.

남편 : (천연덕스러운 표정으로) 그래요? 나도 토끼띠지요. 서로 동갑이군요.

내레이터 : 아내가 기가 막히다는 표정으로 그를 쳐다보았지만 그는 아랑곳하지 않고 동갑 기념이라고 또 한 잔의 술을 그의 잔에 넘치도록 부었다. 한 살 정도만 보태는 것으로 거짓말의 양을 줄일 수 있는 것이 몹시 다행스러웠다.

임 씨 : 토끼띠 남자들이 원래 팔자가 드센 편 아닙니까요? 여자 토끼띠는 잘사는데 요상하게 우리 나이 토끼띠 남자들은 신수가 고단트라 이 말씀입니다. 한데 사장님은 용케 따시게 사시니 복이 많으십니다.

내레이터 : 저런. 그는 속으로 머쓱했다. 토끼띠가 어쩌고 해 쌌는 게 아무래도 아슬아슬했든지, 아니면 준비한 술이 바닥나는 게 보였든지 아내가 단호하게 지갑을 열었다.

아내 : 돈 드려야지요. 그런데······.

내레이터 : 아내는 뒷말을 못 잇고 그의 얼굴을 말끄러미 올려다보았다. 그는 술잔을 들어 올리며 짐짓 아내를 못 본 척했다. 옥상 일까지 시켜 놓고 돈을 다 내주기가 아깝다는 뜻이렷다. 그는 아내가 제발 딴소리 없이 이십만 원에서 이만 원이 모자라는 견적 금액을 다 내놓기를 대신 빌었다.

임　씨 : (문득 생각이 떠오른 듯 손을 내밀며) 사모님, 내 뽑아 드린 견적서 좀 줘
　　　　보세요. 돈이 좀 달라질 겁니다.

내레이터 : 아내가 손에 쥐고 있던 견적서를 내밀었다. 그와 그의 아내는 임 씨의
　　　　입에서 나올 말에 주목하여 잠깐 긴장했다.

임　씨 : (견적서를 한참 들여다보며) 술을 마셨더니 눈으로는 계산이 잘 안 되네요.

내레이터 : 임 씨는 엎드려 아라비아 숫자를 더하고 빼고, 또는 줄을 긋고 했다.
　　　　그는 빈 술병을 흔들어 겨우 반 잔을 채우고는 서둘러 잔을 비웠다. 임 씨
　　　　의 머릿 속에서 굴러다니고 있을 숫자들에 잔뜩 애를 태우고 있는 스스로가
　　　　정말이지 역겨웠다.

임　씨 : 됐습니다, 사장님. 이게 말입니다. 처음엔 파이프가 어디서 새는지 모르니
　　　　전체를 뜯을 작정으로 견적을 뽑았지요. 아까도 말씀드렸지만 일이 썩 간단
　　　　하게 되었다 이 말씀입니다. 그래서 노임에서 사만 원이 빠지고 시멘트도
　　　　이게 다 안 들었고, 모래도 그렇고, 에, 쓰레기 치울 용달차도 빠지게 되죠.
　　　　방수액도 타일도 반도 못 썼으니 여기서도 요게 빠지고 또……

내레이터 : 임 씨가 볼펜 심으로 쿡쿡 찔러 가며 조목조목 남는 것들을 설명해 갔
　　　　지만 그의 귀에는 제대로 들리지 않았다. 뭔가 단단히 잘못되었다는 기분,
　　　　이게 아닌데, 하는 느낌이 어깨의 뻐근함과 함께 그를 짓누르고 있을 뿐이
　　　　었다.

임　씨 : 그렇게 해서 모두 칠만 원이면 되겠습니다요.

내레이터 : 선언하듯 임 씨가 견적서를 아내에게 내밀었다. 놀란 것은 그보다 아내
　　　　쪽이 더 심했다. 그녀는 분명 칠만 원이란 소리가 믿기지 않는 모양이었다.

아　내 : 칠만 원요? 그럼 옥상은…….

임　씨 : 옥상에 들어간 재료비도 여기에 다 들어 있습니다. 그거야 뭐 몇 푼 되나
　　　　요.

아　내 : 그럼 우리가 너무 미안해서……. (호소하는 눈빛으로 남편을 본다.)

남　편 : 계산을 다시 해 봐요. 처음에는 십팔만 원이라고 했지 않소?

임　씨 : (이것 참, 하는 표정으로 웃는다.) 이거 돈을 더 내시겠다 이 말씀입니까?
　　　　에이, 사장님도. 제가 어디 공일해 줬나요. 조목조목 다 계산에 넣었습니다
　　　　요. 옥상 일한 품값은 지가 서비스로다가…….

남　편 : 서비스?

내레이터 : 그는 아연실색해서 임 씨의 말을 되받았다.

임　씨 : 그럼요. 저도 서비스할 때는 서비스도 하지요.

내레이터 : 그는 입을 다물어 버렸다. 뭐라 대꾸할 말이 없었다.

임　씨 : 토끼띠이면서도 사장님이 왜 잘사는가 했더니 역시 그렇구만요. 다른 집에
　　　　서는 노임 한 푼이라도 더 깎아 보려고 온갖 트집을 다 잡는데 말입니다.
　　　　제가요, 이 무식한 노가다*가 한 말씀 드리자면요, 앞으로 이 세상 사실려면
　　　　그렇게 마음이 물러서는 안 됩니다요. 저는요, 받을 거 다 받은 거니까 이따
　　　　겨울 돌아오면 우리 연탄이나 갈아주세요.

내레이터 : 임 씨는 아내가 내민 칠만 원을 주머니에 쑤셔 넣고 자리에서 일어섰다. 그는 일층 현관까지 내려가 임 씨를 배웅하기로 했다. 어두워진 계단을 앞서거니 뒤서거니 내려가면서 임 씨는 연장 가방을 몇 번이나 난간에 부딪쳤다. 시원한 밤공기가 현관 앞을 나서는 두 사람을 감쌌고 그는 무슨 말로 이 사내를 배웅할 것인가를 궁리하던 중이었다. 수고했다는 말도, 고맙다는 말도 이 사내의 그 서비스에 대면 너무 초라하지 않을까. 그때 임 씨가 돌연 그의 팔목을 꽉 움켜잡았다.

임 씨 : 사장님요, 기분도 그렇지 않은데 제가 맥주 한잔 살게요. 가십시다.

내레이터 : 임 씨는 백열구로 밝혀 놓은 형제 슈퍼의 노천 의자를 가리키고 있었다.

남편 : 맥주는 내가 사지요.

임 씨 : 아니요. 제가 삽니다.

남편 : 좋소. 누가 사든 가봅시다.

*우정: '일부러'의 방언
*공이: '굳은살'을 비유적으로 이르는 말
*노가다: 이것저것 가리지 아니하고 닥치는 대로 하는 노동 또는 그런 노동을 하는 사람을 속되게 일컫는 말 ≒ 막일, 막일꾼

-고등학교 『문학』

【문제 1】 이 답안 영역에는 1번 문항에 대한 답을 작성하시오. (401~600자)

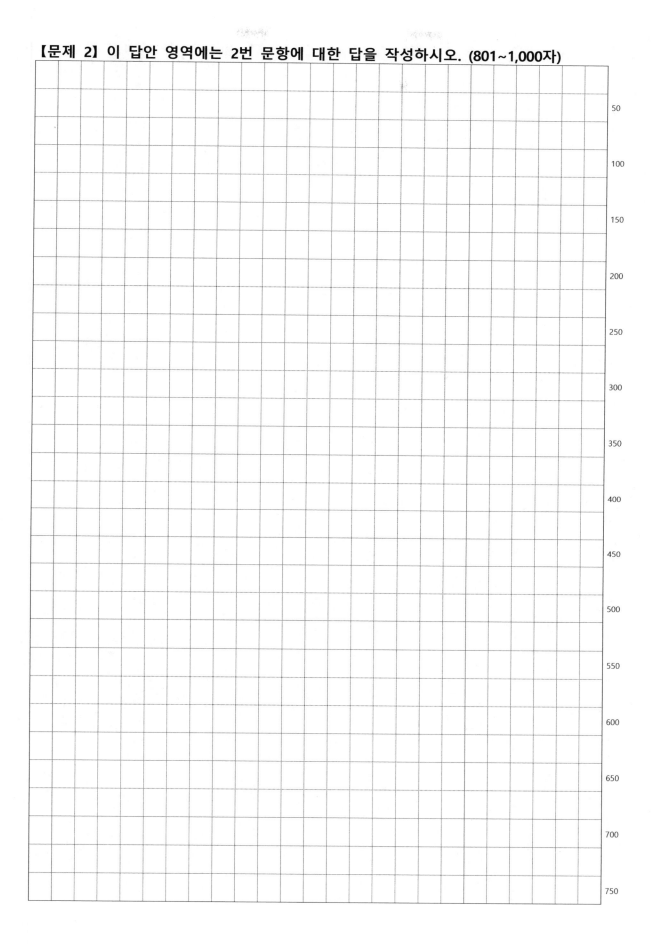

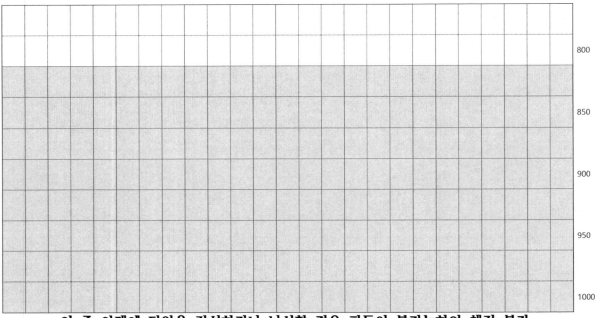

800		
850		
900		
950		
1000		

10. 2022학년도 건국대 인문사회계II 수시 논술

※ [문제 1]: [가]와 [나]의 핵심 개념을 활용하여 [다]의 자료를 분석하시오.(401-600자) [40점]

[가]

맹자는 대인(大人)과 소인(小人)은 타고나는 것이 아니라 각 개인의 수양 과정에 따른 결과라고 주장한다. 말하자면 사람의 '큼[大]'과 '작음[小]'은 애초에 사람 안에 있으며 그중 어느 쪽을 기르느냐에 따라 그 사람이 어떤 사람인가가 결정된다는 것이다. 맹자는 어째서 어떤 사람은 '큰 사람'이 되고 어떤 사람은 '작은 사람'이 되느냐는 물음에, '큰 몸[大體]'을 따르면 '큰 사람'이 되고 '작은 몸[小體]'을 따르면 '작은 사람'이 된다고 말한다.

맹자는 '큰 몸'이 먼저 서게 되면 '작은 몸'이 '큰 몸'을 해치지 못한다고 말한다. 더 나아가 맹자는 감각적인 욕구를 충족하는 일이 때로는 단지 '작은 몸'을 위한 일에 그치지 않는다고 말한다. 먹고 마시는 일과 같은 감각적 욕구와 관련된 활동은 '작은 몸'을 기르는 일이다. 그러나 '큰 몸'이 먼저 서 있는 상황에서라면, 즉 선한 본성에서 유래한 도덕적인 마음을 발휘하고 있는 상황에서 하는 감각적 욕구와 관련된 활동은 단지 '작은 몸'을 위한 일이 아니다. 먹고 마시는 일을 즐긴다 하더라도 의롭고 예에 맞게 하려고 노력한다면 그 일은 '작은 몸'뿐 아니라 '큰 몸'을 위하는 일이기도 하다. 따라서 이런 경우에 감각적 욕구와 관련된 '작은 몸'의 활동은 의(義)나 예(禮)와 관련된 '큰 몸'의 활동에 종속되어 있다고 말할 수 있다.

'작은 몸'은 수동적이기 때문에 외부에 의해 끌려갈 수 있으며, '큰 몸', 즉 마음에 이끌려 갈 수도 있다. 예컨대 어떤 상황에서 남을 불쌍하게 여기는 타고난 착한 마음이 들어 이를 저버리지 않고 집중하면 '작은 몸'은 따라오게 된다. 즉 어떤 동기가 실천으로 자연스럽게 옮겨 가게 된다. 이와 반대의 경우도 생각해 볼 수 있다. 누구나 먹고 마셔야만 살 수 있다. 그런데 어떤 사람이 먹고 마시는 일로 타인의 비난을 산다면 이는 그가 먹고 마시는 일 자체 때문이 아니다. 자기 안에 있는 귀중한 인의(仁義)를 저버리고, 먹고 마시는 일과 같이 외부 대상을 추구하는 일에만 몰두하기 때문이다.

'작은 몸'인 감각 기관이 외부 대상에 끌려가 무절제하게 욕망에 탐닉하게 되는 경우 그 책임은 마음에 있다. 이는 각 개인이 저지르는 악의 기원과 그 책임의 소재를 말해 준다. 언뜻 보기에 각 개인이 저지르는 악은 감각 기관의 활동으로 발생하는 것처럼 보이지만, 실제로는 마음이 제 역할을 하지 않았기 때문에 생겨난다. 우리 몸에 무언가 있기 때문에 악을 저지르는 것이 아니라 마음이 무언가를 하지 않기 때문에 악을 저지르게 되는 것이다.

-고등학교 『독서』

[나]

　전통적 경제학에서는 전형적인 인간형으로 호모 에코노미쿠스(Homo economicus)를 설정한다. 호모 에코노미쿠스는 사랑이나 미움, 기쁨이나 슬픔 같은 인간의 체취가 제거된 존재이다. 그가 지니고 있는 유일한 관심은 물질적 측면이고, 그는 오직 물질적 동기에 의해 움직인다. 한마디로 호모 에코노미쿠스는 '자신의 이익을 합리적으로 추구하는 존재'이다. 그러나 최근에는 호모 에코노미쿠스를 전형적 인간형으로 보는 전통 경제학의 시각에 반기를 드는 경제학자들이 나타났다. 이들은 인간이 호모 에코노미쿠스가 아니라는 다양한 증거를 제시하였다.

　도로나 공원처럼 여러 사람이 공동으로 소비하는 것을 '공공재'라고 부른다. 공공재의 또 다른 예로는 국방 서비스나 경찰 서비스를 들 수 있다. 그런데 이 공공재에는 독특한 성격이 있어 시장에서는 그것을 취급하기 어렵다. 예컨대 국방 서비스를 생산, 공급하는 기업이 있다고 가정해 보자. 이 기업은 한 사람당 연간 5백만 원만 내면 철통 방위를 약속한다는 신문 광고도 냈다. 과연 국민들은 돈을 내고 이 서비스를 이용하려 할까? 국민들은 국방 서비스를 산 사람만 골라서 외적으로부터 지켜 줄 수 없다는 점을 알기에 굳이 자신이 그 비용을 지불하려 하지는 않을 것이다. 이처럼 개인이나 기업이 비용을 들여 공공재를 생산할 때 아무 비용을 지불하지 않은 사람도 비용을 지불한 사람과 함께 그 혜택을 누릴 수 있게 된다. 대부분의 공공재를 정부가 생산, 공급하는 것은 바로 이 때문이다.

　이기적인 사람은 어떤 공공재가 필요하다고 생각하면서도 필요하지 않다고 말한다. 그렇게 함으로써 공공재 생산에 드는 비용 부담에서 벗어날 수 있기 때문이다. 그런 다음 다른 사람들이 비용을 들여 공공재를 생산하면 여기에 편승해 그 혜택을 누린다. 공공재가 가진 성격으로 인해 그렇게 해도 된다는 것을 알기 때문이다. 돈을 내지 않고 남의 차에 올라타는 사람처럼, 공공재에도 무임승차를 하는 사람이 발생할 가능성이 크다. 바로 이 무임 승차자들 때문에 시장이 공공재를 생산, 공급하는 일을 제대로 감당하지 못하는 것이다.

　공공재에 무임승차를 한다는 것은 자기가 속한 공동체의 이익을 무시하고 개인적인 이익만을 취하려고 행동한다는 뜻이다. 호모 에코노미쿠스라면 당연히 이런 이기적 행동을 하게 된다. 그러나 무임승차를 할 수 있는 상황이라 해서 사람들이 언제나 무임승차를 하려고 할까? 이 의문에 대한 답을 얻기 위해 실험을 해 보았다. (중략)

　　※ 중략된 실험 내용: 사람들에게 표를 나누어주고 흰색 상자와 푸른색 상자에 넣게 한다. 흰색
　　　상자에 표를 넣으면 자신만 이익을 얻고, 푸른색 상자에 표를 넣으면 자신의 몫은 줄어들지만
　　　모두에게 이익이 돌아간다.

　실험의 결과는 무임승차를 하려는 경향이 의외로 약한 것으로 드러났다. 조건을 조금씩 달리해서 여러 번 실험을 거듭해 보았지만, 사람들이 가진 표를 전부 흰색 상자에 넣는 경우는 거의 눈에 띄지 않았다. 평균적으로 자신이 가진 표의 40퍼센트에서 60퍼센트에 이르는 표를 푸른색 상자에 넣는 것으로 드러났다. 무임승차를

할 수 있는 상황임을 알면서도 가진 표의 절반가량을 공공재 생산 비용에 자발적으로 기여한 것이다.

 지금까지의 전통적 경제학은 자신의 이익만을 추구하는 합리적 인간인 호모 에코노미쿠스의 경제 행위를 분석의 대상으로 삼았다. 그러나 공공재에 관한 실험을 통해 확인했듯이 현실의 인간은 경제학 교과서에 등장하는 호모 에코노미쿠스와 다르다. 우리가 경제 행위를 할 때 언제나 이기적으로, 합리적으로 행동하지는 않는다는 것이다.

-고등학교 『독서』

[다]

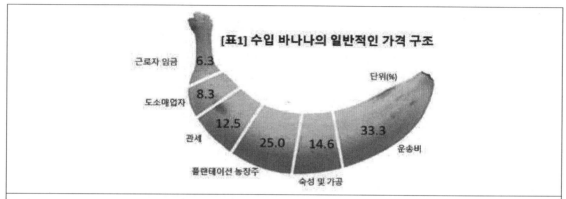

[표1] 수입 바나나의 일반적인 가격 구조

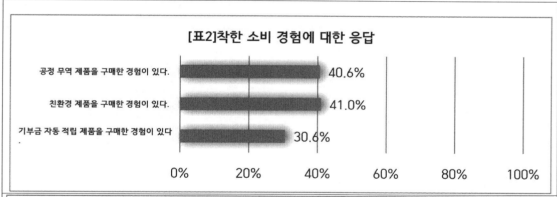

[표2]착한 소비 경험에 대한 응답

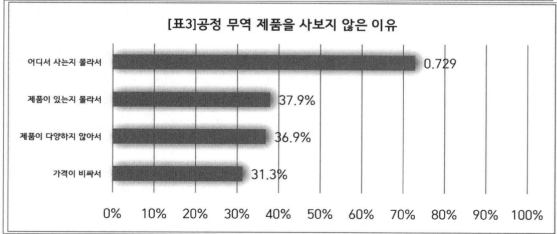

[표3]공정 무역 제품을 사보지 않은 이유

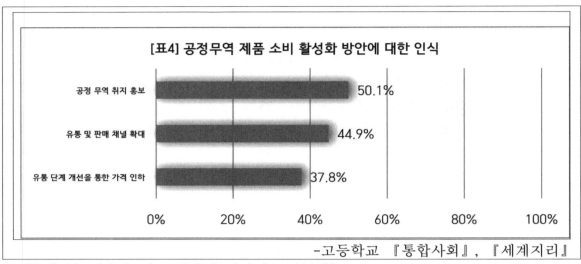

[표4] 공정무역 제품 소비 활성화 방안에 대한 인식

공정 무역 취지 홍보 50.1%
유통 및 판매 채널 확대 44.9%
유통 단계 개선을 통한 가격 인하 37.8%

-고등학교 『통합사회』, 『세계지리』

※ [문제 2]: 다음을 읽고 물음에 답하시오. [60점]

[라]

미분가능한 함수 $y = f(x)$의 도함수는 $f'(x) = \lim_{\Delta x \to 0} \dfrac{f(x + \Delta x) - f(x)}{\Delta x}$ 이다

-고등학교 「수학 II 」

[마]

일반적으로 사건 A가 일어났다고 가정할 때 사건 B가 일어날 확률을 사건 A가 일어났을 때의 사건 B의 조건부확률이라 하며, 이것을 기호로 $P(B|A)$와 같이 나타낸다.

$$P(B|A) = \frac{P(A \cap B)}{P(A)}$$

- 고등학교 「확률과통계」

[바]

삶의 질을 높이는 데는 국가 차원의 지원이 필요하다. 국가는 정책을 통하여 사회적 약자를 포함한 국민 전체에 대한 복지를

증진할 수 있다. -고등학교 『사회』

[사]

외부 충격이나 내적 요인으로 인하여 총수요나 총공급이 변동할 때 국민경제의 활동 수준인 경기는 일정한 주기를 가지고 확장 및 수축 국면을 반복하는 변동성을 가진다. 경기변동은 그림과 같이 경제활동이 활발한 '확장기', 위축되는 '후퇴기', 경제활동이 가장 침체되는 '수축기' 및 경제활동이 다시 활발해지는 '회복기'의 네 가지 국면을 반복한다. 평균 경기 수준은 이들 변동하는 경기 주기를 기반으로 한 평균적 경기 수준을 나타낸다. 정부는 경기과열이나 불황 등의 상황에서 정부 지출이나 조세를 조절하여 총수요에 영향을 주고, 이를 통한 경기안정을 추구한다. 이처럼 정부가 정부 지출이나 조세의 변동을 통하여 경기를 조절하는 정

116

책을 재정정책이라고 한다. 외부 충격이 와서 경제가 침체되면 실업이 증가하고 소득이 줄어들어 국민이 많은 경제적 어려움을 겪게 되므로, 정부는 부양정책을 실시하여 경기를 활성화하려고 노력한다. 또한 경기가 지나치게 과열되었을 때 인플레이션이 발생하므로 정부는 기준금리 인상 등의 정책을 통해 경기를 진정시키기 위해 노력한다.

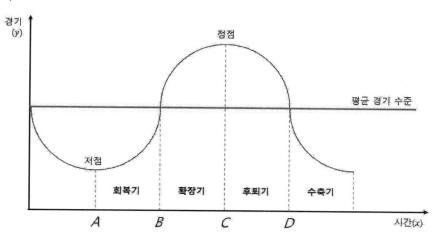

[아]

달힌구간 $[a, b]$에서 연속인 함수 $f(x)$의 한 부정적분을 $F(x)$라고 하면 정적분은 $\int_a^b f(x)\,dx$ 다음과 같이 정의된다.

$$\int_a^b f(x)\,dx = \left[F(x)\right]_a^b = F(b) - F(a)$$

-고등학교 「수학Ⅱ」

※ [문제 2-1]: [라]를 참고하여 다음 물음에 답하시오. [15점]

다음 삼차함수는 어느 한 기업이 제품을 생산할 때의 총생산비용을 나타낸다.

$$C(Q) = aQ^3 + bQ^2 + cQ + d$$

위 식에서 Q는 생산량, a, b, c, d는 상수($a \neq 0$)이다. 즉, 이 기업이 Q^*만큼 생산할 때 소요되는 총생산비용은 $C(Q^*)$이다. 다음 각 질문에 답하고, 그 근거를 제시하시오.

(1) 위에 제시된 함수를 바탕으로 $C'(Q^*)$를 구하시오. [5점]

(2) 이 기업은 그동안의 생산 경험을 바탕으로 상수 $a = 1$이고, $Q = 4$에서 극댓값을 갖고, $Q = 8$에서 극솟값을 가지며, $Q = 5$일 때 총생산비용 $C(Q)$는 160이 된다고 알고 있다. 이 정보를 이용하여 위에 제시된 삼차함수의 형태를 갖는 총생산비용 함수 $C(Q)$를 구하시오. [5점]

(3) 이 기업은 구체적인 조사와 분석을 통해 자신의 총생산비용과 관련해 아래와 같은 특징이 있음을 파악하게 되었다.

① 생산비용은 항상 0보다 크다. 생산량이 없더라도 시설이나 장비 유지로 인한 고정적인 비용이 발생한다.

② 생산량이 증가하면 총생산비용은 항상 증가한다.

③ 생산량이 일정 규모에 이르면 총생산비용은 천천히 증가하다가 이후 다시 빠른 속도로 상승한다.

④ 상수 b는 0보다 작은 값을 갖는다.

이때 a, c, d가 어떤 부호를 갖는지, 즉 양의 값을 갖는지 혹은 음의 값을 갖는지 구하고, 그와 같이 판단한 근거를 구체적으로 제시하시오. [5점]

※ [문제 2-2]: [마]를 참고하여 다음 질문에 답하시오. [20점]

코로나 백신 접종률이 상승하자 정부는 단계적 일상회복 정책의 일환으로 음식점 영업시간 제한을 완화하였다. 이 조치가 시행된 후 일주일이 지나자 A지역에서 음주운전이 뚜렷하게 증가하였다. 경찰에 따르면 A지역에서는 야간 운전자 중 청년층과 장년층 각각 5%가 음주운전을 한다고 한다. 이 지역의 운전자 가운데 10%가 청년층이고, 나머지 90%가 장년층이다. 다만 야간에는 청년들이 더 활발하게 활동하므로 운전자들 중 20%가 청년층이다. 이때 일반 차량은 비틀거리지 않지만, 음주운전자가 운행하는 차량 중 30%는 육안으로 식별이 될 만큼 비틀거린다. 음주운전 단속은 야간에만 행해지고, 이 지역의 경찰들이 하룻밤에 관찰할 수 있는 차량은 20,000대이다.

(1) 경찰은 음주운전 문제를 해결하기 위해서 비틀거리는 차량들의 운전자들을 모두 적발하고, 비틀거리지 않는 차량들에 대해서는 청년들이 운행하는 차량들만 세워서 정확도가 100%인 측정기로 음주운전자를 적발하기로 했다. 이 같은 방식으로 하룻밤 동안 적발되는 운전자들 중 청년들은 몇 퍼센트인지 구하시오. [10점]

(2) 경찰은 정확도가 100%인 줄 알았던 음주측정기가 알고 보니 측정 오류가 있다는 사실을 발견하였다. 음주를 하지 않은 운전자가 음주로 판명되는 경우는 없었지만 모든 음주운전자가 음주로 판명되지는 않았고 80%만이 음주로 판명되었다. 경찰은 측정의 정확도를 높이기 위해서 모든 음주측정기를 측정 오류가 없는 신형 기기로 교체하기를 원했지만, 예산의 부족으로 40%만 신형으로 교체할 수 있었다. 위와 동일한 방법으로 단속을 한다고 할 때, 차량이 비틀거리지 않았음에도 불구하고 음주 측정을 받은 청년들 중에서 임의의 한 명이 음주운전으로 판명될 확률을 구하시오. [10점]

※ [문제 2-3]: [바], [사], [아]를 참고하여 다음 물음에 답하시오. [25점]

K국은 주기적으로 경기변동의 4국면(수축기→회복기→확장기→후퇴기)을 경험한다고 한다. 현재 시점에서 x년 이후의 경기변동을 나타내는 함수 $f(x)$를 다음과 같이 정의하자.

$$y = f(x) = \int_0^x g(t)\,dt, \ (0 \le x \le 13)$$

$$g(x) = (-m^2 + 2m - 6)(x^2 - (a+b)x + ab)$$

(단, m, a, b는 상수이고 $m \ge 0, \ 0 < a < b < 13$)

(1) 평균 경기 수준을 나타내는 함수가 $y = 0$이라고 할 때, 회복기에서 확장기로 넘어가는 때는 몇 년 후인지 구하시오. (단, $m = 0$, $a = 2$, $b = 8$이라고 가정하자. 회복기에서 확장기로 넘어가는 시점은 제시문 [사] 그림의 B처럼 평균 경기 수준을 나타내는 함수를 통과할 때의 x값을 나타낸다.) [5점]

(2) 경기가 계속 수축하고 있는 K국에서는 가능한 한 빨리 경제 위기를 극복하고 효과적으로 경기를 회복시키기 위해 n개의 경기 부양책을 동시에 실시하기로 하였다. 이 정책들은 함수 $g(x)$의 계수인 a, b를 다음과 같이 변경하는 효과가 있다고 한다.

$$a = 2 - \frac{n^2}{n^2 + 1}, b = 8 + \frac{1}{n}$$

$n = 1$일 때, 경기가 가장 좋을 때는 몇 년 후인지 구하시오. 또, $n \to \infty$일 때 예측되는 함수 $f(x)$의 최댓값을 구하시오. (단, $m = 0$이라고 가정하자.) [10점]

(3) K국 정부는 경기정점이 다소 낮아지더라도 수축기의 실질 GDP가 가능하면 적게 하락하도록 하여 사회 안전망을 확보하기를 원한다. 이를 위해, 경기정점과 경기저점 간의 간격이 가능하면 작게 되도록 정책을 펼치려 한다. 함수 $H(m)$은 다음과 같이 함수 $f(x)$의 최고점과 최저점 간의 차이를 나타낸다.

$$H(m) = (f(x)\text{의 최댓값}) - (f(x)\text{의 최솟값})$$

함수 $H(m)$의 최솟값과 이때 m의 값을 구하시오. (단, $a = 2, b = 8$로 가정하자.) [10점]

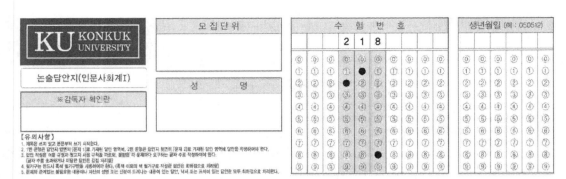

【문제 1】 이 답안 영역에는 1번 문항에 대한 답을 작성하시오. (401~600자)

【문제 2-1】 이 답안 영역에는 2-1번 문항에 대한 답을 작성하시오.

【문제 2-2】 이 답안 영역에는 2-2번 문항에 대한 답을 작성하시오.

【문제 2-3】 이 답안 영역에는 2-3번 문항에 대한 답을 작성하시오.

11. 2022학년도 건국대 인문사회계 I 모의 논술

[문제 1]: [가]와 [나]의 관점을 바탕으로 [다]의 도표를 분석하시오. (401~600자) [40점]

[문제 2]: [가]와 [나]의 주요 개념을 적용하여 [라]에 나타난 인물의 행동과 심리를 논하시오. (801~1,000자) [60점]

[가]

인간의 욕구에 대한 대표적인 이론에는 20세기 미국의 심리학자인 매슬로의 욕구 단계 이론이 있다. 인간의 다양한 욕구들은 피라미드 모양의 위계적 단계를 이룬다는 것이다. 이 이론의 전제는 아래 단계의 기본적인 하위 욕구들이 채워져야 자아 성취와 같은 보다 고차원적인 상위 욕구에 관심이 생긴다는 것이다. 하지만 매슬로의 이론에 의문을 제기해 볼 수 있다. 왜 사람은 세상에서 가장 뛰어난 지휘자가 되려 하고, 가장 빠른 직구를 던지려고 할까? 즉, 왜 자아 성취를 하려고 할까? 이에 진화 생물학적 관점에서는 모든 것을 간명하게 설명한다. 자아 성취를 위해 생리적 욕구를 채우려는 것이 아니라, 식욕이나 성욕과 같은 인간의 본질적 욕구를 채우는 데 도움이 되기 때문에 자아 성취를 한다는 것이다.

행복은 가치나 이상, 혹은 도덕적 지침이 아니다. 천연의 행복은 레몬의 신맛처럼 매우 구체적인 경험이다. 그리고 쾌락적 즐거움이 그 중심에 있다. 쾌락이 행복의 전부는 아니지만, 이것을 뒷전에 두고 행복을 논하는 것은 어불성설이다.

가치 있는 삶을 살 것이냐, 행복한 삶을 살 것이냐는 개인의 선택이다. 다만 강조하고 싶은 점은 첫째, 이 둘은 같지 않다는 것이고, 둘째, 어디에 무게를 두느냐에 따라 삶의 선택과 관심이 달라진다는 것이다. 무엇이 가치 있는지를 평가하기 위해서는 잣대가 필요하고, 많은 경우 그 잣대의 역할을 하게 되는 것은 다른 사람들의 평가이다. 내가 무엇을 좋아하고, 하고 싶은지보다 우선시되는 것은 내 선택을 남들이 어떻게 평가하느냐인 것이다. 이러한 관점에서 보면, 내가 지금 좋고 즐거운 것보다 남들 눈에 사려 깊고 힘 있는 사람으로 인정받는 것이 더 중요해진다. (중략)

몇 해 전부터 내가 재직하는 대학에서는 심리학을 전공하려는 학생 수가 급증했다. 그러다 보니 학점이 좋은 학생부터 전공을 선택할 수 있는 제도가 도입된 적이 있다. 그 당시 한 학생에게 심리학 전공을 선택한 이유를 물어보았다. 의외의 답이 나왔다. 심리학에 특별한 관심이 있어서라기보다, 높은 학점을 최대한 활용하기 위해 심리학을 전공하기로 했다는 것이다. 사실 우리 사회에서 자주 보는 일이다. 천문학자가 되고 싶었지만 자신의 성적에 맞추어 의대 진학을 결정하는 학생들. 더 행복해지기 위한 선택이라고 생각하지만, 명분에 행복을 양보하는 습성으로 인해 생긴 결과라 할 수 있다.

　　　　　　　　　　　　　　　　　　　　　　　　　　- 고등학교 「독서」

[나]

'소유'와 '존재' 간의 선택은 상식에 물을 만한 것이 아니다. '소유한다'는 것은 누가 보더라도 우리 생활의 당연한 기능처럼 보이기 때문이다. 살기 위해서는 물건을 가져야 하고, 더욱이 우리는 물건을 소유해야만 그것을 즐길 수 있다. 소유, 그것도 더 많은 소유를 최고의 목적으로 삼고, 어떤 인물을 "백만 달러의 가치가 있다."라고 표현하는 것이 자연스러운 문화 속에서 어떻게 소유와 존재 간의 선택 따위가 가능하단 말인가? 오히려 존재의 본질이 소유이기 때문에, 만일 인간이 아무것도 소유하지 않으면 그는 아무것도 아니라고 생각될 것이다.

그러나 위대한 인생의 스승들은 소유와 존재 간의 선택을 삶의 가장 주요한 문제로 삼아 왔다. 부처는 해탈(解脫)에 이르기 위해서는 소유를 갈망하는 삶을 버리라고 가르쳤다. 또 예수는 자기 목숨을 구원하려는 사람은 그 목숨을 잃고 오히려 신을 위하여 자기 목숨을 잃는 사람은 구원될 것이니, 사람이 온 세상을 얻고도 자기를 잃으면 무엇이 유익할 것이냐고 하였다. 독일의 철학자 에크하르트는 아무것도 소유하지 않고 자신을 열어 비어 있게 하는 것, 자기의 자아(에고)가 끼어들지 않도록 하는 것이 정신적인 부와 힘을 성취하기 위한 조건이라 했다. (중략)

소유하고 있는 것은 잃어버릴 수 있기 때문에 나는 필연적으로 가지고 있는 것을 잃어버릴까 항상 걱정하게 된다. 도둑을, 경제적 변화를, 혁신을, 병을, 죽음을 두려워한다. 따라서 늘 걱정이 끊이질 않는다. 건강을 잃을까 하는 두려움뿐만 아니라 자신이 소유한 것을 상실할까하는 두려움까지 겹쳐 만성 우울증으로 고통받게 된다. 더 잘 보호받기 위해서 더 많이 소유하려는 욕망 때문에 방어적이 되고 경직되며 의심이 많아지고 외로워진다.

그러나 존재 양식의 삶에는 자기가 소유하고 있는 것을 잃어버릴지도 모르는 위험에서 오는 걱정과 불안이 없다. 나는 '존재하는 나'이며, 내가 소유하고 있는 것이 내가 아니기 때문에, 아무도 나의 안정감과 주체성을 빼앗거나 위협할 수 없다. 나의 중심은 나 자신 안에 있으며 나의 존재 능력, 나의 기본적 힘의 발현(發現) 능력은 내 성격 구조의 일부로서 나에 근거하고 있다.

- 고등학교 「국어」

[다]

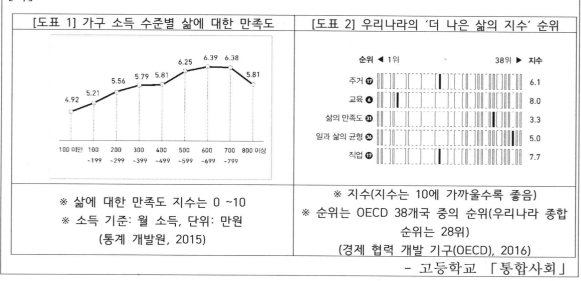

[도표 1] 가구 소득 수준별 삶에 대한 만족도	[도표 2] 우리나라의 '더 나은 삶의 지수' 순위
※ 삶에 대한 만족도 지수는 0 ~10 ※ 소득 기준: 월 소득, 단위: 만원 (통계 개발원, 2015)	※ 지수(지수는 10에 가까울수록 좋음) ※ 순위는 OECD 38개국 중의 순위(우리나라 종합 순위는 28위) (경제 협력 개발 기구(OECD), 2016)

- 고등학교 「통합사회」

[라]

※ 앞부분 줄거리: 초등학생인 지소와 지석 남매는 어느 날 갑자기 아빠가 사라지며 집까지 없어지자 엄마와 함께 작은 승합차에서 살고 있다. 친구들한테 집에서 생일 파티를 할 거라고 말했던 지소는 집을 구할 방법을 고민하다가 "평당 500만 원"이라고 써진 주택 매매 전단을 본다. 오백만 원만 있으면 '평당'에 있는 집을 얻을 수 있다고 여긴 지소는 개를 찾아 주면 오백만 원을 사례한다는 광고를 보고, 엄마 '정현'이 일했던 레스토랑 '마르셀'에 있는 개 '윌리'를 훔친 뒤 오백만 원을 받고 돌려줄 계획을 세운다. 마침내 지소는 윌리를 훔치는 데 성공하지만, 개를 보관하며 보살피던 중 마르셀의 주인인 노부인이 윌리를 죽은 아들처럼 여기고 있다는 사실을 알고서 고민에 빠진다.

S# 90 학교 - 교실, 낮

지소가 표지에 "개를 훔치는 완벽한 방법"이라고 써 놓은 공책을 열고, 그 공책에 적어 놓은 글을 쳐다본다. "개를 훔친다. → 전단을 발견한다. → 개를 데려다준다. → 돈을 받는다. → 행복하게 끝!"이라는 글이 보인다. '돈을 받는다.' 부분 시유(C.U.)＊

지소(내레이션) 하지만 인생은 목표를 이룬다고 끝나는 게 아니었다. 전세 오백만 원짜리 집에 사는 걸 목표로 혹은 그 집에서 생일 파티를 하는 걸 목표로 산다는 게 어쩌면 끔찍한 일인지도 모른다.

지소는 '돈을 받는다.' 부분에 연필로 줄을 긋는다.

채랑 (지소의 행동을 보더니 작은 소리로) 왜?

지소 너 말이야, 내가 계속 차에서 살아도 친구 할 거야?

채랑 응, 당연하지. 너랑 노는 거 재밌어. 학원도 막 빼먹고. 근데 드디어 어제 엄마한테 걸렸어.

지소 나…… . 생일 파티 안 할래.

채랑 정말?

지소 우리 윌리를 마르셀 앞에까지만 데려다줄 거야. 마치 할머니가 보고 싶어서 혼자 돌아온 것처럼.

채랑 오, 완벽한데? 좋았어!

S# 97 레스토랑 마르셀 - 홀, 저녁

홀에 들어온 지소는 윌리에게 방울 목걸이를 달아 준다.

지소 윌리, 내가 미안했어. 내가 너무 나만 생각해서…… . 너도 나랑 마찬가지로 집이 필요한데 말이지. 미안. 널 기다리는 사람이 있어. 나도 내가 기다리는 사람이 빨리 돌아왔으면 좋겠는데…… . 안녕.

이때 노부인이 나타나자 윌리가 노부인에게 달려간다.

노부인 (지소를 바라보며) 윌리를 찾아 줘서 고맙다. (윌리를 쓰다듬으며) 네 말대로 윌리가 제 발로 나간 것 같진 않구나.

지소   그럼 전 이만 가 볼게요. 안녕히 계세요.

　지소는 인사를 하고 문 쪽으로 천천히 걸어 나간다. 문 앞에 다다라 멈춰 선 지소는 돌아서서 노부인을 바라본다.

지소   근데 윌리는 목줄을 풀어 주면 엄청 좋아해요.

노부인 네가 그걸 어떻게 아니?

지소   사실은…… .

노부인 …… .

지소   사실은…… . 제가 훔쳤어요.

노부인 (지소를 바라보며) 뭐?

지소   (입술을 파르르 떨며) 사실은 제가 윌리를 훔쳤어요.

　노부인에게 자신의 지난 사연을 이야기하는 지소. 노부인은 그런 지소의 이야기를 잠자코 듣고 있다. 그 위로 들리는 지소 목소리.

지소(내레이션) 나는 그 순간 내 평생 가장 힘겨운 일을 해냈다. 할머니한테 모든 사실을 털어 놓은 것이다. 어느 날 갑자기 떠난 아빠 얘기부터 집에서 쫓겨나 차에서 사는 이야기, 평당에 있는 오백만 원짜리 전셋집이랑 그 집 앞마당에서의 생일 파티까지…… . 모두 말했다.

노부인 (고개를 끄덕이며) 힘든 시간을 겪다 보면 어쩔 수 없이 나쁜 짓도 하게 되는 법이지. 하지만 그렇다고 해도…… . 네가 한 짓은 정말 나쁜 거야, 지소야. 그건 변하지 않아.

　지소는 노부인의 말에 고개를 끄덕거리며, 눈물을 뚝뚝 흘린다.

지소   죄송해요. 전 이만 가 볼게요.

S# 98 레스토랑 마르셀 – 정원, 저녁

　어깨가 축 늘어진 지소가 계단을 내려간다. 처량해 보이는 지소. 그때 등 뒤에서 들려오는 목소리.

노부인   애야.

　지소가 걸음을 멈추고 돌아서자 노부인이 계단 위에 서 있다.

노부인   내일 마르셀에 와서 윌리 산책을 시켜 주겠니? 대신 맛있는 아이스크림을 주마.

　고개를 끄덕이며 웃는 지소.

S# 100 아파트 단지 밖 – 승합차 안, 밤

　일을 마친 정현이 문을 열고 차 안으로 들어온다. 지소, 공책을 덮고 정현을 본다. 손에 들고 있던 커다란 도시락을 꺼내서 지소와
지석에게 나눠 주는 정현.

지소, 지석 이게 뭐야?

정현   　열어 봐.

지소와 지석은 도시락을 열어 본다. 뚜껑을 여는 순간 깜짝 놀라는 지소. 정성껏 꾸민 도시락이다. 도시락 안, 작은 쪽지에 "사랑하는 지소, 생일 축하해! 엄마." 라고 쓰여 있다.

정현　　　엄마가 지소 생일 절대 잊지 않아. 생일 축하해, 지소야.

 눈물을 뚝뚝 흘리는 지소는 도시락을 옆에 두고 정현을 꼭 껴안는다.

*시유(C.U.: close-up): 등장하는 배경이나 인물의 일부를 화면에 크게 나타내는 일

- 고등학교 「국어」

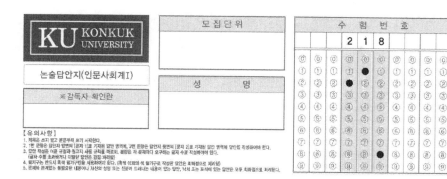

【문제 1】 이 답안 영역에는 1번 문항에 대한 답을 작성하시오. (401~600자)

50

100

150

200

250

300

350

400

450

500

550

600

650

700

750

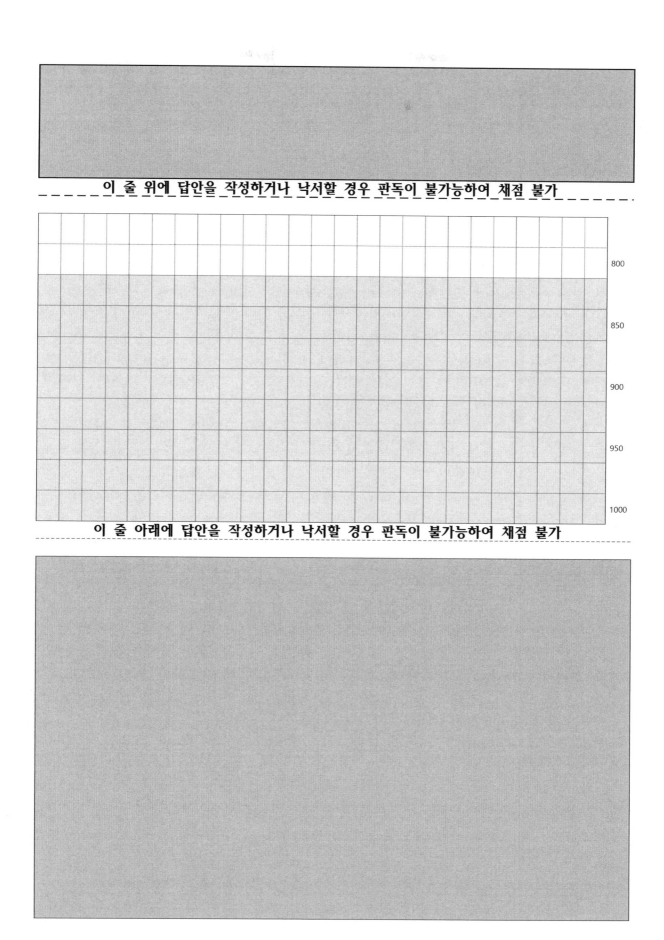

800

850

900

950

1000

12. 2022학년도 건국대 인문사회계II 모의 논술

[문제 1]: [가]와 [나]의 관점을 바탕으로 [다]의 도표를 분석하시오. (401~600자) [40점]

[가]

인간의 욕구에 대한 대표적인 이론에는 20세기 미국의 심리학자인 매슬로의 욕구 단계 이론이 있다. 인간의 다양한 욕구들은 피라미드 모양의 위계적 단계를 이룬다는 것이다. 이 이론의 전제는 아래 단계의 기본적인 하위 욕구들이 채워져야 자아 성취와 같은 보다 고차원적인 상위 욕구에 관심이 생긴다는 것이다. 하지만 매슬로의 이론에 의문을 제기해 볼 수 있다. 왜 사람은 세상에서 가장 뛰어난 지휘자가 되려 하고, 가장 빠른 직구를 던지려고 할까? 즉, 왜 자아 성취를 하려고 할까? 이에 진화 생물학적 관점에서는 모든 것을 간명하게 설명한다. 자아 성취를 위해 생리적 욕구를 채우려는 것이 아니라, 식욕이나 성욕과 같은 인간의 본질적 욕구를 채우는 데 도움이 되기 때문에 자아 성취를 한다는 것이다.

행복은 가치나 이상, 혹은 도덕적 지침이 아니다. 천연의 행복은 레몬의 신맛처럼 매우 구체적인 경험이다. 그리고 쾌락적 즐거움이 그 중심에 있다. 쾌락이 행복의 전부는 아니지만, 이것을 뒷전에 두고 행복을 논하는 것은 어불성설이다.

가치 있는 삶을 살 것이냐, 행복한 삶을 살 것이냐는 개인의 선택이다. 다만 강조하고 싶은 점은 첫째, 이 둘은 같지 않다는 것이고, 둘째, 어디에 무게를 두느냐에 따라 삶의 선택과 관심이 달라진다는 것이다. 무엇이 가치 있는지를 평가하기 위해서는 잣대가 필요하고, 많은 경우 그 잣대의 역할을 하게 되는 것은 다른 사람들의 평가이다. 내가 무엇을 좋아하고, 하고 싶은지보다 우선시되는 것은 내 선택을 남들이 어떻게 평가하느냐인 것이다. 이러한 관점에서 보면, 내가 지금 좋고 즐거운 것보다 남들 눈에 사려 깊고 힘 있는 사람으로 인정받는 것이 더 중요해진다. (중략)

몇 해 전부터 내가 재직하는 대학에서는 심리학을 전공하려는 학생 수가 급증했다. 그러다 보니 학점이 좋은 학생부터 전공을 선택할 수 있는 제도가 도입된 적이 있다. 그 당시 한 학생에게 심리학 전공을 선택한 이유를 물어보았다. 의외의 답이 나왔다. 심리학에 특별한 관심이 있어서라기보다, 높은 학점을 최대한 활용하기 위해 심리학을 전공하기로 했다는 것이다. 사실 우리 사회에서 자주 보는 일이다. 천문학자가 되고 싶었지만 자신의 성적에 맞추어 의대 진학을 결정하는 학생들. 더 행복해지기 위한 선택이라고 생각하지만, 명분에 행복을 양보하는 습성으로 인해 생긴 결과라 할 수 있다.

- 고등학교 「독서」

[나]

'소유'와 '존재' 간의 선택은 상식에 물을 만한 것이 아니다. '소유한다'는 것은 누가 보더라도 우리 생활의 당연한 기능처럼 보이기 때문이다. 살기 위해서는 물건을 가져야 하고, 더욱이 우리는 물건을 소유해야만 그것을 즐길 수 있다. 소유, 그것도 더 많은 소유를 최고의 목적으로 삼고, 어떤 인물을 "백만 달러의 가치가 있다." 라고 표현하는 것이 자연스러운 문화 속에서 어떻게 소유와 존재 간의 선택 따위가 가능하단 말인가? 오히려 존재의 본질이 소유이기 때문에, 만일 인간이 아무것도 소유하지 않으면 그는 아무것도 아니라고 생각될 것이다.

그러나 위대한 인생의 스승들은 소유와 존재 간의 선택을 삶의 가장 주요한 문제로 삼아 왔다. 부처는 해탈(解脫)에 이르기 위해서는 소유를 갈망하는 삶을 버리라고 가르쳤다. 또 예수는 자기 목숨을 구원하려는 사람은 그 목숨을 잃고 오히려 신을 위하여 자기 목숨을 잃는 사람은 구원될 것이니, 사람이 온 세상을 얻고도 자기를 잃으면 무엇이 유익할 것이냐고 하였다. 독일의 철학자 에크하르트는 아무것도 소유하지 않고 자신을 열어 비어 있게 하는 것, 자기의 자아(에고)가 끼어들지 않도록 하는 것이 정신적인 부와 힘을 성취하기 위한 조건이라 했다. (중략)

소유하고 있는 것은 잃어버릴 수 있기 때문에 나는 필연적으로 가지고 있는 것을 잃어버릴까 항상 걱정하게 된다. 도둑을, 경제적 변화를, 혁신을, 병을, 죽음을 두려워한다. 따라서 늘 걱정이 끊이질 않는다. 건강을 잃을까 하는 두려움뿐만 아니라 자신이 소유한 것을 상실할까하는 두려움까지 겹쳐 만성 우울증으로 고통받게 된다. 더 잘 보호받기 위해서 더 많이 소유하려는 욕망 때문에 방어적이 되고 경직되며 의심이 많아지고 외로워진다.

그러나 존재 양식의 삶에는 자기가 소유하고 있는 것을 잃어버릴지도 모르는 위험에서 오는 걱정과 불안이 없다. 나는 '존재하는 나'이며, 내가 소유하고 있는 것이 내가 아니기 때문에, 아무도 나의 안정감과 주체성을 빼앗거나 위협할 수 없다. 나의 중심은 나 자신 안에 있으며 나의 존재 능력, 나의 기본적 힘의 발현(發現) 능력은 내 성격 구조의 일부로서 나에 근거하고 있다.

- 고등학교 「국어」

[다]

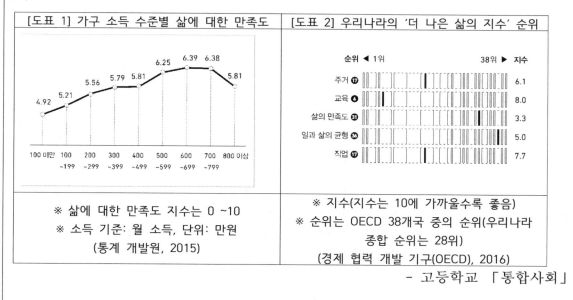

[도표 1] 가구 소득 수준별 삶에 대한 만족도	[도표 2] 우리나라의 '더 나은 삶의 지수' 순위
※ 삶에 대한 만족도 지수는 0 ~10 ※ 소득 기준: 월 소득, 단위: 만원 (통계 개발원, 2015)	※ 지수(지수는 10에 가까울수록 좋음) ※ 순위는 OECD 38개국 중의 순위(우리나라 종합 순위는 28위) (경제 협력 개발 기구(OECD), 2016)

- 고등학교 「통합사회」

[문제 2]: 다음 제시문을 읽고 물음에 답하시오. [총 60점]

[라]

일반적으로 사건 A가 일어났다고 가정할 때 사건 B가 일어날 확률을 사건 A가 일어났을 때의 사건 B의 조건부확률이라 하며, 이것을 기호로 $P(A \cap B)$와 같이 나타낸다.

$$P(B|A) = \frac{P(A \cap B)}{P(A)}$$

- 고등학교 『확률과 통계』

[마]

- 수요는 가격과 수요량의 관계로 나타낼 수 있다. 즉, 수요는 가격이 1,000원일 때 30병, 가격이 1,500원일 때 20병과 같이 여러 가격 수준에서의 수요량으로 나타낼 수 있다. 이러한 관계를 표로 나타낸 것을 수요표라 하고, 그래프로 나타낸 것을 수요곡선이라고 한다.

- 공급은 가격과 공급량의 관계로 나타낼 수 있다. 즉, 공급은 가격이 1,000원일 때 30병, 1,500원일 때 40병과 같이 여러 가격 수준에서의 공급량으로 나타낼 수 있다. 이러한 관계를 표로 나타낸 것을 공급표라 하고, 그래프로 나타낸 것을 공급곡선이라고 한다.

- 시장에서 수요량과 공급량이 서로 같을 때 시장은 균형 상태에 있다고 한다. 시장의 균형가격과 균형거래량은 시장이 균형 상태에 있을 때의 가격과 거래량을 말한다.

- 고등학교 「경제」

[바]

이산확률변수 X의 확률분포가 다음 표와 같을 때

X	x_1	x_2	$\cdots$	x_n	합계
$P(X = x_i)$	p_1	p_2	$\cdots$	p_n	1

$x_1 p_1 + x_2 p_2 + \cdots + x_n p_n$를 이산확률변수 X의 기댓값 또는 평균이라 하고, 이것을 기호로 $E(X)$와 같이 나타낸다.

- 고등학교 「확률과 통계」

[문제 2-1]: 어느 회사의 직원 중 절반은 기술자격증을 보유하고 있고, 나머지 절반은 기술자격증을 보유하고 있지 않다. 이 회사에는 두 팀 A와 B가 있다. 기술자격증을 보유한 직원 중 80%는 A팀에서 일하고 20%는 B팀에서 일한다. 기술자격증을 보유하지 않은 직원 중 40%는 A팀에서 일하고 60%는 B팀에서 일한다. 예지는 이 회사의 A팀에서 일하고 있다. [라]를 참고하여, 예지가 기술자격증을 보유하고 있을 확률은 몇 %인지 구하시오. (답은 소수점 아래 세 자리에서 반올림할 것.) [15점]

[문제 2-2]: [마]를 참고하여 다음 질문에 답하시오. 2022년 1년간 어떤 재화에 대한 수요곡선과 공급곡선이 다음과 같다.

$$2022년 수요곡선 : Q = 1 - P^d$$

$$2022년 공급곡선 : Q = P^s$$

정부는 이 재화 한 단위당 tP^s(단, $0 \leq t \leq 1$) 만큼의 세금을 부과하려 한다. 세금이 부과된 후 시장의 균형은 다음 식에 따라 정해진다.

$$P^d = P^s + tP^s$$

2023년 이후의 수요곡선은 전년도의 균형수량이 수량 축 절편이 된다. 예를 들어, 2022년 균형수량을 Q_{2022}라 하면 2023년 수요곡선은 다음과 같다.

$$2023년 수요곡선 : Q = Q_{2022} - P^d$$

2023년 이후의 공급곡선은 2022년과 동일하다. 2023년 이후에도 정부는 각 연도 공급자 수취가격에 t를 곱한 만큼의 세금을 부과할 예정이다. 2030년 균형수량이 0.001원이 되도록 하는 t의 값을 구하시오.
($\sqrt[9]{0.001} \approx 0.464$, $\sqrt[10]{0.001} \approx 0.501$, $\sqrt[18]{0.001} \approx 0.681$, $\sqrt[20]{0.001} \approx 0.708$을 활용하고, 답은 소수점 아래 세 자리에서 반올림할 것.) [20점]

[문제 2-3]: 사장 1명과 근로자 1명이 일하는 가게가 있다. 이 가게의 수입은 근로자가 얼마나 열심히 일하는지에 따라 달라지지만 사장은 근로자의 근무 태도를 관찰할 수 없다. 다만 최종 수입은 관찰할 수 있다. y를 이 가게의 수입이라고 하자. 문제를 단순화하여 수입은 100("고수입") 또는 40("저수입") 둘 중 하나라고 하자. 근로자가 열심히 일할 경우("근면"), 80%의 확률로 고수입이 발생하며 20%의 확률로 저수입이 발생한다. 근로자가 열심히 일하지 않을 경우("태업"), 40%의 확률로 고수입이 발생하며 60%의 확률로 저수입이 발생한다. 근로자의 근로에는 정신적·육체적 비용이 발생하며, 이 비용을 x라 하자. 근로자가 근면할 경우 근로자에게 발생하는 비용은 5이며, 태업할 경우 근로자에게 발생하는 비용은 3이다.

사장과 근로자는 앞서 설명한 것과 같은 내용을 알고 있다. 사장은 근로자의 근무 태도를 관찰할 수 없기 때문에 최종적으로 실현된 수입을 바탕으로 근로자에게 임금을 지불한다. 구체적으로 고수입이 발생할 경우 근로자에게 w_H의 임금을 지불하며, 저수입이 발생할 경우 w_L의 임금을 지불한다. (단, w_H와 w_L은 0보다 크거나 같다.) 근로자가 근무를 시작하기 전에, 사장이 근로자에게 w_H와 w_L의 값을 제안하며, 근로자는 이를 수락할 수도 있고 거절하고 다른 일을 할 수도 있다. 근로자가 이 가게에서 일할 경우 얻는 효용을 u라고 하면, $u = w - x$이다. (w는 임금을 나타내며 가게의 수입에 따라 w_H또는 w_L값을 가질 수 있다.) 근로자는 다른 일을 할 경우 3만큼의 고정된 효용을 얻는다.

사장의 이윤은 가게의 수입에서 근로자에게 지불한 임금을 **뺀** 값이다. 즉 이윤을 π라고 하면 $\pi = y - w$이다. 근로자가 다른 곳에서 일할 경우 사장의 이윤은 0이라고 하자. 사장은 이윤의 기댓값을 극대화하고자 하고, 근로자는 효용의 기댓값을 극대화하고자 한다. 다만 근로자가 이 가게에서 얻는 효용과 다른 일을 할 경우 얻는 효용이 동일하다면 이 가게에서 일한다고 가정하자. 또한 열심히 일하는 것과 태업하는 것의 효용이 동일하다면 열심히 일한다고 가정하자.

[바]를 참고하여, 사장이 근로자가 열심히 일하도록 유도하면서 사장 본인의 기대이윤을 극대화하고자 할 때 사장이 얻을 수 있는 기대이윤의 최댓값을 구하시오. 또한 이 경우 사장의 기대이윤을 극대화하는 w_H와 w_L의 다양한 조합 중 그 둘의 차 $(w_H - w_L)$가 최소가 되게 하는 w_H와 w_L의 값을 각각 구하시오. [25점]

연습용 답안으로 실제 답안과 다를 수 있습니다.

【문제 1】이 답안 영역에는 1번 문항에 대한 답을 작성하시오. (401~600자)

【문제 2-1】 이 답안 영역에는 2-1번 문항에 대한 답을 작성하시오.

【문제 2-2】 이 답안 영역에는 2-2번 문항에 대한 답을 작성하시오.

【문제 2-3】 이 답안 영역에는 2-3번 문항에 대한 답을 작성하시오.

13. 2021학년도 건국대 인문사회계 I 수시 논술

※ [문제 1]: [가]와 [나]의 관점을 바탕으로, 한국인의 인식에 초점을 맞추어 [다] 도표를 분석하시오. (401- 600자) [40점]

※ [문제 2]: [가]와 [나]의 요지를 참고하여 [라]에 나타난 '관계'를 논하시오. (801-1,000자) [60점]

[가]

'나'를 발견하는 것은 나를 중심으로 한 다른 존재와의 관계 속에서 비로소 가능하다. 부버(Martin Buber)는 자신의 저서 『나와 너』에서 '너' 혹은 '그것'이 없이는 '나'가 있을 수 없다고 하였다. 그는 '나'가 가질 수 있는 기본적인 관계는 '나'와 '너'의 관계와 '나'와 '그것'의 관계, 둘뿐이라고 하였다. 그런데 이 두 관계에서 유의할 것은 '너'와 관계를 맺는 '나'와 '그것'과 관계를 맺는 '나'가 같지 않다는 것이다. 이것은 '나'가 불변하는 실체로서 존재하는 것이 아니라 맺는 관계에 따라 바뀌는 특별한 존재임을 보여 준다.

'그것', 즉 돈, 집, 국가 혹은 그 사람 등 삼인칭으로 표현되는 것들과 관계를 맺는 것은 '나'의 일부일 뿐 전체가 아니다. 예를 들어 내가 물건을 소유했을 때, 나는 단순히 물건의 소유자로서의 나일 뿐 전체로서의 나는 될 수 없다. 내가 지금 가지고 있는 물건을 얼마든지 다른 사람이 소유할 수 있다는 점에서 이 관계는 유일하지 않으며 유한하다. 이는 다른 사람들과 표면적인 관계를 맺었을 때에도 마찬가지이다. 내가 하나의 기능인으로 다른 사람과 어떤 일을 처리한다면, 그때의 나는 얼마든지 다른 사람과 대체될 수 있다. 그리고 상대방 역시 나에게 하나의 '너'가 될 수 없고, 오히려 하나의 '그것'으로 전락하는 것이다.

그러나 '너'와의 관계에 있는 '나'는 전혀 다른 모습으로 등장한다. 그때의 '나'는 인격 전체이며, 다른 무엇과도 대체될 수 없는 유일한 존재이다. 물론 '나'와 관계를 맺는 '너'도 그 인격 전체로 '나'의 앞에 서게 되는 것이다. '나'와 '그것'의 관계는 주체와 객체의 관계이자 차등의 관계이지만, '나'와 '너'의 관계는 주체와 주체의 동격 관계이며, 두 유일무이한 존재들의 대등 관계이다. 그때의 '나'를 진정한 나라고 할 수 있는 것이다. (중략)

우리가 진정한 '나'가 될 수 있는 것은 '너'가 될 수 있는 다른 사람이 있기 때문이요, 그 사람과 '나'와 '너'의 관계를 맺기 때문에 가능한 일이다. 다른 사람이 존재하지 않거나, 존재하더라도 '나'에게 어떠한 반응도 보이지 않으면 진정한 관계는 형성될 수 없다. 이제 자신의 주위를 둘러보자. 나는 상대방에게 '너'인가 '그것'인가. 그리고 상대방은 나에게 '너'인가 '그것'인가.

-고등학교 『독서』 교과서

[나]

실옹이 허자에게 묻기를,

"사람의 몸이 만물(萬物)과 다른 점이 무엇이냐?"

"사람의 머리가 둥근 것은 하늘을, 발이 모난 것은 땅을, 살과 머리털은 산과 숲을, 피는 하수(河水)나 바다를, 양쪽 눈은 해와 달을, 숨 쉬는 것은 바람과 구름을 각각 상징합니다. 그렇기 때문에 사람의 몸을 일러 소천지(小天地)라 합니다. 사람이 태어날 때 아비의 정(精)과 어미의 혈(血)이 교감하여 태(胎)를 이루고 달이 차면 나옵니다. 나이가 더해짐에 따라 지혜가 진보하고 일곱 구멍이 모두 밝아지며 다섯 성품이 함께 갖추어지게 됩니다. 이것이, 곧 사람의 몸이여느 만물과 다른 점이 아닙니까?"

"아! 너의 말과 같다면 사람이 만물과 다른 점이란 거의 없나니, 대저 털과 살로 된 체질과, 정혈(精血)의 교감은 초목이나 사람이나 같거늘, 하물며 금수와 다를 것이 있겠는가? 내가 너에게 다시 묻겠다. 생물의 종류는 셋이 있으니, 사람, 금수, 초목이 그것이다. 초목은 거꾸로 사는 까닭에 앎은 있어도 깨달음이 없으며, 금수는 옆으로 사는 까닭에 깨달음은 있어도 슬기가 없다. 이 세가지 생물이 한없이 얽히어 혼란을 일으키는 바, 서로 망하게 또는 흥하게 하는데, 귀하고 천함에 등급이 있는가?"

"천지간 생물 중에 오직 사람이 귀합니다. 저 금수와 초목은 지혜나 깨달음도 없으며, 예법이나 의리도 없습니다. 그러므로 사람이 금수보다 귀하고 초목이 금수보다 천한 것입니다."

실옹이 고개를 젖히고 웃으면서 말하기를,

"너는 진실로 사람이로구나. 오륜(五倫)과 오사(五事)는 사람의 예의이고, 떼를 지어 다니면서 서로 불러 먹이는 것은 금수의 예의이며, 떨기로 나서 무성한 것은 초목의 예의이다. 사람으로서 만물을 보면 사람이 귀하고 만물이 천하지만 만물로서 사람을 보면 만물이 귀하고 사람이 천하다. 하늘이 보면 사람이나 만물이 마찬가지이다. 대저 만물은 지혜가 없는 까닭에 속임이 없고, 깨달음이 없는 까닭에 거짓도 없다. 그렇다면 만물이 사람보다 훨씬 귀하다. (중략) 옛사람이 백성에게 혜택을 입히고 세상을 다스릴 때, 만물에 도움받지 않은 것이 없었다. 군신(君臣) 간의 의리는 벌에게서, 병진(兵陣)의 법은 개미에게서, 예절의 제도는 박쥐에게서, 그물 치는 법은 거미에게서 각각 취해 온 것이다. 그런 까닭에 '성인(聖人)은 만물(萬物)을 스승으로 삼는다.' 하였다. 그런데 너는 어찌해서 하늘의 입장에서 만물을 보지 않고 오히려 사람의 입장에서 만물을 보느냐?"

이에 허자가 큰 깨달음을 얻더라.

-고등학교 『문학』교과서

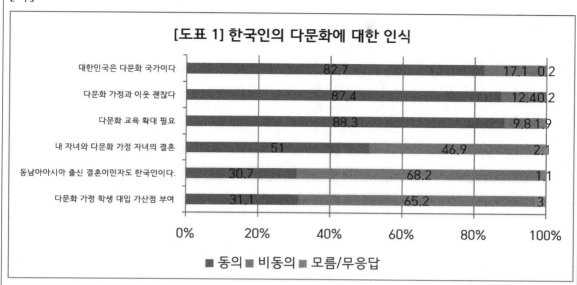

[도표 1] 한국인의 다문화에 대한 인식

	동의	비동의	모름/무응답
대한민국은 다문화 국가이다	82.7	17.1	0.2
다문화 가정과 이웃 괜찮다	87.4	12.4	0.2
다문화 교육 확대 필요	88.3	9.8	1.9
내 자녀와 다문화 가정 자녀의 결혼	51	46.9	2.1
동남아시아 출신 결혼이민자도 한국인이다.	30.7	68.2	1.1
다문화 가정 학생 대입 가산점 부여	31.1	65.2	3

[도표 2] 외국인 노동자의 한국 사회에 대한 인식

외국인 노동자의 한국 경제 기여도	98	2
외국인 노동자는 한국인의 일자리를 뺏는다	78	22
한국인은 외국인 노동자 옆에 앉기 싫어한다	47.2	52.8
외국어로 이야기하면 한국인이 불쾌해한다	61.4	38.6

- 고등학교 『통합사회』 교과서

[라]

포도나무 뿌리를 실은 그의 왜건*을 타고 영동을 벗어나, 한밤의 경부 고속도로를 달리면서 나는 그에게 미처 못한 이야기를 해주었다. 시간이 한참 흘러서야 고모할머니가 일본군 '위안부'였다는 사실을 알게 되었다는 걸. 그때는 그녀가 이미 세상을 떠나 그 어디에도 없었다는 것을.

왜건 뒷자리에 실린 포도나무 뿌리가 나는 그 어떤 뿌리보다 더 고모할머니의 손 같았다. 일 년여를 한방에서 지내는 동안 밤마다 이불 속을 더듬어 오던, 잠들려 하는 내 손을 슬그머니 움켜쥐던 고모할머니의 손이 시공을 초월해 그의 왜건 뒷자리에 실려 있는 것 같았다. 밤마다 내 손을 움켜쥐던 그녀의 손은 쪼그라들어, 겨우 아홉 살이던 내 손보다 작아 보였다.

대형 화물 트럭들이 무섭게 내달리는 경부 고속도로를 서둘러 벗어나고 싶은지, 그는 왜건 속도를 백삼십 킬로미터까지 높였다. 속도를 견디지 못하고 공중 분해되지 않을까 염려스러울 만큼 왜건은 흔들림이 심했다. 포도나무 뿌리가 차창을 긁으면서, 뿌리에 묻어 있던 흙이 부스스 떨어져 날렸다.뿌리는 운전석과 조수석까지 뻗어 있었다. 그와 나 사이로 금처럼 뻗은 뿌리가 가늘게 떨고 있었다.

남귀덕……

중얼거리는 소리를 들었는지 그가 나를 흘끔 바라보았다.

"고모할머니 이름이 남귀덕이었어."

한 번도 불러 본 적 없는 이름을, 부를 일 없을 것 같던 이름을 나는 그렇게 부르고 있었다.

영동 황간면 포도밭에 다녀온 뒤로 나는 고모할머니의 손이 내 손을 슬그머니 그러잡는 착각에 사로잡히고는 했다. 출퇴근 지하철 안에서, 길을 걷다가 문득 고개를 수그리고 손을 물끄러미 내려다보았다.

며칠 전 나는 우연히 위안부 피해자에 대한 기사를 읽었다. 정부에 등록한 위안부 피해자 237명 중 182명이 사망하고 55명밖에 남지 않았다고 했다. 그 55명도 평균 나이가 88세가 넘어 머지않아 하나둘 세상을 뜰 것이라고 했다. 고모할머니가 죽은 뒤에도 가족들은 그녀가 위안부였다는 사실을 쉬쉬하는 듯했다. 할아버지를 비롯해 그녀의 일곱 형제들이 차례로 세상을 뜬 뒤로 친척들은 아무도 그녀를 애써 기억해 내려 하지 않았다. (중략)

영동에서 구해 온 포도나무 뿌리, 그 뿌리를 나는 며칠 전 다시 보았다. 경복궁 근처 백년도 더 된 한옥을 개조해 만든 갤러리에서 였다. 정희 선배가 찻집겸 갤러리를 내면서 대학교 때부터 눈여겨본 후배 몇 명에게 전시할 기회를 제공해 준 것이었다.

부엌을 개조해 만든 전시실, 공중 곡예를 하듯 허공에 위태롭게 매달려 있는 그뿌리가 영동에서 구해 온 뿌리라는 것을, 나는 단박에 알아차렸다. 말리고, 방부제 처리를 하고, 접착제를 바르고, 촛농을 입히는 동안 형태가 달라졌음에도 불구하고. 두 평 남짓한 전시실 입구 옆 명조체로 '남귀덕' 이라고 적힌 작품명을 보았던 것이다.

나는 선뜻 전시실 안으로 발을 내딛지 못했다. 포도나무 뿌리가 드리우는 흰색으로 넘쳐나는 전시실 천장과 벽과 바닥에 포도나무 그림자가 드리워져 있었기 때문이었다. 귀기가 감도는 그 그림자 속으로 들어서면서 나는 깨달았다. 고모할머니가 이불 속을 더듬어 찾던 것은 단순히 내 손이 아니었다는 걸…… 그녀가 그토록 찾던 것은 흙이었다는 걸. 태어나고 자란 자리에서 파헤쳐져 내팽개쳐진 뿌리와도 같은 자신의 존재…… 잎 한 장, 꽃 한 송이, 열매 한 알 맺지 못하고 철사처럼 메말라 가던 자신의 존재를 받아 줄 흙이었다고…… 뿌리 뽑혀 떠돌던 그녀의 존재를 그나마 내치지 않고 품어 줄 한 줌의 흙. 포도나무 뿌리를 구해 오고 두 주쯤 지났을까. 불쑥 작업실에 들른 나는 그가 촛농을 떨어뜨리는 모습을 마침 구경할 수 있었다.

포도나무 뿌리로 촛농이 떨어져 굳는 순간은 극적인 데가 있었다.

그 순간이 특별한 순간이었다는 것을 한옥을 개조해 만든 화랑에 다녀오고 나서야 알았다.

그 순간은, 고모할머니와 그가 만나는 순간이기도 했던 것이다. 액체로 흐르던 촛농이 포도나무 뿌리 위로 떨어져 고체로 굳는 순간은. 아무 데도 둘곳 없던 고모할머니의 손과 태어나자마자 버려져 자신의 생일조차 모르는 그가 만나는 순간이었던 것이다. 생전 만날 일없던 두 존재가 만나는 순간이었던 것이다. 기적 같은 그 순간을 촛불이 흔들리면서 조용히 지켜보고 있었던 것이다.(중략)

마분지 같은 커튼으로 새벽빛이 스며든다. 빛 한 점 떠돌지 않던 작업실에 푸르스름한 새벽빛이 번지면서 뿌리의 전체적인 윤곽이 서서히 드러난다. 뿌리가 한 가닥 지평선처럼 떠오른다. 팔굵기의, 원뿌리는 아니고 곁뿌리다. 취광*이 감도는 그 뿌리 너머로 또다른 뿌리가 떠오른다.그너머로 또다른 뿌리가……

첩첩 떠오르는 뿌리들 너머에 그가 태아처럼 웅크리고 누워 있을 것같다.

중중첩첩* 착시를 일으키면서 떠오르는, 지평선 같은 뿌리들을 넘고 넘어야만 그에게 닿을 수 있을 것 같다.

"당신에게 미처 말하지 못한 것이 있어……."

뿌리들 너머 그에게 들리도록 나는 또박또박 힘을 주어 말한다.내목소리가 일으킨 파장에 실뿌리들이 아지랑이처럼 일어나는 것이 고스란히 느껴진다.

"죽는 순간에 고모할머니가 손에 그러잡고 있던 게 뭐였는지 알아? 가제 손수건도, 보청기도 아니었어. 내 손…… 내 손이었어. 내가 그렇게 고백할 때마다 어머니는 질색을 하면서 내가 잘못 기억하고 있는 것이라고 나무라지만, 내손이 기억하고 있는 걸…… 고모할머니가 돌아가신 게 우리 집을 떠난 지 이태도 더 지나서였지만, 그녀가 돌아가신 곳이 양로원이지만, 내 손이 분명히 그렇게 기억하고 있는 걸…… 일흔두 살의 나이로 숨을 거두던 날 밤, 그녀의 손이 이불을 들추고 더듬어 오는 걸 다 느끼고 있었어. 잠든 척 시치미를 뚝 뗀 채 다 느끼고 있었어. 그녀의 손이 내 손을 찾아 더듬더듬…… 더듬어 오는 것을."

* 왜건: 승용차를 모양에 따라 분류한 형식의 하나. 세단의 지붕을 뒤쪽까지 늘려 뒷좌석 바로 뒤에 화물칸을 설치한 승용차.
*취광:푸른빛.맑은 가을 하늘이나 깊은 바다.풀의 빛깔과 같이 맑고 선명한 빛.
*중중첩첩:여러 겹으로 겹쳐 있는 모양.

- 고등학교 『문학』 교과서

KU KONKUK UNIVERSITY

논술답안지(인문사회계Ⅰ)

※감독자 확인란

모집단위

성 명

수 험 번 호		
2	1	8

생년월일 (예 : 050512)

【유의사항】
1. 제목은 쓰지 말고 본문부터 쓰기 시작한다.
2. 1번 문항은 답안지 앞면의 [문제 1]로 기재된 답안 영역에, 2번 문항은 답안지 뒷면의 [문제 2]로 기재된 답안 영역에 답안을 작성하여야 한다.
3. 답안 작성은 어문 규정과 원고지 사용 규칙을 따르되, 문법은 각 문제마다 요구하는 글자 수로 작성하여야 한다.
   (글자 수를 초과하거나 미달한 답안은 감점 처리됨)
4. 필기구는 반드시 흑색 필기구만을 사용하여야 한다. (흑색 이외의 색 필기구로 작성한 답안은 0점처리)
5. 문제와 관계없는 불필요한 내용이나 자신의 성명 또는 신분이 드러나는 내용이 있는 답안, 낙서 또는 표식이 있는 답안은 모두 0점으로 처리한다.

연습용 답안으로 실제 답안과 다를 수 있습니다.

【문제 1】 이 답안 영역에는 1번 문항에 대한 답을 작성하시오. (401~600자)

【문제 2】 이 답안 영역에는 2번 문항에 대한 답을 작성하시오. (801~1,000자)

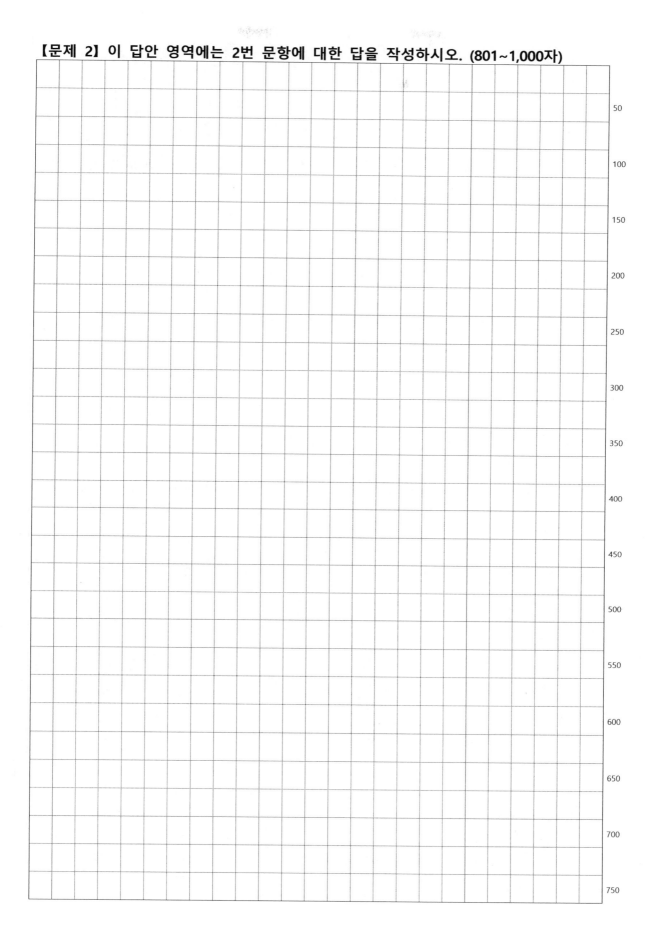

이 줄 위에 답안을 작성하거나 낙서할 경우 판독이 불가능하여 채점 불가

																			800
																			850
																			900
																			950
																			1000

이 줄 아래에 답안을 작성하거나 낙서할 경우 판독이 불가능하여 채점 불가

14. 2021학년도 건국대 인문사회계॥ 수시 논술

※ [문제 1]: [가]와 [나]의 관점을 바탕으로, 한국인의 인식에 초점을 맞추어 [다] 도표를 분석하시오. (401- 600자) [40점]

[가]

'나'를 발견하는 것은 나를 중심으로 한 다른 존재와의 관계 속에서 비로소 가능하다. 부버(Martin Buber)는 자신의 저서 『나와 너』에서 '너' 혹은 '그것'이 없이는 '나'가 있을 수 없다고 하였다. 그는 '나'가 가질 수 있는 기본적인 관계는 '나'와 '너'의 관계와 '나'와 '그것'의 관계, 둘뿐이라고 하였다. 그런데 이 두 관계에서 유의할 것은 '너'와 관계를 맺는 '나'와 '그것'과 관계를 맺는 '나'가 같지 않다는 것이다. 이것은 '나'가 불변하는 실체로서 존재하는 것이 아니라 맺는 관계에 따라 바뀌는 특별한 존재임을 보여 준다.

'그것', 즉 돈, 집, 국가 혹은 그 사람 등 삼인칭으로 표현되는 것들과 관계를 맺는 것은 '나'의 일부일 뿐 전체가 아니다. 예를 들어 내가 물건을 소유했을 때, 나는 단순히 물건의 소유자로서의 나일 뿐 전체로서의 나는 될 수 없다. 내가 지금 가지고 있는 물건을 얼마든지 다른 사람이 소유할 수 있다는 점에서 이 관계는 유일하지 않으며 유한하다. 이는 다른 사람들과 표면적인 관계를 맺었을 때에도 마찬가지이다. 내가 하나의 기능인으로 다른 사람과 어떤 일을 처리한다면, 그때의 나는 얼마든지 다른 사람과 대체될 수 있다. 그리고 상대방 역시 나에게 하나의 '너'가 될 수 없고, 오히려 하나의 '그것'으로 전락하는 것이다.

그러나 '너'와의 관계에 있는 '나'는 전혀 다른 모습으로 등장한다. 그때의 '나'는 인격 전체이며, 다른 무엇과도 대체될 수 없는 유일한 존재이다. 물론 '나'와 관계를 맺는 '너'도 그 인격 전체로 '나'의 앞에 서게 되는 것이다. '나'와 '그것'의 관계는 주체와 객체의 관계이자 차등의 관계이지만, '나'와 '너'의 관계는 주체와 주체의 동격 관계이며, 두 유일무이한 존재들의 대등 관계이다. 그때의 '나'를 진정한 나라고 할 수 있는 것이다. (중략)

우리가 진정한 '나'가 될 수 있는 것은 '너'가 될 수 있는 다른 사람이 있기 때문이요, 그 사람과 '나'와 '너'의 관계를 맺기 때문에 가능한 일이다. 다른 사람이 존재하지 않거나, 존재하더라도 '나'에게 어떠한 반응도 보이지 않으면 진정한 관계는 형성될 수 없다. 이제 자신의 주위를 둘러보자. 나는 상대방에게 '너'인가 '그것'인가. 그리고 상대방은 나에게 '너'인가 '그것'인가.

-고등학교 『독서』교과서

[나]

실옹이 허자에게 묻기를,

"사람의 몸이 만물(萬物)과 다른 점이 무엇이냐?"

"사람의 머리가 둥근 것은 하늘을, 발이 모난 것은 땅을, 살과 머리털은 산과 숲을, 피는 하수(河水)나 바다를, 양쪽 눈은 해와 달을, 숨 쉬는 것은 바람과 구름을 각각 상징합니다. 그렇기 때문에 사람의 몸을 일러 소천지(小天地)라 합니다. 사람이 태어날 때 아비의 정(精)과 어미의 혈(血)이 교감하여 태(胎)를 이루고 달이 차면 나옵니다. 나이가 더해짐에 따라 지혜가 진보하고 일곱 구멍이 모두 밝아지며 다섯 성품이 함께 갖추어지게 됩니다. 이것이, 곧 사람의 몸이여느 만물과 다른 점이 아닙니까?"

"아! 너의 말과 같다면 사람이 만물과 다른 점이란 거의 없나니, 대저 털과 살로 된 체질과, 정혈(精血)의 교감은 초목이나 사람이나 같거늘, 하물며 금수와 다를 것이 있겠는가? 내가 너에게 다시 묻겠다. 생물의 종류는 셋이 있으니, 사람, 금수, 초목이 그것이다. 초목은 거꾸로 사는 까닭에 앎은 있어도 깨달음이 없으며, 금수는 옆으로 사는 까닭에 깨달음은 있어도 슬기가 없다. 이세가지 생물이 한없이 얽히어 혼란을 일으키는 바, 서로 망하게 또는 흥하게 하는데, 귀하고 천함에 등급이 있는가?"

"천지간 생물 중에 오직 사람이 귀합니다. 저 금수와 초목은 지혜나 깨달음도 없으며, 예법이나 의리도 없습니다. 그러므로 사람이 금수보다 귀하고 초목이 금수보다 천한 것입니다."

실옹이 고개를 젖히고 웃으면서 말하기를,

"너는 진실로 사람이로구나. 오륜(五倫)과 오사(五事)는 사람의 예의이고, 떼를 지어 다니면서 서로 불러 먹이는 것은 금수의 예의이며, 떨기로 나서 무성한 것은 초목의 예의이다. 사람으로서 만물을 보면 사람이 귀하고 만물이 천하지만 만물로서 사람을 보면 만물이 귀하고 사람이 천하다. 하늘이 보면 사람이나 만물이 마찬가지이다. 대저 만물은 지혜가 없는 까닭에 속임이 없고, 깨달음이 없는 까닭에 거짓도 없다. 그렇다면 만물이 사람보다 훨씬 귀하다. (중략) 옛사람이 백성에게 혜택을 입히고 세상을 다스릴 때, 만물에 도움받지 않은 것이 없었다. 군신(君臣) 간의 의리는 벌에게서, 병진(兵陣)의 법은 개미에게서, 예절의 제도는 박쥐에게서, 그물 치는 법은 거미에게서 각각 취해 온 것이다. 그런 까닭에 '성인(聖人)은 만물(萬物)을 스승으로 삼는다.' 하였다. 그런데 너는 어찌해서 하늘의 입장에서 만물을 보지 않고 오히려 사람의 입장에서 만물을 보느냐?"

이에 허자가 큰 깨달음을 얻더라.

-고등학교 『문학』교과서

[다]

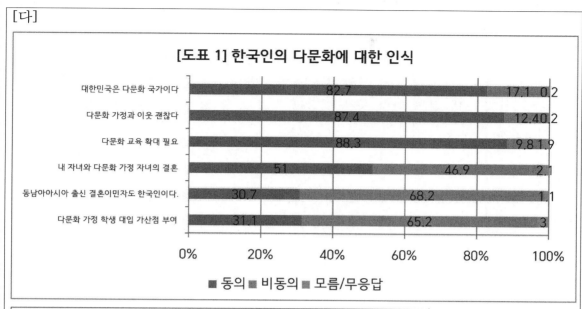

[도표 1] 한국인의 다문화에 대한 인식

항목	동의	비동의	모름/무응답
대한민국은 다문화 국가이다	82.7	17.1	0.2
다문화 가정과 이웃 괜찮다	87.4	12.4	0.2
다문화 교육 확대 필요	88.3	9.8	1.9
내 자녀와 다문화 가정 자녀의 결혼	51	46.9	2.1
동남아아시아 출신 결혼이민자도 한국인이다.	30.7	68.2	1.1
다문화 가정 학생 대입 가산점 부여	31.1	65.2	3

■ 동의 ■ 비동의 ■ 모름/무응답

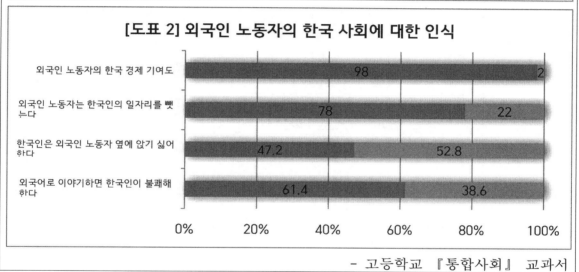

[도표 2] 외국인 노동자의 한국 사회에 대한 인식

외국인 노동자의 한국 경제 기여도	98	2
외국인 노동자는 한국인의 일자리를 뺏는다	78	22
한국인은 외국인 노동자 옆에 앉기 싫어한다	47.2	52.8
외국어로 이야기하면 한국인이 불쾌해한다	61.4	38.6

- 고등학교 『통합사회』 교과서

※ [문제 2]: 다음을 읽고 물음에 답하시오. [60점]

> [라]
>
> 인간은 자연 현상을 탐구하고 그 결과를 다양한 영역에 활용함으로써 과학 기술을 발달시켰다. 특히 20세기 이후 등장한 핵융합 기술, 우주 공학 기술, 디지털 기술, 로봇 공학 기술, 생명 공학 기술 등은 이전과 비교할 수 없을 정도로 **빠르게** 발전하고 있으며 생활 속에 광범위하게 활용되고 있다.
>
> — 고등학교 『생활과 윤리』 교과서
>
> [마]
>
> 근로소득은 노동 생산성, 교육 및 훈련을 받은 정도, 직업의 종류와 경력, 기술 수준과 업무 능력 등에 따라 다르며 미래의 예상 근로소득은 직업을 선택할 때 중요한 고려 대상이 된다.
>
> — 고등학교 『경제』 교과서
>
> [바]
>
> 서로 다른 n개에서 순서를 생각하지 않고 r개를 택할 때, 이것을 n개에서 r개를 택하는 조합이라 한다. 서로 다른 n개에서 r개를 택하여 일렬로 나열하는 것을 n개에서 r개를 택하는 순열이라 한다.
>
> — 고등학교 『수학』 교과서

※ [문제 2-1]: [라]를 참고하여 다음 물음에 답하시오. [15점]

(1) 새로운 기술이 개발되면 이 기술은 함수 $F(t)$에 따라 전체 기업에 확산된다. 즉, t 시점에서 전체 기업 중 기술이 확산된 모든 기업의 비율은 $F(t)$로 나타난다. 이때, $F(t)$를 미분하여 도함수를 $f(t) = \dfrac{1}{\sqrt{2\pi}\sigma} e^{-\frac{(t-t_m)^2}{2\sigma^2}}$ 구하였다. 아래 물음 (a)와 (b)에 답하시오. (아래 제시된 표를 참고할 수 있다. t는 $-\infty \leq t \leq \infty$의 값을 가지며, t_m은 2의 값을 갖는다. σ는 양의 값을 갖는 상수이다.)

$z = \dfrac{t-t_m}{\sigma}$	0	0.5	1	1.5	2
$F(z)$	0.5	0.6915	0.8413	0.9332	0.9772

(a) 전체 기업 중 50%의 기업에 이 기술이 전파되는 시점을 구하시오. [5점]

(b) 기업은 새로운 기술이 개발되면 1회에 한해 습득한다. 하지만, 이렇게 습득한 기술이라도 일정 시간이 경과하면 잊어버리게 되는데, 모든 기업은 예외 없이 기술을 습득한 후 t_m만큼 시간이 경과하면 습득한 모든 기술을 즉시 잊어버리게 된다. 기술이 처음 개발된 후 $t_m + \sigma$만큼 시간이 경과한 후 전체 기업 중 해당 기술을 기억하고 있는 기업의 비율을 구하시오. [5점]

(2) 새 기술을 습득하는 데 m가지 방법이 있다. 이 중 한 가지 방법은 잡지를 통해 새 기술을 습득하는 것이다. 이처럼 잡지를 통해 새 기술을 습득하는 기업의 비율이 $\alpha\,(0 \leq \alpha \leq 1)$라고 한다. 새 기술을 습득한 n개 기업 중 잡지를 통해 해당 기술을 습득한 기업이 $n\alpha + \sqrt{n\alpha(1-\alpha)}$개 이상일 확률을 구하시오. (단, 각각의 기업이 새 기술을 습득하는 사건은 서로 독립이며, n은 충분히 큰 값을 가진다. 아래 표준정규분포표를 참고할 수 있다.) [5점]

z	0.5	1	1.5	2
$P(0 \leq Z \leq z)$	0.1915	0.3413	0.4332	0.4772

※ [문제 2-2]: [마]를 참고하여 다음 물음에 답하시오. [20점]

 2021년 A국가에서 고등학교를 졸업하는 학생들이 모두 100명이고, 학생들은 졸업 후에 두 가지 진로를 선택할 수 있다고 가정한다. 졸업 직후 취업을 하는 경우는 평생 소득이 2억 4천만 원이고, 대학에 진학하는 경우는 총 4천만 원의 비용이 발생한다. 그뿐만 아니라 대학 졸업 후에는 시험에 응시해야 하는데, 합격한 학생들은 평생 소득이 3억 2천만 원인 직장에 취업이 되고, 불합격한 학생들은 고등학교 졸업자와 동일한 평생 소득 2억 4천만 원을 벌 수 있는 직장에 취업하게 된다고 한다. 시험에 응시할 경우 합격할 가능성은 고등학교 성적과 비례하는데, 고등학교 성적을 나타내는 변수 x는 1에서 100까지 자연수의 값을 갖고, 동일한 성적을 취득한 학생은 없다고 가정하자. 대학 졸업 후에 응시하는 시험에서 각 학생이 시험에 합격할 확률은 $\dfrac{x}{100}$라고 가정한다. (단, 언급된 모든 금액은 2021년을 기준으로 한 가치임.)

(1) 대학 진학으로 기대되는 경제적 이득이 더 큰 경우에 대학에 진학하고, 두 선택으로 인해 발생되는 경제적 이득이 동일한 경우는 대학에 진학하지 않는다고 가정한다. 대학 졸업 후에 시험에 응시하는 학생은 총 n명이고, 이들이 시험에 합격할 확률은 각각 $p_1, p_2, \cdots, p_n$이라고 할 때, 대학 졸업자들이 시험에 합격할 확률의 평균값을 구하시오. [10점]

(2) 대학 진학률이 낮다고 판단한 A국가의 정부가 대학에 진학하는 모든 학생들에게 2천 8백만 원의 장학금을 지급하기로 했다고 가정하자. 이때 대학 졸업 후에 응시하는 시험에서 학생들이 합격할 확률의 평균값을 구하시오. [10점]

※ [문제 2-3]: [바]를 참고하여 다음 물음에 답하시오. [25점]

 30장의 색종이가 있다. 이 중 10장은 정사각형 모양인데, 한 변의 길이는 각각 1cm, 2cm, $\cdots$, 10cm이다. (정사각형 모양의 색종이는 S1, S2, $\cdots$, S10이라 한다.) 또 다른 10장은 정삼각형 모양인데, 한 변의 길이는 각각 1cm, 2cm, $\cdots$, 10cm이다. (정삼각형 모양의 색종이는 T1, T2, $\cdots$, T10이라 한다.) 나머지 10장은 원 모양인데, 지름의 길이가 각각 1cm, 2cm, $\cdots$, 10cm이다. (이들 색종이는 C1, C2, $\cdots$, C10이라 한다.) 30장의 색종이 중 r장을 골라서 다음 규칙에 따라 나열하고자 한다.

- 규칙 1: 겹장 모두 사용되어야 한다.
- 규칙 2: 사각형이나 삼각형 색종이 다음에는 원 색종이만 올 수 있고, 원 색종이 다음에는 사각형이나 삼각형 색종이만 올 수 있다.
- 규칙 3: 뒤에 배치된 색종이는 앞에 배치된 색종이 경계 안에 놓을 수 있어야 한다. (두 색종이의 경계가 접하는 것은 허용된다.)

(1) 규칙 1~3을 따르는 순열 중 r값이 가장 큰 순열을 선택하면 r값은 얼마인지 구하시오. [10점]

(2) 규칙 1~3을 따르는 순열 중 r값이 가장 큰 순열을 하나 선택하고 이 순열의 마지막 네 색종이가 무엇인지 쓰시오. (S10, C10, S9, T9와 같이 구체적으로 쓸 것. 경우의 수가 하나인지 확인할 필요는 없음.) [5점]

(3) 규칙 1~3을 따르는 순열 중 r값이 가장 큰 순열을 모두 선택하면 몇 개의 순열이 존재하는지 구하시오. [10점]

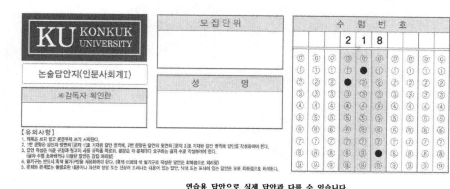

【문제 1】 이 답안 영역에는 1번 문항에 대한 답을 작성하시오. (401~600자)

【문제 2-1】 이 답안 영역에는 2-1번 문항에 대한 답을 작성하시오.

【문제 2-2】 이 답안 영역에는 2-2번 문항에 대한 답을 작성하시오.

【문제 2-3】 이 답안 영역에는 2-3번 문항에 대한 답을 작성하시오.

15. 2020학년도 건국대 인문사회계 I 수시 논술

※ [문제 1]: [가]의 '구성원의 행위'와 [나]의 '구조의 제약'을 바탕으로 [다]의 도표를 분석하시오. (401-600자) [40점]

※ [문제 2]: [가]의 '사회학적 상상력'과 [나]의 '코드' 개념을 적용해서 [라]의 '토포러 현상'을 논하시오. (801-1,000자) [60점]

[가]

사회·문화 현상을 연구한다는 것은 개인의 일상, 그가 속한 집단, 더 큰 사회를 연구하는 것이다. 이를 위해서는 미국의 사회학자인 밀즈(C. Mills)가 말한 '사회학적 상상력'을 동원해야 한다. **사회학적 상상력**이란 어떤 사회적 현상에 대한 인식이나 이해를 단선적으로 하는 것이 아니라 관련 주제를 확대해 가는 방식으로 이해하는 것이다. 이 경우 한 **구성원의 행위**를 사회 구조와 연관 지어 확장해 나가는 것도 포함된다.

한잔의 커피를 마시는 행위를 사회학적 상상력을 동원하여 다양하게 생각해 보자. 첫째, 누군가가 "커피 한잔하자."라고 했을 때, 커피보다는 대화하자는 의미에 초점을 두면 커피가 대화를 위한 의례의 역할을 하는 것으로 이해하고 커피가 갖는 그러한 일상의 상징을 살펴볼 수 있다. 둘째, 커피에 들어 있는 중독성 물질인 카페인에 초점을 두면, 사회가 왜 마리화나는 규제하면서 커피는 용인하는지를 살펴볼 수 있다. 셋째, 커피를 생산하는 나라와 소비하는 나라에 초점을 맞추면, 지구적 차원의 거래와 빈부 차이를 살펴볼 수 있다. 넷째, 세계화, 국제 무역 확대, 인권과 환경 오염에 관한 논쟁을 고려하여 개인들이 어떤 커피를 선택하며, 그 과정에서 무엇을 근거로 행동하는지를 살펴볼 수 있다. 커피를 이렇게 다양한 측면에서 살펴볼 수 있는 것은 바로 사회 현상에 대한 성찰적 태도 때문이며, 이러한 성찰적 태도로 사회학적 상상력은 더욱 증가한다.

- 고등학교 『사회·문화』 교과서

[나]

자유를 위협하는 요소는 변화한다. 사이버 공간에서 새롭게 등장한 자유의 규제자가 바로 코드이다. 코드를 더 일반적인 말로 표현하자면 사회생활의 조립 환경이자 그 '설계 구조'이다. 19세기 중반에 자유를 위협하였던 것이 사회 규범이었고, 20세기 초반에는 국가 권력이, 그리고 20세기 중반의 대부분 기간에는 시장이 자유를 위협했다고 한다면, 20세기 말부터 21세기에 이르는 시기에 우리가 주목해야 할 또 다른 규제자는 코드라는 사실을 파악해야 한다.

법은 사이버 공간에서의 행위를 규제한다. 저작권법, 명예 훼손법, 음란물 규제법 등은 법적 권리를 침해하는 행위를 사후에 제재하겠다고 지속적으로 위협하고 있다. 법이 얼마나 잘 규제하는지, 얼마만큼 효과적인지는 별개의 문제이다. 그 효과와는 관계없이 법은 만일 위반하면 반드시 그 대가를 치르게 될 것이라고 지속적으로 경고하고 있다.

사회 규범 또한 사이버 공간 내의 행위를 규제한다. 뜨개질에 관한 뉴스 그룹에서 민주 정치에 대한 글을 올려 보라. 감당하기 어려울 정도로 많은 비방 메시지를 받게 될 것이다. 토론방에서 말을 많이 하고 화제를 독점해 보라. 당신은 대화방 입실 금지목록에 오를 것이다. 일련의 약정이 행동을 제약한다. 다시 말해서 공동체가 내리는 사후 제재라는 위협을 통하여 제약을 받게 된다.

시장도 사이버 공간상의 행위를 규제한다. 요금 체계는 온라인 접속을 제약한다. 광고주들이 인기 있는 사이트에 돈을 내므로 그 결과 비인기 포럼은 온라인 서비스에서 하나씩 떨어져 나가게 된다. 이런 것들은 모두 시장의 제약과 기회가 기능하는 방식이다.

끝으로, 구조가 소리 없이 사이버 공간상의 행위를 규제한다. 소프트웨어, 구조, 프로토콜 등으로 불리는 코드는 세계가 존재하는 방식 또는 그 세계의 특별한 측면들이 존재하는 방식에 의한 제약이다. 그들은 어떤 행위를 가능하게 또는 불가능하게 함으로써 다른 행위를 제약한다. 코드는 특정한 가치를 새겨 넣기도 하며, 다른 가치들을 불가능하게 하기도 한다. 지구에서 중력이 누구도 **빠져나가기** 어려운 구조적 제약인 것처럼 **구조의 제약**은 자율적으로 실행되며 한번 설정되면 누군가 그것을 정지시킬 때까지 계속해서 영향을 미친다.

-고등학교 『생활과 윤리』 교과서

[다]

아래의 도표는 행상 단계에서 정기 시장 그리고 상설 시장으로의 변화 과정을 보여준다. 행상과 정기 시장 단계는 최소 요구치보다 재화의 도달 범위가 좁아서 상인이 이동하며 최소 요구치를 충족한다.

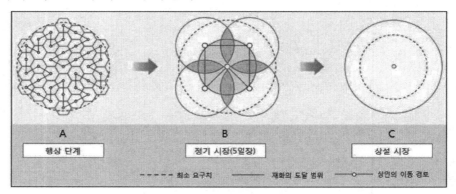

A	B	C
행상 단계	정기 시장(5일장)	상설 시장

- - - - - 최소 요구치　　──── 재화의 도달 범위　　──○── 상인의 이동 경로

※최소 요구치:상점을 유지하기 위해 확보해야 할 최소한의 수요.

- 고등학교 『한국지리』 교과서

[라]

토포러(torporer)는 매우 긴 잠을 자는 사람을 일컫는 말이다. 토포러들은 짧게는 두 달에서 길게는 이 년 동안 먹지도 깨지도 않은 채 내내 잠만 잔다. 어떤 사람들은 토포러 대신 하이버네이터(hibernator)란 용어를 쓰기도 한다. 하지만 토포러 건 하이버네이터건 그것을 동면자(冬眠者)라고 번역하는 것은 오역이다. 왜냐하면 그들은 겨울잠을 자는 것이 아니기 때문이다. 사실 그들은 봄, 여름, 가을, 겨울 가리지 않고 아무 때나 잠이 들고 또 아무 때나 일어난다. 당연히 굴을 파서 땅속으로 들어가지도 않고 몸속에 과도한 지방을 축적하지도 않는다. 그들은 곰이 아닌 것이다. "혹시 냉동 인간을 말하는 건가요?" 하고 묻는다면 이렇게 대답할 수밖에 없다.

"아닙니다. 그들은 그냥 이불을 덮고 베개를 베고 잡니다."

일반적으로 뱀같은 파충류들이 에너지 소비를 줄이기 위해 체온을 극도로 떨어뜨린 상태로 수 주 이상의 동면에 들어가는 것을 하이버네이션(hibernation)이라고 하고, 곰이나 너구리 같은 온혈 동물들이 축적된 체지방으로 겨울을 넘기는 동면을 토포(torpor)라고 한다. 토포러들의 잠은 많은 양의 피하 지방을 축적하지 않는다는 측면에서 하이버네이션에 가깝고, 몸을 저온 상태로 만들어 최적화를 유지하는 것이 아니라 섭씨 삼십 도정도의 비교적 높은 체온과 활발한 신진대사를 유지한다는 면에서 토포와 가깝다. 그러나 아직까지 이들의 신진대사가 어떻게 이 년이라는 긴 시간 동안이나 가능한지 과학적으로 밝혀진 바가 없다.

토포러들의 공통점은 긴 잠에서 깨어나면 활기차고 열정적으로 자신의 일에 몰입하며, 주위 사람들에게 다정 다감해지고, 성격이 긍정적이고 낙관적으로 바뀌며, 또 굉장히 건강해져서 병이 있는 사람들은 간혹 병이 치유되거나 호전되는 일이 있으며, 몸의 노폐물과 숙변이 빠져나가고 지방이 분해되어서 날씬해진다는 것이다. 숙변이 왜 제거되는지, 지방이 왜 효과적으로 분해되는지에만 관심 있는 사람들이 있는데 여기서는 제발 묻지 말아 주길 바란다. 지금의 주제는 그것이 아니지 않은가. 숙변 제거의 원리가 궁금해서 도저히 견딜 수 없다면 병원이나 단식원 같은 곳에 가 보길 권한다. 거기서 아마 자세히 알려줄 것이다.

토포 상태가 한 번 일어나면 그다음엔 일종의 주기가 생긴다. 그래서 토포러들은 다음의 토포 상태를 대비해서 여러 가지 준비를 한다. (중략)

시간이 곧 돈으로 환금되는 21세기에 토포는 재앙이다. 그러나 어떤 사람에게는 축복이기도 하다. 가스 설비 부품 회사의 사장인 허씨는 토포 예찬론자다.

"계약일이 다가오고 있었어요. 중동 시장에 걸려 있는 마지막 플랜트 부품 계약이었는데, 말 그대로 회사의 사활이 걸려 있었죠. 엄살이 아니라 따내면 계속 가는 거고 못 따내면 회사를 해체할 수밖에 없는 상황이었어요. 알다시피 그때 아이엠에프(IMF)다 뭐다 복잡했잖아요. 처음엔 이삼일 정도 밤을 새고 집에 와서 좀 자고 또 이삼일 정도 야근하고 이런 식이었는데, 어느 날부턴가 잠을 못 자게 되었어요. 무척 바빴어요. 직원들과 관계도 나빠졌고요. 야단치고, 싸우고, 성질도 많이 냈죠. 직원들이 제 마음만큼 안 따라주더군요. 야속했어요. 그래도 내 회사라고 생각 안 하고 우리 회사라고 생각했고, 그래서 크든 작든 가외 수익이 생길 때마다 인센티브도 정확하게 주고 그랬어요. 남들이 뭐라 하건 저 혼자 잘 먹고 잘살자고 그런 게 아니란 말이에요. 물론 직원들도 많이 힘들었을 거예요. 그렇게 몰아쳐 대니 힘들 수밖에요. 그래도 회사가 죽느냐 사느냐 하는데 힘을 모아야 되는 거잖아요. 불안이 엄습했어요. 잠이 오지 않았어요. 그러다 점점 잠을 자지 않는 날이 늘어나기 시작한 거죠. 몸은 천근만근이었는데 이상하게 누우면 잠이 오질 않았어요. 머릿속에서 물방울 같은 것이 자꾸 솟아오르는 것 같고, 제 자신이 다른 사람처럼 낯설게 느껴질 때가 많았어요."

"프로젝트는 어떻게 되었나요?"

"실패였어요. 영국이 기술을 대고 베트남 현지에서 생산하는 합작 회사가 계약을 따냈다나 봐요. 기술력, 가격 둘 다에서 참패였죠. 최악으로 파산하지 않으려면 이것저것 뒤처리도 해야 했는데 무의미하다는 생각이 들었어요. 그래서 집으로 돌아왔어요. 빈집이었죠. 이혼한 아내가 아이들을 데리고 호주에 가 버렸으니까. 그때까지만 해도 그렇게 극단적인 심정은 아니었는데 온기 없이 텅 빈 집을 보니까 이렇게 살면 뭐 하나, 죽어야겠다, 그런 생각이 들더군요. 그래서 짐을 챙겼어요. 예전에 낚시하러 다닐 때 사 둔 산장이 있었거든요. 뭐, 거창한 산장은 아니고 조그만 오두막 같은 곳이에요. 거기로 갔어요. 거미줄이 가득 쳐져 있는 오두막에 촛불을 켜놓고 하염없이 울었어요. 얼마나 울었는지 몰라요. 하여간 내 인생에 남아 있는 눈물은 거기서 다 흘렸다니까요. 어찌나 울었는지 울다가 그만 탈진이 되어 버렸어요. 오두막 한쪽에 짚단이 가득 쌓여 있었는데 그곳에 들어가 잠이 들었어요. 백칠십이 일동안."

"백칠십이 시간이 아니고요?"

"네. 정확히 백칠십이 일 동안이었죠. 초여름에 들어갔는데 깨어 보니 겨울이 와 있었어요."

"몸은 어떻던가요?"

"매우 상쾌했어요. 새로 태어난 것 같았어요. 조금 야위기는 했지만 괜찮았어요. 그래서 다시 돌아왔죠. 돌아오니 모든 게 엉망이었어요. 당연히 엉망이겠죠. 그렇게 무책임하게 떠나고 연락도 안되니. 하지만 거기서부터 다시 시작했죠. 상황은 최악이었지만 그때는 그저 살아 있다는 게, 일을 한다는 게 마냥 즐거웠어요."

"요즘 장안의 돈은 허사장님이 다쓸어 모은다고 소문이 자자하던데요?"

"뭘요. 그냥 직원들이랑 저랑 겨우 밥 먹고 살죠. 아 참! 얼마 전에 아내와도 다시 합쳤어요. 호주로 날아가서 허름한 모텔에 거주하면서 한 달을 싹싹 빌었다니까요. 하하."

곰과 뱀이 혹독한 계절을 넘기기 위해 동면에 들어가듯 토포러들도 주로 위기가 닥쳤을 때 토포 상태에 빠진다. 그리고 토포 상태에서 깨어나면 다시 힘을 얻고 나온다. 나는 토포 상태가 정확히 뭔지 몰랐을 때 이런 질문을 한 적이 있다.

"동면에 들어가기 전에 무얼 준비하죠? 곰처럼 지방을 축적하나요?"

그러자 그는 피식 웃었다. 일곱 번의 토포 상태를 경험했고, 토포 경력만 육년쯤 되는 베테랑이었다.

"건강 상태가 중요하긴 하지만 곰처럼 그렇게 많이 모을 필요는 없어요. 대신 꿈을 모아요."

"꿈?"

"두 번째 토포에서 깨어났을 때 꿈을 모아야 한다는 것을 알게 되었죠. 처음에는 그냥 막무가내로 들어가서 얼마나 심심했는 지 몰라요. 하루에 몇 시간씩 자고 일어날 때는 못 느끼지만 서너 달씩 계속 잠을 자다 보면 꿈속에서 깨어 있는 자신을 발견하게 되죠. 그러면 현실이 오히려 몽롱하게 느껴져요. 꿈의 재료가 없으면 심심해요. 저는 사후 세계가 이런 것이 아닐까 하는 생각을 해요. 상상력으로 이루어진 세계 말이에요. 거기선 행복도 상상력에서 나오고 권력도 상상력에서 나오죠. 그런데 처음에 무턱대고 들어간 토포에선 아무런 준비도 하지 않아서 좀 심심했어요."

"그냥 하면 안되나요? 어차피 상상인데."

"그게 막상 하면 쉽지 않아요. 우리는 너무 바쁘게 살잖아요. 그래서 막상 긴 꿈을 꾸게 되면 별게 없어요. '꿈을 어떻게 꿔야 할지 몰라 방황하다니 이게 말이나 되나, 어떻게 살았기에 상상할 게 이리도 없나.' 하고 꿈속에서 자책을 한다니까요. 하하. 더구나 꿈속에선 모든 일들이 너무 빨리 진행되어 버리기 때문에 삼십 년도 몇 분 안에 뚝딱이에요. 물론 짧은 순간이 오래도록 지속되기도 하지만요. 하여간 그래요. 꿈을 꾸기 위해선 꿈의 재료가 필요하죠."

"어떻게 재료를 모으죠?"

"지난 일기장도 읽어 보고, 앨범 사진도 곰곰이 바라보고, 동창이나 옛날 애인처럼 만나지 못했던 사람들도 만나고, 예전에 있었던 일들에 대해 찬찬히 생각도 하고 기억도 더듬어 보고, 그리고 요즘엔 책도 많이 읽어요. 되도록 즐거운 상상들을 많이 가지고 있을수록 행복해지죠. 그래야 꿈속에서도 행복하고 깨어나서도 행복하고."

나는 토포러가 될 가능성이 높다고 생각한다. 나는 잠자는 걸 좋아하고 또 잠이 들면 깨어나기를 싫어하니까. 사실 나는 그저 토포의 늪에 한 번쯤 풍덩 빠져 보고 싶다. 회사만 안 잘리고, 월급만 제대로 나오고, 보험금이나 적금 통장에 '빵꾸'만 안나고, 주위 사람들에게 '인생을 왜 그딴 식으로 사냐.' 라는 식의 잔소리만 안 듣는다면, 모든 것을 잊고 그저 한 육 개월쯤 푹 자고 싶은 심정이다. 그런데 토포러들은 많은 사람들이 이렇게 자질구레한 일들에 계속 신경을 쓰기 때문에 토포 상태에 빠지지 못한다고 말한다.

- 고등학교 『문학』 교과서

【문제 1】 이 답안 영역에는 1번 문항에 대한 답을 작성하시오. (401~600자)

【문제 2】 이 답안 영역에는 2번 문항에 대한 답을 작성하시오. (801~1,000자)

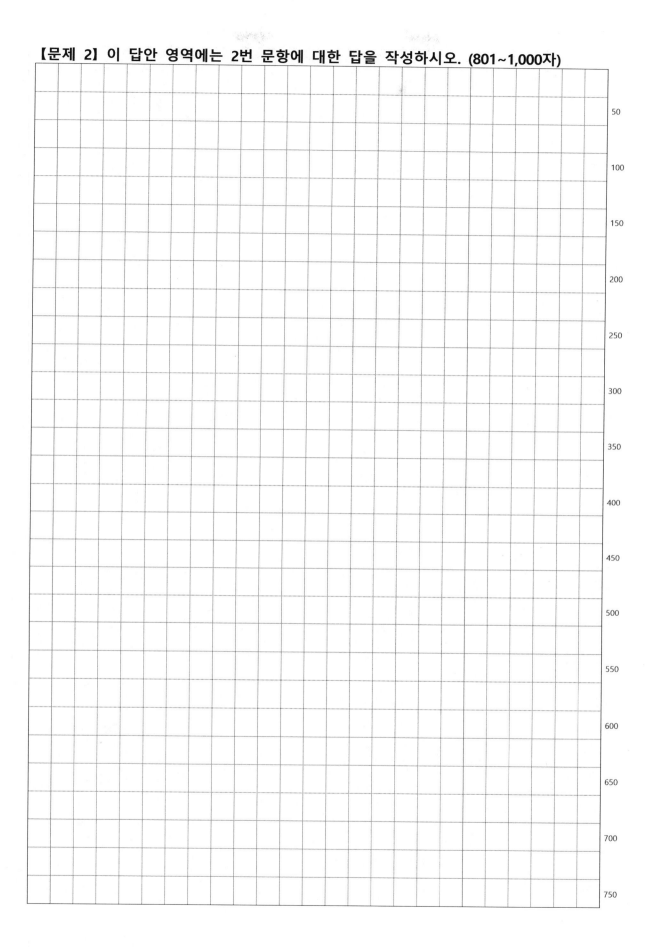

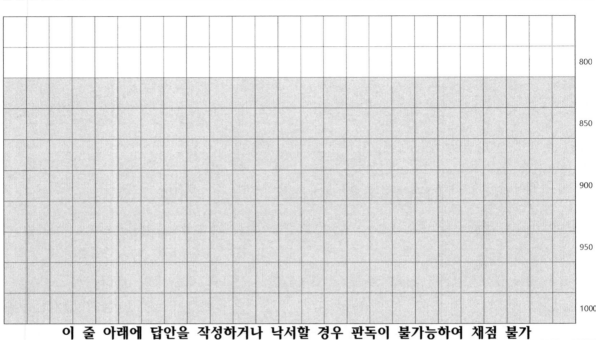

800

850

900

950

1000

16. 2020학년도 건국대 인문사회계II 수시 논술

※ [문제 1]: [가]의 '구성원의 행위'와 [나]의 '구조의 제약'을 바탕으로 [다]의 도표를 분석하시오. (401-600자) [40점]

[가]

 사회·문화 현상을 연구한다는 것은 개인의 일상, 그가 속한 집단, 더 큰 사회를 연구하는 것이다. 이를 위해서는 미국의 사회학자인 밀즈(C. Mills)가 말한 '사회학적 상상력'을 동원해야 한다. **사회학적 상상력**이란 어떤 사회적 현상에 대한 인식이나 이해를 단선적으로 하는 것이 아니라 관련 주제를 확대해 가는 방식으로 이해하는 것이다. 이 경우 한 **구성원의 행위**를 사회 구조와 연관 지어 확장해 나가는 것도 포함된다.

 한잔의 커피를 마시는 행위를 사회학적 상상력을 동원하여 다양하게 생각해 보자. 첫째, 누군가가 "커피 한잔하자."라고 했을 때, 커피보다는 대화하자는 의미에 초점을 두면 커피가 대화를 위한 의례의 역할을 하는 것으로 이해하고 커피가 갖는 그러한 일상의 상징을 살펴볼 수 있다. 둘째, 커피에 들어 있는 중독성 물질인 카페인에 초점을 두면, 사회가 왜 마리화나는 규제하면서 커피는 용인하는지를 살펴볼 수 있다. 셋째, 커피를 생산하는 나라와 소비하는 나라에 초점을 맞추면, 지구적 차원의 거래와 빈부 차이를 살펴볼 수 있다. 넷째, 세계화, 국제 무역 확대, 인권과 환경 오염에 관한 논쟁을 고려하여 개인들이 어떤 커피를 선택하며, 그 과정에서 무엇을 근거로 행동하는지를 살펴볼 수 있다. 커피를 이렇게 다양한 측면에서 살펴볼 수 있는 것은 바로 사회 현상에 대한 성찰적 태도 때문이며, 이러한 성찰적 태도로 사회학적 상상력은 더욱 증가한다.

- 고등학교 『사회·문화』 교과서

[나]

 자유를 위협하는 요소는 변화한다. 사이버 공간에서 새롭게 등장한 자유의 규제자가 바로 코드이다. 코드를 더 일반적인 말로 표현하자면 사회생활의 조립 환경이자 그 '설계 구조'이다. 19세기 중반에 자유를 위협하였던 것이 사회 규범이었고, 20세기 초반에는 국가 권력이, 그리고 20세기 중반의 대부분 기간에는 시장이 자유를 위협했다고 한다면, 20세기 말부터 21세기에 이르는 시기에 우리가 주목해야 할 또 다른 규제자는 코드라는 사실을 파악해야 한다.

 법은 사이버 공간에서의 행위를 규제한다. 저작권법, 명예 훼손법, 음란물 규제법 등은 법적 권리를 침해하는 행위를 사후에 제재하겠다고 지속적으로 위협하고 있다. 법이 얼마나 잘 규제하는지, 얼마만큼 효과적인지는 별개의 문제이다. 그 효과와는 관계없이 법은 만일 위반하면 반드시 그 대가를 치르게 될 것이라고 지속적으로 경고하고 있다.

 사회 규범 또한 사이버 공간 내의 행위를 규제한다. 뜨개질에 관한 뉴스 그룹에서 민주 정치에 대한 글을 올려 보라. 감당하기 어려울 정도로 많은 비방 메시지를 받게 될 것이다. 토론방에서 말을 많이 하고 화제를 독점해 보라. 당신은 대화방 입실 금지목록에 오를 것이다. 일련의 약정이 행동을 제약한다. 다시 말해서 공동체가 내리는 사후 제재라는 위협을 통하여 제약을 받게 된다.

시장도 사이버 공간상의 행위를 규제한다. 요금 체계는 온라인 접속을 제약한다. 광고주들이 인기 있는 사이트에 돈을 내므로 그 결과 비인기 포럼은 온라인 서비스에서 하나씩 떨어져 나가게 된다. 이런 것들은 모두 시장의 제약과 기회가 기능하는 방식이다.

끝으로, 구조가 소리 없이 사이버 공간상의 행위를 규제한다. 소프트웨어, 구조, 프로토콜 등으로 불리는 코드는 세계가 존재하는 방식 또는 그 세계의 특별한 측면들이 존재하는 방식에 의한 제약이다. 그들은 어떤 행위를 가능하게 또는 불가능하게 함으로써 다른 행위를 제약한다. 코드는 특정한 가치를 새겨 넣기도 하며, 다른 가치들을 불가능하게 하기도 한다. 지구에서 중력이 누구도 빠져나가기 어려운 구조적 제약인 것처럼 **구조의 제약**은 자율적으로 실행되며 한번 설정되면 누군가 그것을 정지시킬 때까지 계속해서 영향을 미친다.

-고등학교 『생활과 윤리』 교과서

[다]

아래의 도표는 행상 단계에서 정기 시장 그리고 상설 시장으로의 변화 과정을 보여준다.행상과 정기 시장 단계는 최소 요구치보다 재화의 도달 범위가 좁아서 상인이 이동하며 최소 요구치를 충족한다.

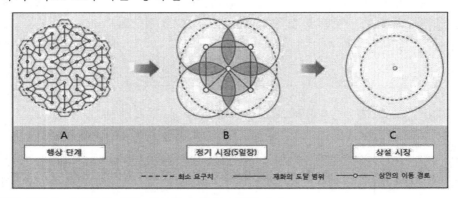

A	B	C
행상 단계	정기 시장(5일장)	상설 시장

- - - - - 최소 요구치 ── 재화의 도달 범위 ─○─ 상인의 이동 경로

※최소 요구치:상점을 유지하기 위해 확보해야 할최소한의 수요.

- 고등학교 『한국지리』 교과서

※ [문제 2]: 다음을 읽고 물음에 답하시오. [60점]

[라]
삶의 질을 높이는 데에는 국가 차원의 지원이 필요하다. 국가는 정책을 통하여 사회적 약자를 포함한 국민 전체에 대한 복지를 증진할 수 있다.

- 고등학교 『사회』 교과서

[마]
정부는 지나친 빈부 격차가 나타나지 않도록 실업률을 낮추고, 물가를 안정시키는 경제 정책을 추진한다. 또한, 빈부 격차를 해결하기 위해 소득이 높을수록 세율을

높게 적용하는 누진 소득세*를 부과하고, 국민의 생존권 보장과 복지 증진을 위해 사회 보장 제도를 시행한다.

* 누진 소득세: 소득이 높을수록 더 높은 세율로 부과되는 세금으로, 일반적으로 소득세에 적용됨.

- 고등학교 『경제』 교과서

[바]

소비자가 지불할 용의가 있는 최대 가격과 실제 지불 가격과의 차이를 소비자 잉여 ([그림 1]에서 빗금 친 부분)라 한다.

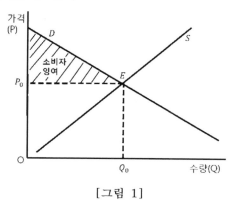

[그림 1]

- 고등학교 『경제』 교과서

[사]

수요의 가격 탄력성이란, 가격이 변할 때 수요량이 얼마나 변하는지 그 변화의 정도, 즉 가격 변화에 대한 수요량 변화의 민감도를 나타내는 지표이다. 수요의 가격 탄력성은 다음과 같이 수요량 변화율을 가격 변화율로 나눈 값이다.

$$수요의\,가격\,탄력성 = -\frac{수요량\,변화율(\%)}{가격\,변화율(\%)}$$

단, 여기에서,

$$수요량\,변화율 = \frac{변화된\,수요량 - 원래의\,수요량}{원래의\,수요량}$$

$$가격\,변화율 = \frac{변화된\,가격 - 원래의\,가격}{원래의\,가격}$$

- 고등학교 『경제』 교과서

※ [문제 2-1]: [라]와 관련하여 <보기>와 같이 가정한 상황에 대한 물음에 답하시오. [15점]

A지자체에서는 3세 미만 아동이 있는 가구에 어린이집 비용을 보조하고 있다. 3세 미만의 아동을 어린이집에 종일 맡길 경우에는 한 달에 10만 원을, 반일(半日)만 맡길 경우에는 5만 원을 보조하고 있다. 그런데 담당 직원이 실수로 반일반 가구에 10만 원씩을, 종일반 가구에 5만 원씩을 지급하였다. 원래 보조금 총액이 5000만 원이고 800가구에 지원되어야 하는데 현재까지 보조금을 받아간 가구가 600가구인데도 5000만 원이 모두 지급된 상태이다. 남은 200가구 중에서 종일반 가구와 반일반 가구가 각각 얼마인지도 알 수 없다.

이때, 전체 종일반 가구의 수 a, 전체 반일반 가구의 수 b, 이미 5만 원을 받은 종일반 가구의 수 c, 10만 원을 받은 반일반 가구의 수 d를 각각 구하고, $a-b+c-d$를 구하시오.

※ [문제 2-2]: [마]를 참고하여 다음 물음에 답하시오. [20점]
유럽에 위치한 가상의 두 국가 A와 B의 총인구는 각각 100명으로 같고, 국가 간 이주를 허용하기 전 두 국가의 소득구간별 인구는 [표 1]과 같다(단, 소득이 정확히 1000의 배수인 사람은 없고, 두 국가 A와 B는 같은 통화를 사용한다고 가정)

[표 1] 두 국가의 소득구간별 인구

소득	A국가(단위: 명)	B국가(단위: 명)
1000 미만	5	8
1000 초과 2000 미만	7	9
2000 초과 3000 미만	10	10
3000 초과 4000 미만	12	11
4000 초과 5000 미만	14	12
5000 초과 6000 미만	12	14
6000 초과 7000 미만	12	11
7000 초과 8000 미만	10	10
8000 초과 9000 미만	7	8
9000 초과 10000미만	5	7
10000 초과	4	2
총인구	100	100

두 국가는 다른 소득세 구조를 가지고 있다. A국가에서는 소득 수준에 상관없이 전체 소득의 20%를 세금으로 내지만, B국가에서는 소득구간이 높아질수록 세율이 높아지는 누진 소득세가 적용된다. 구체적으로 두 국가의 소득 구간별 세율은 [표 2]와 같다.

[표 2] 두 국가의 소득세 구조

소득	국가	국가
1000 이하	20%	0%
1000 초과 5000 이하	20%	20%
5000 초과	20%	40%

예를 들어,
A국가에서 소득이 6500인 사람은 세금으로
$$1300(= 6500 \times 0.2)$$을 내지만
B국가에서 소득이 6500인 사람은 세금으로
$$(= 0 \times 1000 + 0.2 \times (5000 - 1000) + 0.4 \times (6500 - 5000))$$을 낸다.

두 국가가 유럽연합(EU)에 가입하면서 이제 두 국가의 국민들이 자유롭게 상대 국가로 이주할 수 있게 되었다.* 다만 이주할 경우 비용이 발생한다. 이주비용은 소득이 높을수

록 낮아지며, 구체적으로 $C = 600 - \frac{1}{10}Y$직으로 주어진다(단, C가 음수일 경우 C=0으로 간주). 여기서 C는 이주비용, Y는 소득을 나타낸다. 동일한 사람은 A국가와 B국가 중 어디에서 살더라도 동일한 소득을 얻으며, 사람들은 소득에서 이주비용(이주할 경우)과 세금을 차감한 최종 금액이 더 높은 곳에서 살게 된다.** 사람들이 이주한 후 A국가와 B국가의 총인구를 각각 구하시오.

* 단, 이주는 A국가와 B국가 사이에서만 일어난다고 가정.
** 단, A국가와 B국가의 모든 사람들의 이주 결정은 처음 1년간의 소득, 세금, 이주비용만을 고려하여 이루어지며, 그 외 다른 요소는 일절 고려하지 않는다고 가정.

※ [문제 2-3]: [바]와 [사]를 참고하여 다음 물음에 답하시오. [25점]

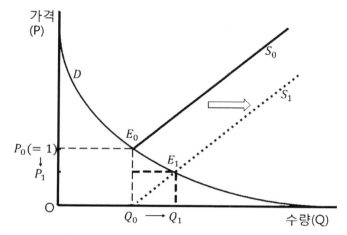

시장에 총 10개 제품이 있다고 가정하자. [그림 2]에서 보는 바와 같이 k번째 제품의 수요곡선 D가 함수 $Y = f(X) = 2^{2k}X^2 - 2^{2k+1}X + 2^{2k}$(단, $0 \le X \le 1$)로 각각 주어진다고 하자(단, $k = 1, \cdots, 10$). 여기에서, X는 제품의 수량을, Y는 가격을 나타낸다.

(1) 첫 번째 제품 $(k=1)$에 대하여, 함수 $Y = f(X)$는 $X = Q_1$일 때, 기울기 -2를 가진다. 이때 가격은 P_1이다. 이 제품의 가격이 1원에서 P_1원으로 변동되었을 때, 수요의 가격탄력성을 구하시오. [5점]

(2) [그림 2]에서처럼 공급곡선이 오른쪽으로 이동 $(S_0 \rightarrow S_1)$하였다. 그 결과로, 모든 제품의 가격이 1원에서 0.81원으로 하락하였다. 이 가격의 변화로 인해 10개 제품 판매로 인한 수입$(R)^*$이 변하게 된다. 이때, 가격 변화로 얻어진 수입 변화의 총합 $\sum_{k=1}^{10} \Delta R_k$을 구하시오(단, $\left(\frac{1}{2}\right)^{10} = 0.001$로 계산한다). **[10점]

* 여기에서, 수입은 주어진 가격과 수량의 곱의 값으로 결정된다. 예를 들어, 가격이 1원이었을 때 수입은 사각형 $OP_0E_0Q_0$의 면적으로 계산되고, 변화된 가격이 0.81원이었을 때 수입은 사각형 $OP_1E_1Q_1$의 면적으로 계산된다.
** 'k번째 수입 변화 (ΔR_k)=(가격이 0.81원이었을 때 수입)(가격이 1원이었을 때 수입)'으로 정의한다.

(3) 두 번째 제품 $(k=2)$이 공급량이 증가하여, 가격이 하락했다. 이 두 번째 제품은 현재 가격 1원이 n개월 후 $\left(\dfrac{1}{3}\right)^n$만큼 추가로 계속 내려간다고 하자. 예를 들어, 1개월 후 제품 가격은 $\dfrac{1}{3}$원이 내린 $\dfrac{2}{3}$원이 되고, 2개월 후 $\left(\dfrac{1}{3}\right)^2$원이 추가로 인하된 $\dfrac{5}{9}$원이 된다. $\left(\dfrac{1}{3}\right)^{10}=a$라고 하자. 이때, 10개월 후 발생하는 소비자 잉여를 a를 이용하여 표현하시오. [10점]

【문제 1】이 답안 영역에는 1번 문항에 대한 답을 작성하시오. (401~600자)

【문제 2-1】 이 답안 영역에는 2-1번 문항에 대한 답을 작성하시오.

【문제 2-2】 이 답안 영역에는 2-2번 문항에 대한 답을 작성하시오.

【문제 2-3】 이 답안 영역에는 2-3번 문항에 대한 답을 작성하시오.

168

VI. 예시 답안

1. 2024학년도 건국대 인문사회계 I 수시 논술

※ [문제 1]: [가]와 [나]를 참고하여 [다]의 도표를 분석하시오. (401-600자) [40점]

[가]는 고정 관념에서 벗어나 상대방이나 사물의 새로운 가치와 긍정적 모습을 발견하는 것의 중요성을, [나]는 서로 의견이 달라 부딪치는 접점이 오히려 상대에 대한 이해와 생산적 공존을 가능하게 하는 동력이 될 수 있음을 말하고 있다. [도표 1]은 네 개의 언어권으로 나뉘어있으나 평화롭게 공존하며 발전하고 있는 스위스와 언어가 다른 두 지역으로 나뉘어 서로 반목하면서 경제적 불균형과 갈등 상황이 심화되고 있는 벨기에의 대비된 상황을 보여준다. [도표 2]와 [도표 3]은 국가별 민주주의 수준과 행복지수를 각각 제시하는데, 스위스는 이 두 지표에서 모두 최상위권인 반면 벨기에는 스위스보다 상대적으로 낮은 위치에 있음을 알 수 있다. [가]와 [나]의 관점에서 벨기에는 고정 관념에 사로잡혀 타자의 긍정적인 면과 접점의 가치를 발견하지 못한 결과 상호 갈등이 심해지고 이로 인해 민주주의 수준이나 행복지수 등에서 스위스에 뒤처지는 것으로 볼 수 있다. 반면 스위스는 벨기에와 마찬가지로 언어적 차이로 인해 갈등이 생길 법한 상황에서도 서로의 차이와 상대가 지닌 가치를 인정하고 타협점을 찾아 상생 공존함으로써 높은 수준의 민주주의와 행복지수를 성취했다고 할 수 있다. [594자]

※ [문제 2]: [가]와 [나]의 시각에서 [라]에 대하여 논하시오. (801-1,000자) [60점]

[가]는 같은 사물에 대해서도 각도를 달리하면 일상적이고 틀에 박힌 고정관념을 벗어난 새로운 면모가 보인다고 말한다. [나]는 서로 다른 생각과 의견이 만남과 부딪침을 통해서 접점을 발견하면, 상호 간 차이점을 이해하고 갈등을 해소할 수 있다는 긍정적 효과를 말한다. [가]와 [나]를 종합하면, 고정된 틀을 고집하는 대신 상호 부딪침을 통해 상대방과의 접점을 발견하고 선입견에서 벗어나 열린 눈으로 상호 이해를 도모할 수 있다는 것이다.

[라]에서 며느리인 '나'는 치매를 앓는 시어머니를 맡길 수용 기관을 보러 갔다가 우연히 시골 초가지붕 위의 박을 보고서 시어머니가 해산을 앞둔 '나'를 위해 정성스럽게 해산 바가지를 준비하고 그 해산 바가지로 미역과 쌀을 씻어 음식을 준비해주었던 일을 떠올린다. 나는 시어머니가 보여주었던 생명에 대한 존중과 예의를 깨달음으로써 그분을 이해하게 되고 두 사람의 갈등이 해소된다.

처음에 '나'는 치매를 앓는 시어머니의 망령을 참지 못하고 폭력적으로 대응하며 증오심을 느낀다. 이때의 '나'는 [나]에서 보듯이 시어머니와 서로 대립하며 부딪치지만 '자신만의 소리만 듣고' 있는 상태로 서로 접점을 찾지 못한다. 심지어 '나'는 시어머니를 맡길 수용 기관을 찾아서 시어머니와 거리를 두려고 한다. 그러나 해산 바가지의 기억은 '나'와 시어머니가 첫 생명을 준비하면서 공유했던 행복한 경험을 생각나게 했다. 즉, 해산 바가지는 '나'에 대한 시어머니의 존중과 예우를 상징하며, 두 사람이 서로 존중하며 감사하고 기쁜 마음으로 소통했던 경험의 접점이 되었고 동시에 '나'에게 열린 눈으로 생명을 예우했던 시어머니의 인품과 아름다운 마음씨를 발견하게 하는 매개가 되었다. 이로부터 '나'는 [가]의 문장에서 보듯 거꾸로 보기를 통해 자신 역시 시어머니의 생명을 존중해야 할 당위성을 깨닫는다. '나'는 더 이상 위선이 아닌, 솔직하고 진정한 마음으로 시어머니를 돌보고 시어머니 역시 '나'를 잘 따르다가 행복한 임종을 맞는다.

2. 2024학년도 건국대 인문사회계II 수시 논술

※ [문제 1]: [가]와 [나]를 참고하여 [다]의 도표를 분석하시오. (401-600자) [40점]

[가]는 고정 관념에서 벗어나 상대방이나 사물의 새로운 가치와 긍정적 모습을 발견하는 것의 중요성을, [나]는 서로 의견이 달라 부딪치는 접점이 오히려 상대에 대한 이해와 생산적 공존을 가능하게 하는 동력이 될 수 있음을 말하고 있다. [도표 1]은 네 개의 언어권으로 나뉘어있으나 평화롭게 공존하며 발전하고 있는 스위스와 언어가 다른 두 지역으로 나뉘어 서로 반목하면서 경제적 불균형과 갈등 상황이 심화되고 있는 벨기에의 대비된 상황을 보여준다. [도표 2]와 [도표 3]은 국가별 민주주의 수준과 행복지수를 각각 제시하는데, 스위스는 이 두 지표에서 모두 최상위권인 반면 벨기에는 스위스보다 상대적으로 낮은 위치에 있음을 알 수 있다. [가]와 [나]의 관점에서 벨기에는 고정 관념에 사로잡혀 타자의 긍정적인 면과 접점의 가치를 발견하지 못한 결과 상호 갈등이 심해지고 이로 인해 민주주의 수준이나 행복지수 등에서 스위스에 뒤처지는 것으로 볼 수 있다. 반면 스위스는 벨기에와 마찬가지로 언어적 차이로 인해 갈등이 생길 법한 상황에서도 서로의 차이와 상대가 지닌 가치를 인정하고 타협점을 찾아 상생 공존함으로써 높은 수준의 민주주의와 행복지수를 성취했다고 할 수 있다. [594자]

※ [문제 2-1]: [라], [마], [바], [사], [아], [자]를 참고하여 다음 물음에 답하시오. [15점]

건우가 눈을 떠보니 새로운 세계에 온 것을 알게 되었다. 그곳은 우리가 사는 세상과 비슷해 보이지만, 요정과 거인, 마법사들이 사는 신기한 세상이었다. 여러 가지 차이점이 있었지만, 그중에서도 가장 큰 차이는 화폐가 존재하지 않는다는 것이었다. 화폐가 없으므로 시장에서 물품을 사려면 상대가격을 이용하여 물물교환을 해야만 했다. 예를 들어 귤, 사과, 배의 세 가지 상품이 시장에 있을 때, 사과 1개는 귤 2개와 교환할 수 있고, 배 1개는 사과 2개와 교환할 수 있다. 이 교환 비율에 의하면 필연적으로 배 1개의 가격을 다시 귤 4개로도 평가할 수 있다. 결국, 이 경우 상품의 가격은 모두 3개 존재하는 것이다.

(1) 만약 이 세상에 존재하는 상품의 가격이 모두 351개 있다면 시장에서 거래되는 상품은 모두 몇 개인지 구하시오. (단, 상품의 개수는 3보다 큰 자연수이다.) [7점]

(2) 건우의 제안으로 화폐가 도입되어 높은 경제성장을 달성한 이 세상은 건우를 경제부처 장관으로 임명하여 실업률과 물가 상승률에 대한 분석을 요청하였다. 과거 자료들을 살펴본 결과 이 세상의 실업률은 평균이 0.04, 분산이 0.0001이고, 물가 상승률은 평균이 0.02, 분산이 0.0004인 정규분포를 각각 따른다는 사실을 알게 되었다. 이때 실업률이 0.05 이상이고 물가 상승률이 0.06 이상일 확률을 a라고 할 때, $100 \times a$를 구하시오.

(단, 실업률과 물가 상승률은 서로 독립이라고 가정한다. 확률변수 Z가 표준정규분포 $N(0,\ 1)$을 따를 때,

$$P(0 \leq Z \leq 0.5) = 0.1915, \quad P(0 \leq Z \leq 1) = 0.3413,$$
$$P(0 \leq Z \leq 1.5) = 0.4332, \quad P(0 \leq Z \leq 2) = 0.4772$$

이다. 만약 정답이 소수가 나오면 소수점 셋째 자리에서 반올림하시오.) [8점]

※ [문제 2−2]: [차], [카]를 참고하여 다음 물음에 답하시오. [20점]

반도체를 생산하여 판매하는 K사는 갑국에 위치해 있지만 을국에 물품을 수출하며, 또한 생산에 필요한 원자재를 을국으로부터 수입한다. 을국의 경기가 좋으면 K사가 생산하는 반도체에 대한 수요가 증가해 K사의 매출액이 늘어난다. 반면 을국의 물가가 상승하면 원자재가격 상승으로 인해 K사의 비용이 증가한다. 을국이 경제 활성화 정책을 사용할 경우 을국의 경기가 좋아져 K사가 생산하는 반도체에 대한 수요가 증가하며 동시에 을국의 물가가 상승해 K사의 비용도 증가한다. 한편 기술이 발전함에 따라 시간이 지날수록 비용이 낮아진다. 구체적으로, 을국이 사용하는 경제 활성화 정책의 강도를 m이라고 할 때 t시기 K사가 직면하는 수요곡선과 생산비용의 식은 아래와 같다. (t는 실수이며, $0 \leq t \leq 25$)

$$\text{수요곡선: } P = -20Q + 40 + m$$
$$\text{생산비용: } C(Q) = 5Q^2 + 10 + m - t$$

여기서 Q는 K사의 반도체 생산량, P는 반도체 가격, $C(Q)$는 K사가 반도체를 Q개 생산하는 데 드는 비용이다. 매 시기 을국이 m을 먼저 결정한 후 K사가 주어진 수요곡선과 생산비용하에서 이윤을 극대화하는 생산량을 결정한다. 이윤은 매출액에서 생산비용을 뺀 값이며, 매출액은 가격에 판매량을 곱한 값이다. (단, 생산량과 판매량은 같다고 가정한다.)

(1) t시기 을국이 사용하는 경제 활성화 정책의 강도를 m이라고 할 때 K사의 이윤이 최대가 되게 하는 생산량은 얼마인가? [5점]

(2) 갑국과 을국의 무역전쟁으로 을국이 갑국에 위치한 K사의 이윤이 최소가 되게 하는 정책을 사용한다고 하자. 이 경우 t시기 을국이 사용하는 경제 활성화 정책의 강도 m은 얼마인가? [10점]

(3) t시기 K사의 이윤을 $f(t)$라고 하면 $t = 0$에서 $t = s$까지 K사의 누적이윤은 $\int_0^s f(t)dt$ 이다. (1)과 (2)의 상황에서 K사의 누적이윤이 48이 되는 시점 s값을 구하시오. [5점]

※ [문제 2−3]: [차], [타]를 참고하여 다음 물음에 답하시오. [25점]
다음은 K국의 3개년도 출산율 표이다.

연도	2012	2016	2020
출산율	1.1	1.0	0.7

이 표로부터 2030년 K국의 출산율을 예측하기 위해 연도에 따른 출산율의 변화를 나타내는 식 $y=ax+b$를 구하려고 한다. (단, x값은 연도를 뜻하며, 식의 x값에 특정 연도를 대입하여 나온 y값이 해당 연도의 출산율 예측값이다.)

수식을 완성하기 위해 다음의 문제를 순서대로 풀어보시오. 단, 계산의 복잡성을 피하고자 2012년을 12로, 2016년을 16으로, 2020년을 20으로 하여 계산한다. 즉 $x_1=12$, $x_2=16$, $x_3=20$으로 하고, 연도별 출산율은 $y_1=1.1$, $y_2=1.0$, $y_3=0.7$로 한다. 다음의 곱셈표를 이용하시오.

곱셈표	12 (2012년)	16 (2016년)	20 (2020년)	1.1	1.0	0.7
12 (2012년)	144	192	240	13.2	12.0	8.4
16 (2016년)	192	256	320	17.6	16.0	11.2
20 (2020년)	240	320	400	22.0	20.0	14.0
1.1	13.2	17.6	22.0	1.2	1.1	0.8
1.0	12.0	16.0	20.0	1.1	1.0	0.7
0.7	8.4	11.2	14.0	0.8	0.7	0.5

(1) 연도 x_1, x_2, x_3에 대해 $y=ax+b$를 이용하여 계산한 출산율 예측값과 실제 출산율 y_1, y_2, y_3값의 오차가 각각 e_1, e_2, e_3이라고 할 때, $S=e_1^2+e_2^2+e_3^2$을 a와 b의 식으로 표현하시오. [10점]

(2) $b=1.7$일 때, S를 최소가 되게 하는 a값을 구한 뒤 소수점 셋째 자리에서 반올림하시오. [10점]

(3) 위의 문제 (2)에서 구한 a와 b값을 대입하여 $y=ax+b$를 완성하고, 이 식을 이용하여 2030년 $(x=30)$ K국의 출산율 예측값을 구하시오. [5점]

[문제 2−1]

(1) 임의의 상품 개수 N에 대하여, 각 상품은 모두 $N-1$개의 상품 가격이 있다. 따라서 총합은 $N(N-1)$인 데, 중복되는 정보는 제거해야 하므로 모든 가격은 $\dfrac{N(N-1)}{2}$개가 된다. $\dfrac{N(N-1)}{2}=351$를 만족하게 해야 하므로 $N(N-1)=702$.

$N^2-N-702=0$이므로 $(N+26)(N-27)=0$. 즉, 27개의 상품이 존재한다.

(2) 실업률을 확률변수 X, 물가 상승률을 Y라하면,

$X \sim N(0.04,\ 0.01^2)$이고 $Y \sim N(0.02,\ 0.02^2)$이다. 실업률이 0.05 이상일 사건을 A, 물가 상승률이 0.06 이상일 사건을 B라고 했을 때 사건 A와 B는 서로 독립이므로

$$P(A \cap B)=P(A)P(B).$$
$$P(A)=P(X \geq 0.05)=1-P(X \leq 0.05)$$

이고, $Z_1=\dfrac{X-0.04}{0.01}$라 하면, Z_1은 표준정규분포를 따른다.

$$P(X \leq 0.05)=P\left(0 \leq Z_1 \leq \frac{0.05-0.04}{0.01}\right)=P(0 \leq Z_1 \leq 1)=0.3413$$

즉, $0.5-0.3413=0.1587$.

마찬가지로 $P(B) = P(Y \geq 0.06) = 1 - P(Y \leq 0.06)$이고 $Z_2 = \dfrac{Y - 0.02}{0.01}$라 하면, Z_2은 표준 정규분포를 따른다.

$$P(Y \leq 0.06) = P\left(0 \leq Z_2 \leq \frac{0.06 - 0.02}{0.02}\right) = P(0 \leq Z_2 \leq 2) = 0.4772$$

즉, $0.5 - 0.4772 = 0.0228$.

따라서 두 독립인 사건이 동시에 발생할 확률은 약 0.0036이므로 $100 \times a = 0.36$이다.

[문제 2-2]

(1) K사의 매출액은 가격 P에 수량 Q를 곱한 값이며 이윤은 매출액에서 비용을 뺀 값이다. 따라서 K사가 Q만큼을 생산하여 판매할 때 얻는 이윤을 $g(Q)$라고 하면

$$g(Q) = (-20Q + 40 + m)Q - (5Q^2 + 10 + m - t) = -25Q^2 + (40 + m)Q - (10 + m - t)$$

가 된다. $g(Q)$를 Q에 대해 미분하면

$$g'(Q) = -50Q + (40 + m)$$

이 되어 $Q < \dfrac{40 + m}{50}$일 경우 $g'(Q) > 0$이며 Q를 늘릴수록 이윤 $g(Q)$가 증가한다.

반면 $Q > \dfrac{40 + m}{50}$일 경우 $g'(Q) < 0$이며 Q를 늘릴수록 이윤 $g(Q)$가 감소한다.

따라서 $Q = \dfrac{40 + m}{50}$일 때 이윤이 최대가 된다.

(2) (1)에서 구한 바와 같이 을국의 경제 활성화 정책의 강도가 m일 경우 K사는 $Q = \dfrac{40 + m}{50}$만큼 생산한다. 이를 K사의 이윤함수에 대입하면

$$g(Q) = -25Q^2 + (40 + m)Q - (10 + m - t) = -25 \times \left(\frac{40 + m}{50}\right)^2 + \frac{(40 + m)^2}{50} - (10 + m - t)$$
$$= \frac{(40 + m)^2}{100} - (10 + m - t)$$

가 되며, 이는 m에 대한 함수 $h(m) = \dfrac{(40 + m)^2}{100} - (10 + m - t)$로 나타낼 수 있다.

$h'(m) = \dfrac{40 + m}{50} - 1$이며

$m < 10$에서 $h'(m) < 0$이므로 $h(m)$은 감소하고,

$m > 10$에서 $h'(m) > 0$이므로 $h(m)$은 증가한다.

따라서 $h(m)$은 $m = 10$일 때 최소가 된다.

(3) (1)과 (2)에서 구한 값을 정리하면 $m = 10$이며, $Q = \dfrac{40 + m}{50} = \dfrac{40 + 10}{50} = 1$이며, t시기 K사의 이윤 $f(t) = 5 + t$가 된다. 따라서 $t = 0$에서 $t = s$까지의 누적이윤은

$$\int_0^s f(t)\,dt = \int_0^s (5 + t)\,dt = \left[5t + \frac{1}{2}t^2\right]_0^s = 5s + \frac{1}{2}s^2$$

이 된다. $5s + \dfrac{1}{2}s^2 = 48$을 정리하면 $s^2 + 10s - 96 = 0$이 되고 따라서 $(s + 16)(s - 6) = 0$이 된다. $s \geq 0$이므로 $s = 6$이다.

(1) 식 $y = ax + b$에 년도 $x_1(=12), \ x_2(=16), \ x_3(=20)$를 대입하여 얻은 연도별 출산율 예측값은 각각

$$12a + b(= ax_1 + b), \ 16a + b(= ax_2 + b), \ 20a + b(= ax_3 + b)$$

이고, 년도 $x_1, \ x_2, \ x_3$의 실제 출산율은 각각

$y_1 = 1.1, \ y_2 = 1.0, \ y_3 = 0.7$**이다.**

따라서

$S = e_1^2 + e_2^2 + e_3^2$ **에서 오차는 각각**

$$e_1 = (ax_1 + b) - y_1 = 12a + b - 1.1,$$
$$e_2 = (ax_2 + b) - y_2 = 16a + b - 1.0,$$
$$e_3 = (ax_3 + b) - y_3 = 20a + b - 0.7.$$

이다.

각각

$S = e_1^2 + e_2^2 + e_3^2$**에 대입하면**

$$S = (12a + b - 1.1)^2 + (16a + b - 1.0)^2 + (20a + b - 0.7)^2$$

또는

$$S = 800a^2 + 3b^2 + 96ab - 86.4a - 5.6b + 2.7$$

이다.

(2) (1)에서 구한 S**식의** b**값에** 1.7**을 대입하면**

$$S = (12a + 1.7 - 1.1)^2 + (16a + 1.7 - 1.0)^2 + (20a + 1.7 - 0.7)^2$$
$$= (12a + 0.6)^2 + (16a + 0.7)^2 + (20a + 1.0)^2$$
$$= 800a^2 + 76.8a + 1.85$$

이다. 이제 S**를** a**에 대하여 미분하면** $S' = 1600a + 76.8$**이 되고 이 값이** 0**이 되는** a**값을 구하면** $a = -0.048$**이 되어 소수점 셋째 자리에서 반올림하면** $a = -0.05$**이고 이 점에서** S **는 극값을 갖는다.**

한편, 제시문 [차]에 의해

$a < 0.05$**일 때는** $S' = 1600a + 76.8 > 0$**이고**

$a > 0.05$**일 때는** $S' = 1600a + 76.8 < 0$**이 되어** $a = -0.05$**일 때** S**는 최소값을 갖는다.**

(3) 앞에서 구한 $a = -0.05$**와** $b = 1.7$**를** $y = ax + b$**에 대입하여 완성된** $y = -0.05x + 1.7$**를 이용하여** 2030$(x = 30)$**년도 K국의 출산율을 예측하면** $y = -0.05 \times 30 + 1.7 = 0.2$**를 얻는다. 즉** 2023**년도 K국의 출산율은** 0.2**로 예상된다.**

3. 2024학년도 건국대 인문사회계 I 모의 논술

[문제 1]: [가]와 [나]를 참조하여 [다]의 도표를 분석하시오. (401-600자) [40점]

[도표 1]은 정보통신망을 이용한 다양한 범죄 양상과 최근 몇 년간 인터넷 사기, 사이버 명예훼손 같은 신종범죄의 급증 현상을, [도표 2]는 학생 상당수가 평소에 알고 지내는 사람은 물론 인터넷 상에서 만나는 누군지도 모르는 타인을 대상으로 사이버 폭력을 행한 경

험이 있음을 보여준다. [나]에 따르면 인터넷이라는 사이버 세상은 전 세계를 통할하는 복잡계 네트워크의 강력한 허브라 볼 수 있고, [가]의 관점에서 도표들을 보자면, 복잡하고 익명화된 사이버 네트워크가 인간의 악한 본성을 발현시키는 매개가 될 수도 있음을 시사하는 것이다. 즉 인터넷은 활발한 정보교환과 실시간 소통을 통한 상호이해 확대 및 업무 효율성 제고 등의 순기능이 있지만, 이와 동시에 익명성이 보장된다는 특성으로 인해 이전에 없던 새로운 종류의 범죄를 확산시키는 기제가 될 수도 있다는 것이다. 이는 곧 맹자가 말한 '사람이 악한 짓을 하게 되는' 형세, 혹은 정약용이 언급한 '악을 할 수 있게' 하는 환경을 사이버 세상이 제공한다는 것이며, 그 결과 사이버 세상은 사람들을 여러 범죄의 피해자이자 동시에 가해자로 만들 수도 있는 복합적 기능의 네트워크라고 할 수 있다. [579자]

[문제 2]: [가]와 [나]의 핵심 개념을 활용하여 [라]의 주요 인물의 태도 변화에 대해 논하시오. (801-1,000자) [60점]

[가], [나]를 종합하여, 주요 인물의 변화를 '사회적 관계라는 네트워크 안에 존재하는 인간의 본성'의 관점에서 파악해 볼 수 있다. 제시 대목에서 큰 폭의 변화를 보이고 있는 주체는 문 서방이다. 문 서방은 처음에 김범우의 아버지를 살리는 선량한 의지를 가졌으나, 다른 지주들에 대해서는 그 죽음을 "찌엉쿠 잘되었다"라 평한다. 그러다 나중에는 마구잡이로 사람들을 죽이는 불공정함에 대해서는 못마땅해 한다.

'인간 본성론'의 관점에서 볼 때, 문 서방은 고자의 견해를 따라 선과 악을 동시에 지닌 마음으로 상황에 따라 반응했다. 여기에는 형세가 사람의 마음을 악하게 만들기도 한다는 맹자의 관점도 적용된다. 나중에 문 서방은 다시 마음의 변화를 겪는다. 그는 죄와 벌을 공정하게 적용하지 않고 죽임을 일삼는 무리와 거리를 두려 하는 것이다. 이는 그의 선한 마음과 의지가 다시 발동하는 것으로 맹자의 성선설을 입증하며, 본성이 무엇이든 자신의 결단, 실천에 따라 선해질 수 있음을 보여준다.

'네트워크 이론'으로 문 서방의 변화를 이해하면, 염상진 등장 이전, 문 서방의 네트워크는 '지주'라는 허브를 중심으로 구성되어 있었다. 그러다 인민재판을 벌이는 염상진 무리로 그의 관계적 허브는 옮겨갔다. 이 허브는 개별적 상하관계를 해체하며 '인민'의 이름으로 다시 모으는 새로운 중심이다. 처음에 문 서방은 이 허브에 열광했다. 그러나 나중에는 이 끔찍한 죽음의 허브로부터 거리를 두려한다.

김범우는 처음에 사람들의 마음을 모으고 선악의 행위를 실현시키는 인민재판이라는 허브를 기획하고 만들어낸 염상진이 승리했다고 여겼다. 그러나 문 서방이 불공정한 죽음에 대해 회의하며 인민재판으로부터 거리를 두려는 모습을 보고 그 허브의 문제성을 인식한다. 김범우는 사람들의 마음을 모으기 위해서는 피비린내 나는 복수와 분노와 같은 감정보다는 선한 본성을 이끌어낼 수 있는 도덕적 장치를 지닌 허브가 필요하다는 인식을 대변하고 있다. [964자]

4. 2024학년도 건국대 인문사회계II 모의 논술

[문제 1] [가]와 [나]를 참조하여 [다]의 도표를 분석하시오. (401-600자) [40점]

[도표 1]은 정보통신망을 이용한 다양한 범죄 양상과 최근 몇 년간 인터넷 사기, 사이버 명예훼손 같은 신종범죄의 급증 현상을, [도표 2]는 학생 상당수가 평소에 알고 지내는 사람은 물론 인터넷 상에서 만나는 누군지도 모르는 타인을 대상으로 사이버 폭력을 행한 경험이 있음을 보여준다. [나]에 따르면 인터넷이라는 사이버 세상은 전 세계를 통할하는 복잡계 네트워크의 강력한 허브라 볼 수 있고, [가]의 관점에서 도표들을 보자면, 복잡하고 익명화된 사이버 네트워크가 인간의 악한 본성을 발현시키는 매개가 될 수도 있음을 시사하는 것이다. 즉 인터넷은 활발한 정보교환과 실시간 소통을 통한 상호이해 확대 및 업무 효율성 제고 등의 순기능이 있지만, 이와 동시에 익명성이 보장된다는 특성으로 인해 이전에 없던 새로운 종류의 범죄를 확산시키는 기제가 될 수도 있다는 것이다. 이는 곧 맹자가 말한 '사람이 악한 짓을 하게 되는' 형세, 혹은 정약용이 언급한 '악을 할 수 있게' 하는 환경을 사이버 세상이 제공한다는 것이며, 그 결과 사이버 세상은 사람들을 여러 범죄의 피해자이자 동시에 가해자로 만들 수도 있는 복합적 기능의 네트워크라고 할 수 있다. [579자]

[문제 2]: 다음을 읽고 물음에 답하시오. [60점]

※ [문제 2-1]: [라]를 참고하여 다음 물음에 답하시오. [15점]

지민이네 가족은 소고기와 콜라에 120만큼의 예산을 지출할 계획이다. 지민이네 가족이 소고기를 A킬로그램, 콜라를 B킬로그램 소비할 때 지민이네 가족이 얻는 효용 $U(A, B)$는 아래 식과 같다.

$$U(A, B) = AB$$

소고기 1킬로그램 당 가격은 4이고, 콜라 1킬로그램 당 가격은 2이다. 주어진 예산을 모두 사용하여 지민이네 가족이 얻는 효용이 최대가 되는 소고기의 양 와 콜라의 양 를 구하시오.

> **[문제 2-1]**
>
> 주어진 예산 120을 모두 활용하여 지민이네 가족이 살 수 있는 소고기와 콜라의 수량은 $4A+2B=120$을 만족시키는 A와 B의 조합이다. 이를 B에 대한 식으로 나타내면 $B=60-2A$가 되며, 이를 다시 지민이의 효용함수에 대입하면
>
> $$U(A, B) = AB = A(60-2A) = 60A - 2A^2$$
>
> 이 된다. 효용이 극대가 되는 A의 값을 구하기 위해 A에 대한 함수로 나타낸 효용함수를 A에 대해 미분하면 도함수 $60-4A$를 얻게 되고, 이 식은 A가 15보다 작을 때는 양수, $A=15$일 때는 0, A가 15보다 클 때는 음수를 가진다. 따라서 지민이의 효용은 $A=15$에서 최대가 되며, $4A+2B=120$을 이용하면 $A=15$일 때 $B=30$이 된다.

※ [문제 2-2]: [라]를 참고하여 다음 물음에 답하시오. [20점]

쌀농사를 짓는 건국이는 시장가격에 영향을 주지 않은 채 원하는 수량만큼의 쌀을 팔 수 있다. 즉, 시장가격은 건국이의 쌀 생산량에 관계없이 1킬로그램 당 P로 일정하다. 건국이가 Q만큼의 쌀을 생산할 때 드는 비용 $C(Q)$는 아래 식과 같다.

$$C(Q) = 16 + 4Q + Q^2$$

건국이는 이윤이 최대가 되도록 하는 양만큼 쌀을 생산한다. 단, 최대로 얻을 수 있는 이윤이 0 이하인 경우에는 쌀농사를 짓지 않는다. 이윤은 수입에서 비용을 뺀 값이다. 건국이가 쌀농사를 짓기 위한 조건을 구하시오.

[문제 2-2]

건국이가 Q만큼의 쌀을 생산할 때 얻는 이윤을 $\pi(Q)$라고 하면 $\pi(Q) = PQ - (16 + 4Q + Q^2)$이 된다. 이를 간단히 하면 $\pi(Q) = -Q^2 + (P-4)Q - 16$이 된다. 이윤함수를 미분한 도함수는 $\pi'(Q) = -2Q + P - 4$가 되며,

이는 $Q = \dfrac{P-4}{2}$에서 0이 되며, 그보다 작을 때는 양수, 그보다 클 때는 음수가 된다.

따라서 건국이의 이윤은 $Q = \dfrac{P-4}{2}$일 때 최대가 된다.

그때 이윤을 구하기 위해 $Q = \dfrac{P-4}{2}$식을 이윤함수에 대입하면

$$\pi(Q) = -Q^2 + (P-4)Q - 16 = -\frac{(P-4)^2}{4} + (P-4) \times \frac{P-4}{2} - 16$$

$$= -\frac{(P-4)^2}{4} + \frac{(P-4)^2}{2} - 16 = \frac{(P-4)^2}{4} - 16$$

이 된다. 건국이는 양(+)의 이윤을 얻을 수 있을 때 쌀농사를 지으므로 건국이가 쌀농사를 지을 조건은 $\dfrac{(P-4)^2}{4} - 16 > 0$, 따라서 $(P-4)^2 > 64$, 즉 $P-4 > 8$이므로 정리하면 $P > 12$가 된다.

※ [문제 2-3]: [마], [바], [사]를 참고하여 다음 물음에 답하시오. [25점]

현재 20세인 K씨는 60년 이후인 80세까지 살 것으로 예측하고, 그때까지 생애 주기에 따라 재무 계획을 수립하려고 한다. K씨는 향후 예상 소비 지출액은 정해져 있다고 가정하고, 소득을 증가시켜 안락한 노후를 보내려 한다. 다음 삼차함수 $h(x)$는 x년 이후 예상되는 K씨의 연간 소비 지출액을 나타낸다. (단, $0 \leq x \leq 60$, 단위: 백만 원)

$$h(x) = -0.001x^2(x - 60)$$

K씨의 연간소득은 50세가 되는 30년 이후까지 증가하고, 이후 감소한다고 한다. K씨는 자산 관리, 외국어 능력 개발 등 소득증대를 위한 개인적 노력을 하여 향후 소득을 증가시키려 노력한다. 다음 함수 $g(x)$는 이를 나타내는 x년 이후 K씨의 처분가능소득을 나타낸다.

(단, $0 \leq x \leq 60$, 단위: 백만 원)

$$g(x) = \begin{cases} \left(-\dfrac{s^2}{4} + s + 1\right)x & (0 \leq x \leq 30) \\ -\left(-\dfrac{s^2}{4} + s + 1\right)x - 15s^2 + 60s + 60 & (30 < x \leq 60) \end{cases}$$

(단, s는 K씨의 소득증대를 위한 개인적 노력의 강도를 나타내는 상수이다. $0 \leq s \leq 30$)

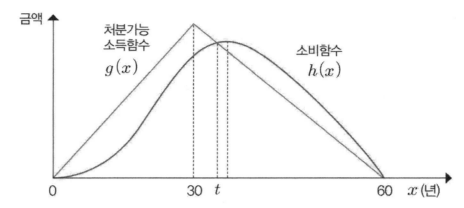

다음 각 질문에 답하고, 그 근거를 제시하시오.

(1) K씨의 소비 지출액이 최고점에 다다를 때는 몇 년 후인가? [5점]

(2) 개인적 노력이 없을 때 ($s = 0$), 몇 년 이후 K씨의 소비지출액은 처분가능소득보다 많아지는가? [5점]

$\qquad$ ($\sqrt{10} \approx 3.16$임을 이용하여 답을 구할 것)

(3) K씨는 안정적인 노후설계를 위해, 최대의 소득 및 저축액을 갖도록 노력하고 있다. 향후 h년까지 K씨의 누적저축액 $Q(h)$은 누적소득에서 누적소비액의 차로 다음과 같이 정의된다.

$$Q(h) = \int_0^h g(x) - h(x) dx$$

현재부터 향후 30년까지 개인적 노력으로 생긴 누적저축액이 최대가 되는 노력의 강도 s의 값 및 이때 누적저축액의 최댓값을 구하시오. [15 점]

[문제 2-3]

(1) K씨의 x년 이후 소비지출액 함수 $h(x)$는 3차 함수 $h(x) = -0.001x^2(x-60)$이다. 구간 $0 \le x \le 60$에서 소비지출액 함수 $h(x)$의 최댓값을 구하기 위하여 미분을 구하면,

$$h'(x) = \frac{d}{dx}\left[-0.001x^3 + 0.06x^2\right] = -0.003x^2 + 0.12x = -0.003x(x-40)$$

이다.

 아래 함수증감 테이블에서 볼 수 있는 것처럼 구간 $0 \le x \le 60$에서 함수 $h(x)$는 $x = 40$에서 극댓값이자 최댓값 $h(40)$갖는다. 극댓값, 끝점에서의 함수값은

$$h(40) = -0.001 \cdot 40^2 \cdot (-20) = 32,$$
$$h(0) = -0.001 \cdot (0^2)(0-60) = 0$$
$$h(60) = -0.001 \cdot 60^2 \cdot 0 = 0$$

이다.

x	0	...	40	...	60
$h'(x)$		+	0	−	0
$h(x)$	0	증가	32	감소	0

따라서 향후 40년 이후 K씨의 소비지출액이 최대가 된다.

(2) 개인적 노력이 부재하였을 때는 $s=0$일 때이다. 따라서 처분가능소득 함수 $g(x)$는

$$g(x) = \begin{cases} x & (0 \le x \le 30) \\ -x+60 & (30 < x \le 60) \end{cases}$$

이다. 함수 $g(x)$는 $x=30$일 때 최댓값 $30(=g(30))$을 갖는다. 아래 그림에서 K씨의 소비지출액 $(h(x))$이 처분가능소득 $(g(x))$보다 많아지는 시점은 함수 $g(x)$가 함수 $h(x)$와 만나는 시점, 즉 그림에서 $x=t$일 때 이후이다.

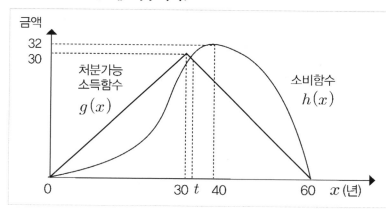

문제 (1)번으로부터 함수 $h(x)$는 $x=40$일 때 극댓값(=최댓값) 32를 가지므로, 함수 $g(x)$(단, $30 < x \le 60$)가 함수 $h(x)$와 만나는 시점을 구하면,

$$h(x) = g(x) \implies -0.001x^2(x-60) = -x+60 \implies (x-60)(x^2-1000) = 0$$

따라서 $x=60$또는 $\sqrt{1000}$또는 $-\sqrt{1000}$이고, 조건 $30 < x < 40$을 만족하는

$$t = \sqrt{1000} = 10\sqrt{10} \approx 31.6$$

이후 시점에 $h(x) > g(x)$을 만족한다. 따라서 K씨의 소비지출액이 처분가능소득보다 많아지는 시점은 32년 이후이다.

이때, 함수 $g(x)$가 $0 \le x \le 30$구간에서, 소비함수 $h(x)$와 만나는 시점을 구하면,

$$h(x) = g(x) \implies -0.001x^2(x-60) = x \implies x(x^2 - 60x + 1000) = 0$$

이다. 따라서, 실수근은 $x=0$이고, 함수 $g(x)$가 $0 < x \le 30$구간에서, 소비함수 $h(x)$와 만나는 시점은 없고, 위의 $t=10\sqrt{10}$ 값만이 조건을 만족하는 시점임을 확인할 수 있다. 따라서 K씨의 소비지출액이 처분가능소득보다 많아지는 시점은 32년 이후이다.

(3) 향후 30년까지 누적저축액은 함수 $g(x)$부터 함수 $h(x)$까지의 차의 적분값 즉,

$$Q(30) = \int_0^{30} [g(x) - h(x)] dx$$

이다. 따라서 현재부터 향후 30년까지 늘어난 누적저축액은

$$Q(s) = \int_0^{30} [g(x) - h(x)] dx = \int_0^{30} \left[\left(-\frac{s^2}{4} + s + 1 \right) x + 0.001(x^3 - 60x^2) \right] dx$$

$$= \left[\left(-\frac{s^2}{4} + s + 1 \right) \frac{x^2}{2} + 0.001 \frac{x^4}{4} - 0.06 \frac{x^3}{3} \right]_0^{30} = \left(-\frac{s^2}{4} + s + 1 \right) \frac{30^2}{2} + 0.001 \frac{30^4}{4} - 0.06 \frac{30}{3}$$

$$= -\frac{30^2}{8} (s^2 - 4s + 4 - 8) + \frac{405}{2} - 540 = -\frac{225}{2} (s-2)^2 + 900 + \frac{405}{2} - 540$$

$$= -\frac{225}{2} (s-2)^2 + 360 + \frac{405}{2}$$

$$= -\frac{225}{2} (s-2)^2 + \frac{1125}{2}$$

이다. 이때, 구간 $0 \leq s \leq 3$에서 함수 $Q(s)$의 최댓값을 구하기 위하여 미분을 구하면 $Q'(s) = -225(s-2)$이므로 아래 함수증감 테이블에서 볼 수 있는 것처럼 함수 $Q(s)$는 $s = 2$에서 극댓값이자 최댓값 $\frac{1125}{2}$ 갖는다. 끝점에서의 함수값은

$$Q(0) = -\frac{225}{2} (0-2)^2 + \frac{1125}{2} = \frac{225}{2}, \quad Q(3) = -\frac{225}{2} (3-2)^2 + \frac{1125}{2} = \frac{900}{2}$$

이다.

s	0	...	2	...	3
$Q'(s)$		+	0	−	0
$Q(s)$	$\frac{225}{2}$	증가	$\frac{1125}{2}$	감소	$\frac{900}{2}$

따라서 향후 30년까지 축적할 수 있는 최대 누적저축액은 노력강도 상수가 2일 때 ($s = 2$일 때), $\frac{1125}{2}$ 백만 원(5억6천2백50만 원)이다.

5. 2023학년도 건국대 인문사회계 I 수시 논술

※ [문제 1]: [가]와 [나]를 참고하여 [다]의 도표를 분석하시오. (401-600자) [40점]

[도표1]은 한국 사회가 물질적 측면에서는 상당히 높은 수준에 이르렀지만, 주관적으로 느끼는 행복감은 이에 크게 미치지 못함을 보여준다. 청소년들의 물질적 행복 순위는 세계 3위로 매우 높고 건강, 지식접근성, 생활수준 측면의 인간개발지수도 17위로 비교적 상위권이지만 여기에 불평등 요소를 반영하자 36위로 떨어진다. 더욱이 일상의 긍정적 경험에 근거한 행복지수는 118위로 세계 최하위권이며, 환경 생태적으로도 하위권(80위)에 머무르고 있다. [도표2]에서는 한국의 생태환경이 급속도로 악화되어가면서 생태발자국 지수가 생태 수용능력의 6~7배를(혹은 '크게') 초과할 정도로 심각한 상태임을 알 수 있다. 자연도 생명이고 인간과 풍경은 하나라고 말하는 [가]와, 이웃과 조화롭게 살아가기 위해서는 타인들과 속도, 리듬을 맞춰나가는 것이 중요함을 강조하는 [나]의 관점에서 볼 때, [도표1, 2]에 나타난 한국사회는 외적, 물질적 발전의 속도가 평등, 자연과의 공존과 같은 인간 내면의 본질적 가치와 조화를 이루지 못하고 이 둘 간의 불균형이 심화됨으로써, 물질적 풍요에도 불구하고 일상적으로 행복감을 느끼지 못하는 불행한 상태에 있다고 말할 수 있다. [592자]

※ [문제 2]: [가]와 [나]의 관점을 반영하여 [라]의 인물 간 관계 양상을 논하시오.
(801-1,000자) [60점]

[가]는 서양인의 자기중심적 태도를 비판하면서 자연과 인간, 인간과 인간의 관계를 위계가 아닌 '공존'으로 파악한다. [나]는 서로 다른 속도를 가진 것들의 조화를 '리듬'을 통해 설명하면서, 타인과의 상호 존중적 공존의 필요성을 제기한다. 두 글은 한국 사회의 자기중심적 편견과 타자에 대한 공격적 태도를 돌아보게 한다.

[라]에는 타국에서 시집온 이주민에 대한 한국인의 편견과 차별이 그려져 있다. [가]에서 비판 대상이 된 서양인처럼 '나'와 고모는 가족이 된 능 르타이를 일종의 야만인처럼 여기면서, 억압과 배척의 대상으로 삼는다. '와이'에 대한 태도나 '나무 아이'에 대한 비웃음, 외도에 대한 의심과 폭력 등이 그것이다. 이러한 태도는 한국 사회의 경제와 물질 중심의 사회풍조 속에서 배태된 것이라고 볼 수 있다. 작품 속에서 능을 동반자로 받아들이며 리듬을 맞추고자 한 아버지가 소외되는 모습은 우리 안의 모순을 단적으로 보여준다.

[라]는 이러한 문제에 대한 반성과 해결의 길을 제시한다. '나'와 고모가 편견과 차별을 벗어나 타자의 목소리에 응답하고 리듬을 맞춰나가는 과정을 그려낸다. 고모는 처음에 능이 열등하다는 편견을 노골적으로 드러내지만, 나중에는 그 아이를 키워주겠다고 하고 시신 촬영을 반대하는 등 그를 이해하고 포용하려는 모습을 나타낸다. 작품에 더 인상적으로 그려지는 것은 '나'의 변화다. 능의 속도(문화, 관습)를 무시한 채 자기 입장을 내세우던 '나'는 능이 아이를 모국에 보내고 일하다 화재 참사를 당하는 과정을 거치면서, 또 모국에서 그녀 아버지가 보내온 편지를 보면서 그녀가 나와 다를 바 없는 '소중한 딸'이었음을 깨닫게 된다. 태국을 찾아간 '나'가 능의 아이를 '나무 아비' ('나'의 아버지)에게서 태어난 '나무 아이'로 받아들이며 안아 올리는 장면은 [가]와 [나]가 말하는 생명적 공존과 조화를 이루어내는 모습을 잘 보여준다. 그 모습에는 한국 사회가 나아가야 할 미래가 담겨 있다고 보아도 좋을 것이다. [983자]

6. 2023학년도 건국대 인문사회계II 수시 논술

※ [문제 1]: [가]와 [나]를 참고하여 [다]의 도표를 분석하시오. (401-600자) [40점]

[도표1]은 한국 사회가 물질적 측면에서는 상당히 높은 수준에 이르렀지만, 주관적으로 느끼는 행복감은 이에 크게 미치지 못함을 보여준다. 청소년들의 물질적 행복 순위는 세계 3위로 매우 높고 건강, 지식접근성, 생활수준 측면의 인간개발지수도 17위로 비교적 상위권이지만 여기에 불평등 요소를 반영하자 36위로 떨어진다. 더욱이 일상의
긍정적 경험에 근거한 행복지수는 118위로 세계 최하위권이며, 환경 생태적으로도 하위권 (80위)에 머무르고 있다. [도표2]에서는 한국의 생태환경이 급속도로 악화되어가면서 생태발자국 지수가 생태 수용능력의 6~7배를(혹은 '크게') 초과할 정도로 심각한 상태임을 알 수 있다. 자연도 생명이고 인간과 풍경은 하나라고 말하는 [가]와, 이웃과 조화롭게 살아가기 위해서는 타인들과 속도, 리듬을 맞춰나가는 것이 중요함을 강조하는 [나]의 관점에서 볼 때, [도표1, 2]에 나타난 한국사회는 외적, 물질적 발전의 속도가 평등, 자연과의 공존과 같은 인간 내면의 본질적 가치와 조화를 이루지 못하고 이 둘 간의 불균형이 심화됨으로써, 물질적 풍요에도 불구하고 일상적으로 행복감을 느끼지 못하는 불행한 상태에 있다고 말할 수 있다. [592자]

※ [문제 2]: 다음을 읽고 물음에 답하시오. [60점]

※ [문제 2-1]: 다음 물음에 답하시오. [15점]

두 개의 지역 A와 B로 구성된 국가가 있다. A지역의 미세먼지 농도는 a이며, B지역의 미세먼지 농도는 b이다. 경제적 기회의 차이로 동일한 개인이 A지역에 거주하는 경우와 B지역에 거주하는 경우 얻을 수 있는 소득이 다를 수 있다. 개인이 특정 지역에 거주하면서 얻는 만족도는 소득이 높아질수록 높아지지만, 그 지역의 미세먼지 농도가 높아질수록 감소한다. 구체적으로, 개인이 A지역에 거주할 경우 얻는 소득을 x, B지역에 거주할 경우 얻는 소득을 z 라고 하면, 각 지역에 거주할 경우 얻는 만족도는 다음과 같다. (단, $a > 0, b > 0, x > 0, z > 0$)

A지역에 거주할 경우 얻는 만족도: $f(x) = -a + \log_2 x$

B지역에 거주할 경우 얻는 만족도: $f(x) = -b + \log_2 x$

아래 표와 같이 그룹1은 두 지역에서 얻을 수 있는 소득이 동일하고, 그룹2는 A지역에서 B지역의 2배, 그룹3은 4배, 그룹4는 8배, 그룹5는 16배의 소득을 얻을 수 있다.

(단위:만원)

인구 비중	A지역에서 얻을 수있는 월소득	B지역에서 얻을 수있는 월소득
그룹1: 30%	100	100
그룹2: 10%	200	100
그룹3: 30%	400	100
그룹4: 20%	800	100
그룹5: 10%	1,600	100

사람들은 A와 B 두 지역 중 본인이 더 높은 만족도를 얻을 수 있는 곳에 거주한다. 두 지역에서 얻을 수 있는 만족도가 동일할 경우 A지역에 거주한다고 가정하자. 전체 인구 중 30%가 A지역에, 70%가 B지역에 거주하게 되는 조건을 a와 b에 대한 식으로 나타내시오.

이 문제에서 개인의 만족도는 거주하는 지역에서 얻을 수 있는 소득과 그 지역의 미세먼지 농도에 따라 달라진다. 지역 B에 비해 지역 A에서 얻을 수 있는 소득이 클수록 감내할 수 있는 지역 A의 미세먼지 농도도 커질 것이다. 두 지역의 미세먼지 차이가 감내할 수 있는 수준보다 낮다면 소득이 높은 A지역에 거주하겠지만, 감내할 수 있는 수준보다 높다면 소득이 낮더라도 미세먼지 농도가 낮은 B지역에 거주할 것이다. 두 지역에서 얻을 수 있는 만족도가 동일하다면 A지역에 거주한다는 가정 하에 만약 $-a + \log_2 x \geq -b + \log_2 z$인 경우 A지역에 거주할 것이다. 이 식을 정리하면 $\log_2 x - \log_2 z \geq a - b$가 되고, 로그의 성질을 이용하여 $\log_2 \frac{x}{z} \geq a - b$로 간단히 나타낼 수 있다. 반대로 $\log_2 \frac{x}{z} < a - b$인 경우 B지역에 거주할 것이다. A지역에서 얻을 수 있는 소득이 높을수록 A지역에 거주하는 것이 유리하기 때문에 30%가 A지역에 거주하기 위해서는 소득이 높은 그룹4와 그룹5는 A지역에, 나머지

그룹은 B지역에 거주하여야 한다. 특히 A지역에서 얻을 수 있는 소득이 400인 그룹3이 B지역에 거주하는 것이 유리하다면 A지역에서 얻을 수 있는 소득이 더 낮은 그룹1과 그룹2도 B지역에 거주하는 것이 유리하고, A지역에서 얻을 수 있는 소득이 800인 그룹4가 A지역에 거주하는 것이 유리하다면 A지역에서 더 높은 소득을 얻을 수 있는 그룹5도 A지역에 거주하는 것이 유리하다. 따라서 그룹3이 B지역에 거주할 조건과 그룹4가 A지역에 거주할 조건을 구하면 된다. 그룹3이 B지역에 거주할 조건은 $\log_2 \frac{400}{100} < a-b$이며, 그룹4가 A지역에 거주할 조건은 $\log_2 \frac{800}{100} \geq a-b$이다. $\log_2 2^n = n$을 이용하여 위 식들을 다시 쓰면, $2 < a-b$ 그리고 $3 \geq a-b$가 되어 이 둘을 합치면 $2 < a-b \leq 3$가 된다.

※ [문제 2-2]: [라]와 [마]를 참고하여 다음 물음에 답하시오. [20점]

H국의 경제는 그 시점을 예측할 수는 없지만 회복기, 호황기, 후퇴기, 그리고 불황기를 순환하며 성장한다. 하지만 이렇게 네 가지의 경기로 구분 짓는 것은 너무 복잡하기 때문에, 한 연구자는 경제의 상태를 단순화하여 불황기와 그렇지 않은 시기의 두 가지로 나누어 분석하기로 했다. 경기 변동을 단순화함에 따라 경제의 상태가 불황인 경우 숫자 1로 표현하였고, 그렇지 않은 시기를 숫자 0으로 나타냈다. 아래 표는 이와 같은 규칙에 따라 연구자가 수집한 사용 가능한 모든 분기별 자료를 보여준다.

연도	2017				2018				2019				2020				2021			
분기	I	II	III	IV	I	II	III	IV	I	II	III	IV	I	II	III	IV	I	II	III	IV
상태	0	0	1	1	0	0	0	0	0	1	1	1	0	0	0	0	0	1	1	0

여기서 I은 1분기(1월~3월), II는 2분기(4월~6월), III은 3분기(7월~9월), 그리고 IV는 4분기(10월~12월)를 나타낸다. 예를 들어 2017년 1분기는 불황이 아니었고, 2017년 3분기는 불황이었다.

(1) 직전 분기가 불황이었을 때 다음 분기가 불황이 아닐 확률과, 직전 분기가 불황이었을 때 다음 분기가 불황일 확률을 소수로 구하시오. (단, 소수점 셋째 자리에서 반올림할 것.) [10점]

(2) 직전 분기가 불황이 아니었을 때 다음 분기가 불황이 아닐 확률과, 직전 분기가 불황이 아니었을 때 다음 분기가 불황일 확률을 소수로 구하시오. (단, 소수점 셋째 자리에서 반올림할 것.) [10점]

(1) 지난 분기에 불황이 나타날 경우를 A라하고, 이번 분기에 불황이 아닐 경우를 B라고 하자. 지난 분기는 총 19번이 될 수 있고, 그 중에서 불황이 나타난 경우의 수는 7번이다. 즉, $P(A) = \frac{7}{19}$이다. 한편, 지난 분기가 불황인 상태에서 이번 분기가 불황이 아닌 경우는 2019년 1사분기, 2021년 1사분기, 그리고 2022년 4사분기 총 3번이다. 즉, $P(A \cap B) = \frac{3}{19}$이다. 따라서, $P(B|A) = \frac{P(A \cap B)}{P(A)} = \frac{3/19}{7/19} = \frac{3}{7}$이므로 약 0.43이다.

경제의 상태는 1또는 0으로 표현되기 때문에 이번 분기에 불황일 경우는 B^c로 표현할 수 있다. 따라서 $P(B^c|A) = 1 - P(B|A)$이므로 약 0.57이다.

(2) 지난 분기에 불황이 나타나지 않을 경우를 C라고 하고, 이번 분기에 불황이 아닐 경우를 D라고 하자. 지난 분기는 총 19번이 있고, 그 중에서 불황이 나타나지 않은 경우의 수는 총 12번이다. 즉, $P(C) = \dfrac{12}{19}$이다. 한편, 지난 분기가 불황이 아닌 상태에서 이번 분기가 불황이 아닌 경우는 2018년 2사분기, 2019년 2사분기에서 2020년 1사분기까지, 그리고 2021년 2사분기부터 2022년 1사분기까지 총 9번이다. 즉, $P(C \cap D) = \dfrac{9}{19}$이다. 따라서, $P(D|C) = \dfrac{P(C \cap D)}{P(C)} = \dfrac{9/19}{12/19} = \dfrac{9}{12} = 0.75$이다. 경제의 상태는 1 또는 0으로 표현되기 때문에 이번 분기에 불황일 경우는 D^c로 표현할 수 있다. 따라서 $P(D^c|C) = 1 - P(D|C)$이므로 0.25이다.

※ [문제 2-3]: [마], [바], [사], [아], [자]를 참고하여 다음 물음에 답하시오. [25점]

현재 시점에서 x년 이후의 K국 물가상승률(%)을 나타내는 함수 $f(x)$를 다음과 같이 정의하자.

$$y = f(x) = \int_0^x \{3at^2 - h(x)\}dt$$

(단, a는 상수이고 함수 $h(t)$는 일차함수이다. $x \geq 0$)

(1) 함수 $h(t) = 9t - 6$이고 지난 50년간 K국의 평균 물가상승률이 4.5%라고 할 때, K국의 물가상승률은 몇 년 이후에 4.5%에 도달하는지 구하시오. (단, $a = 1$) [5점]

(2) K국 중앙은행의 물가 목표치를 크게 밑도는 저물가가 경기 회복의 복병으로 떠올랐다. 따라서 K국 정부는 공격적인 경기 부양 정책을 시행하려 한다. 이를 감안한 함수가 $h(t) = -6(m + m^2)t + 6m^3$이라고 하자. m은 경기 부양 정책의 강도를 나타낸다. 정책 시행 후, 물가상승률이 양수인 시기가 존재하게 하는 m의 조건을 구하시오. (단, $a = -2, m \geq 1$) [10점]

(3) 현재 시점에서 x년 이후 인접국 J국의 물가상승률(%)은 함수 $g(x) = \dfrac{3}{2}x$이다. K국과 J국의 물가상승률은 1년이 지난 시점($x = 1$)과 2년이 지난 시점($x = 2$)에 동일해진다. 한편 주요 수출국 A국은 원자재 가격상승 등 국제 정세의 변화로 높은 물가상승률이 예상되어 물가 상승을 억제하기 위한 n개의 정책을 도입하려고 한다. A국의 x년 이후의 물

가상승률(%)은 함수 $g_A(x) = \left(3 - \dfrac{n}{4}\right)x$이다. A국 중앙은행은 자국의 물가상승률을 K국의 물가상승률보다 항상 낮거나 같게 유지하려고 한다. 이를 위해 필요한 정책 개수 n의 최솟값을 구하시오. (단, $a = 1$) [10점]

---

(1) 함수 $h(t) = 9t - 6$이고 $a = 1$이므로, 함수 $f(x)$는 다음과 같은 3차 다항식이다.

$$f(x) = \int_0^x 3at^2 - h(t)dt = \int_0^x 3t^2 - 9t + 6dt = \left[t^3 - \frac{9}{2}t^2 + 6t\right]_0^x = x^3 - \frac{9}{2}x^2 + 6x$$

함수 $f(x)$의 미분 $f'(x) = 3x^2 - 9x + 6 = 3(x^2 - 3x + 2) = 3(x-1)(x-2)$이므로, $f'(x) = 0$ 및 밑의 표를 활용하여 함수 $f(x)$는 $x = 1$에서 극댓값 및 $x = 2$에서 극솟값을 갖는다.

x	$x = 0$	$0 < x < 1$	$x = 1$	$1 < x < 2$	$x = 2$	$2 < x$
$f'(x)$	+	+	0	−	0	+
$f(x)$	0	증가	2.5	감소	2.0	증가

$$f(1) = 1^3 - \frac{9}{2} \times 1^2 + 6 \times 1 = 7 - \frac{9}{2} = \frac{5}{2} = 2.5$$

$$f(2) = 2^3 - \frac{9}{2} \times 2^2 + 6 \times 2 = 8 - 18 + 12 = 2$$

평균 물가상승률 4.5%에 도달하는 시점을 찾기 위해 밑의 3차 방정식을 푼다.

$$f(x) = x^3 - \frac{9}{2}x^2 + 6x = 4.5 = \frac{9}{2}$$

$$2x^3 - 9x^2 + 12x - 9 = 0$$

$$(x-3)(2x^2 - 3x + 3) = 0$$

$$\therefore \ x = 3$$

위 그림 함수 $f(x)$의 개형에서 보는 것처럼 1년 후 2.5%, 2년 후 2.0%로서 평균 물가상승률 4.5%에 못 미치지만, 3년 후 물가 상승률이 4.5%로서 평균 물가상승률 4.5%에 도달한다.

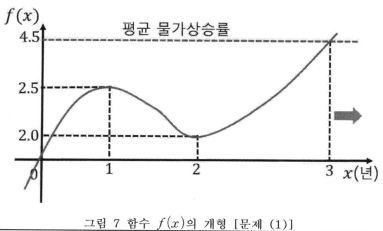

그림 7 함수 $f(x)$의 개형 [문제 (1)]

(2) 조건 $h(t) = -6(m+m^2)t + 6m^3$ 및 $a = -2$로부터, 함수 $f(x)$는

$$f(x) = \int_0^x -6t^2 - h(t)dt = (-6)\int_0^x t^2 - (m+m^2)t + m^3 dt$$

로 3차 다항식으로 주어진다.

$$f(x) = (-6)\left[\frac{1}{3}t^3 - \frac{(m+m^2)}{2}t^2 + m^3 t\right]_0^x = (-6)x\left[\frac{1}{3}x^2 - \frac{(m+m^2)}{2}x + m^3\right]$$

$$= -x\left[2x^2 - 3(m+m^2)x + 6m^3\right] = -2x^3 + 3(m+m^2)x^2 - 6m^3 x$$

함수 $f(x)$의 미분 $f'(x) = -6x^2 + 6(m+m^2)x - 6m^3 = -6(x-m)(x-m^2)$이고, $m \geq 1$이므로 $m^2 \geq m$이다. $f'(x) = 0$ 및 밑의 표를 활용하여 함수 $f(x)$는 $x = m$에서 극댓값 및 $x = m^2$에서 극솟값을 갖는다.

x	$x=0$	$0 < x < m$	$x = m$	$m < x < m^2$	$x = m^2$	$m^2 < x$
$f'(x)$	$-$	$-$	0	$+$	0	$-$
$f(x)$	0	감소	$-m^3(3m-1)$	증가	$m^5(m-3)$	감소

$$f(m) = -2m^3 + 3(m+m^2)m^2 - 6m^3 m = -2m^3 + 3m^3 + 3m^4 - 6m^4 = m^3 - 3m^4 = -m^3(3m-1)$$

$$f(m^2) = -2(m^2)^3 + 3(m+m^2)(m^2)^2 - 6m^3 m^2 = m^5(-2m + 3 + 3m - 6) = m^5(m-3)$$

$m \geq 1 > \dfrac{1}{3}$이므로, 극솟값 $f(m) = -m^3(3m-1) < 0$이다. 따라서 밑의 그림에서 보는바와 같이 물가상승률이 양수인 시기가 존재하게 하는 조건, 즉 $f(m^2) = m^5(m-3) > 0$을 만족하는 m의 조건은 $m > 3$이다.

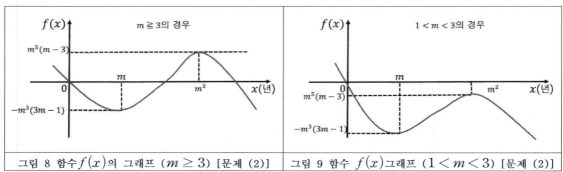

| 그림 8 함수 $f(x)$의 그래프 ($m \geq 3$) [문제 (2)] | 그림 9 함수 $f(x)$그래프 ($1 < m < 3$) [문제 (2)] |

(3) 일차함수 $h(t) = bt + c$라 하자. **(여기에서 b, c는 상수).** 조건 $a = 1$로부터, 함수 $f(x)$는

$$f(x) = \int_0^x 3t^2 - h(t)dt = \int_0^x 3t^2 - bt - c dt = \left[t^3 - \frac{b}{2}t^2 - ct\right]_0^x = x^3 - \frac{b}{2}x^2 - cx$$

로 3차 다항식으로 주어진다. K국과 J국의 물가상승률은 1년 이후 및 2년 이후 동일하므로, $f(1) = g(1)$, $f(2) = g(2)$이다.

$$f(1) = 1^3 - \frac{b}{2} \times 1^2 - c = 1 - \frac{b}{2} - c, \quad f(2) = 2^3 - \frac{b}{2} \times 2^2 - 2c = 8 - 2b - 2c,$$

$$g(1) = \frac{3}{2}, \quad g(2) = 3.$$

조건 $f(1) = 1 - \dfrac{b}{2} - c = \dfrac{3}{2} = g(1)$, $f(2) = 8 - 2b - 2c = 3 = g(2)$**로부터**

$$\begin{cases} b + 2c = -1 \\ -2b - 2c = -5 \end{cases}$$ **이다. 따라서** $b = 6$, $c = -\dfrac{7}{2}$**이고** $f(x) = x^3 - 3x^2 + \dfrac{7}{2}x$**이다. 함수** $f(x)$**는**

$f(0) = 0$**이고, 미분** $f'(x) = 3x^2 - 6x + \dfrac{7}{2} = 3(x^2 - 2x + 1 - 1) + \dfrac{7}{2} = 3(x-1)^2 + \dfrac{1}{2} > 0$**을 만**

족하므로 함수 $f(x)$**는 극솟값 극댓값을 갖 지 않고 증가한다. 함수** $f(x)$**의 개형은 아래**
그림과 같다.

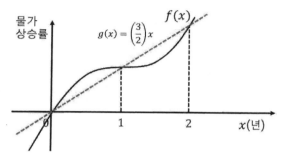

그림 10 함수 $f(x)$그래프 [문제 (3)]

   A국의 물가상승률이 K국의 물가 상승률보다 항상 낮게 유지하려면 모든 양의 실수 x**에**

대하여 $\left(3 - \dfrac{n}{4}\right)x = g_A(x) \leq f(x) = x^3 - 3x^2 + \dfrac{7}{2}x$**을 만족하여야 한다. 함수**

$$H(x) = f(x) - g_A(x) = x^3 - 3x^2 + \frac{7}{2}x - \left(3 - \frac{n}{4}\right)x$$

로 정의하면, 모든 양의 실수 x**에 대하여** $H(x) \geq 0$**을 만족하여야 한다.**

$$H(x) = x\left[x^2 - 3x + \frac{1}{2} + \frac{n}{4}\right] = x\left[\left(x - \frac{3}{2}\right)^2 - \frac{7}{4} + \frac{n}{4}\right]$$

이며 $n < 7$**인 경우** x**절편** $x = 0$**을 갖고,** $n \leq 7$**인 경우** x**절편** $x = 0$, $\dfrac{3}{2} \pm \dfrac{\sqrt{7-n}}{2}$ **을 갖는**

다. 밑의 그림에서 보는 것처럼 $n \geq 7$**일 때 모든 양의 실수** x**에 대하여** $H(x) \geq 0$**을 만족**
하고, $n = 7$**일 때 함수** $f(x)$**는** $g_A(x)$**을 접선으로 가진다.**

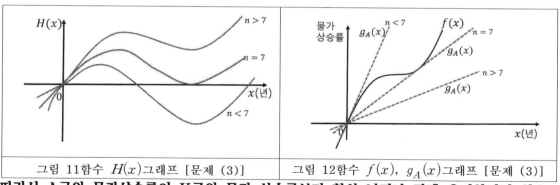

그림 11함수 $H(x)$그래프 [문제 (3)]	그림 12함수 $f(x)$, $g_A(x)$그래프 [문제 (3)]

따라서 A국의 물가상승률이 K국의 물가 상승률보다 항상 낮거나 같게 유지하려면 최소 7
개의 정책을 이용하여야 한다.

7. 2023학년도 건국대 인문사회계 I 모의 논술

[문제 1] [가]와 [나]의 핵심 개념을 활용하여 [다]의 자료를 분석하시오. (401~600자) [40점]

　　[표1]에서 인사하고 지내는 이웃이 5명 이하인 비율이 약 59%로 개인들 간의 연계가 느슨함을 알 수 있고, [표2]에서 이웃과의 관계가 지금보다 늘어나야 한다는 생각이 30%에 미치지 못함은 [가]에 언급된 개인화의 심화, 사회공동체의 해체로 인한 사회 자본의 쇠퇴 현상으로 볼 수 있다. 개인들 간의 연계에 기반한 튼튼한 사회관계망 형성이 공동체 활성화와 공공선 실현의 동력이라고 할 때 [표1], [표2]에 드러난 현상은 사회적 신뢰 형성과 공공선의 실현을 어렵게 할 수 있다. 한편 [표3], [표4]에서 국가의 경제적 수준에 비해 한국과 미국의 유리 천장 지수, 더 나은 삶의 지수 순위가 상대적으로 낮음을 알 수 있는데, 이는 공동체 내부의 다양성 증가가 불필요한 경쟁 필요성을 감소시켜 공존을 통한 발전의 원동력이 된다는 [나]의 주장에 비추어 볼 때, 낮은 유리 천장 지수로 표상되는 한국과 미국 사회의 다양성 부족이 공동체의 삶의 질 제고에 장애가 될 수 있음을 시사한다. 결국 다양한 공동체 구성원들의 가치를 인정하고 이들이 유기적으로 연계되어 풍부한 사회 자본을 형성할 때에만 공동체의 삶의 질 향상과 경제적 발전이 모두 충족될 가능성이 커짐을 알 수 있다. [599자]

[문제 2] [가]와 [나]를 참조하여 [라]에 나타난 두 공연에 대해 논하시오. (801~1000자) [60점]

　　[라]에는 같은 곡에 대한 두 공연이 나타나 있다. 하나는 고등학교 합창단의 축제 공연이고, 다른 하나는 20년 후 앵콜곡 공연이다. 고등학교 시절, 음치이자 박치인 '엇박자 D'는 다른 이들의 노래마저 엉망진창으로 만드는 바이러스와 같은 존재였다. 선생님이 그에게 공연 때 노래를 부르지 말라 했지만 축제 때 그가 노래를 불러 공연 중에 망신을 당하기도 했다. 이 축제 공연에서 엇박자 D는 음과 박자를 맞춰 부르려는 다른 합창단원들의 협력과 신뢰를 깨뜨리는 존재에 불과하다. 오직 하나의 음과 박자를 따르게 하는 획일적 합창은 그의 '틀린' 목소리를 배제해야 했던 것이다.

　　한편, 20년 후 공연에서 '엇박자 D'는 음치들의 목소리만으로 믹싱한 노래를 발표하였다. 음과 박자가 일치하지 않지만 절묘하게 어우러지는 음치들의 노래에 관객들은 환호했다. 이 공연에서는 22명이나 되는 음치의 목소리가 겹치는 데도 소리가 겹치지 않고 노래도 망쳐지지 않았다. 이런 노래의 구성 자체가 다양한 종의 핀치새가 갈라파고스 섬에서 번식하며 공존하고 있는 모습과 닮았다. 무엇보다 이 공연이 성공적일 수 있었던 이유는 획일적인 선율과 박자를 강요하지 않았기 때문이다. 천차만별인 음치들의 노래를 위해 서로 다른 공간을 마련해주니 이들의 목소리가 화음처럼 울릴 수 있었던 것이다. 이는 다양성을 인정하는 환경에서 오히려 서로 다른 개인들이 호혜적으로 협력하여 신뢰를 증대시킬 수 있음을 잘 보여준다.

　　서로 다른 먹이를 먹고 다른 서식지에서 사는 핀치새와는 달리 인간은 공동체에 참여하고 다른 사람들과 협력해야 한다. 이를 위해서 서로 다른 개성과 능력을 지닌 사람들이 연대하고 신뢰할 수 있게 하는 사회 자본을 증대시킬 필요가 있다. 사회 자본은 획일적인 기준으로 다른 것을 틀리다고 배척한다고 해서 증대되는 것은 아니다. 서로 다른 노래들을 화음처럼 만들어내는 음치들의 합창은 다름을 인정하며 공존의 지혜를 발휘할 때 사회적 자본이 증대할 수 있음을 보여주는 좋은 실례가 된다. [995자]

8. 2023학년도 건국대 인문사회계II 모의 논술

[문제 1] [가]와 [나]의 핵심 개념을 활용하여 [다]의 자료를 분석하시오. (401~600자) [40점]

> [표1]에서 인사하고 지내는 이웃이 5명 이하인 비율이 약 59%로 개인들 간의 연계가 느슨함을 알 수 있고, [표2]에서 이웃과의 관계가 지금보다 늘어나야 한다는 생각이 30%에 미치지 못함은 [가]에 언급된 개인화의 심화, 사회공동체의 해체로 인한 사회 자본의 쇠퇴 현상으로 볼 수 있다. 개인들 간의 연계에 기반한 튼튼한 사회관계망 형성이 공동체 활성화와 공공선 실현의 동력이라고 할 때 [표1], [표2]에 드러난 현상은 사회적 신뢰 형성과 공공선의 실현을 어렵게 할 수 있다. 한편 [표3], [표4]에서 국가의 경제적 수준에 비해 한국과 미국의 유리 천장 지수, 더 나은 삶의 지수 순위가 상대적으로 낮음을 알 수 있는데, 이는 공동체 내부의 다양성 증가가 불필요한 경쟁 필요성을 감소시켜 공존을 통한 발전의 원동력이 된다는 [나]의 주장에 비추어 볼 때, 낮은 유리 천장 지수로 표상되는 한국과 미국 사회의 다양성 부족이 공동체의 삶의 질 제고에 장애가 될 수 있음을 시사한다. 결국 다양한 공동체 구성원들의 가치를 인정하고 이들이 유기적으로 연계되어 풍부한 사회 자본을 형성할 때에만 공동체의 삶의 질 향상과 경제적 발전이 모두 충족될 가능성이 커짐을 알 수 있다. [599자]

[문제 2-1] [라]를 참고하여 다음 물음에 답하시오. [15점]

40세 미만 직원 비율이 40%, 40세 이상 직원 비율이 60%인 회사가 있다. 이 회사에서 직원들을 대상으로 안정과 성장 중 무엇이 더 중요한 가치인지 설문조사를 실시하였다. 직원들은 반드시 둘 중 하나만 선택해야 한다. 40세 미만 직원들 중 20%는 안정을 더 중요시하고, 나머지 80%는 성장을 더 중요시하는 것으로 나타났다. 40세 이상 직원들 중 70%는 안정을 더 중요시하고, 나머지 30%는 성장을 더 중요시하는 것으로 나타났다. 이 회사 직원 중 한 명에게 물어보니 그는 안정과 성장 중 안정을 더 중요시한다고 한다. 이 직원이 40세 미만일 확률은 얼마인가?

> 전체 직원들의 집합을 U, 40세 미만 직원들의 집합을 Y, 안정을 더 중요시하는 직원들의 집합을 A라고 하자. 이 경우 40세 이상 직원들의 집합은 Y^c, 성장을 더 중요시하는 직원들의 집합은 A^c이며, $Y \cup Y^c = U$ 그리고 $A \cup A^c = U$이다. 문제의 조건에 따르면 $P(Y) = 0.4$, $P(Y^c) = 0.6$이다. 또한 40세 미만 직원들이 안정 또는 성장을 더 중요시할 조건부확률은 $P(A|Y) = 0.2$, $P(A^c|Y) = 0.8$이다. 그리고 40세 이상 직원들이 안정 또는 성장을 더 중요시할 조건부확률은 $P(A|Y^c) = 0.7$, $P(A^c|Y^c) = 0.3$. 문제에서는 이러한 정보를 바탕으로 $P(Y|A)$를 구할 것을 요구한다.

조건부확률 공식에 따라 $P(Y|A) = \dfrac{P(Y \cap A)}{P(A)}$ 이다. 여기서 분자와 분모를 따로 계산해보자. 분자는

$$P(Y \cap A) = P(A|Y)P(Y) = 0.2 \times 0.4 = 0.08$$

이다. 분모의 경우

$$A = (A \cap Y) \cup (A \cap Y^C)$$

이며, $(A \cap Y) \cap (A \cap Y^C) = \varnothing$ 이므로

$$P(A) = P[(A \cap Y) \cup (A \cap Y^C)] = P(A \cap Y) + P(A \cap Y^C)$$

이다. 여기서 $P(A \cap Y)$는 위에서 구한 대로 0.08이며

$$P(A \cap Y^C) = P(A|Y^C)P(Y^C) = 0.7 \times 0.6 = 0.42$$

이다. 따라서

$$P(Y|A) = \frac{P(Y \cap A)}{P(A)} = \frac{0.08}{0.08 + 0.42} = 0.16$$

이다.

[문제 2-2] [마]와 [바]를 참고하여 다음 물음에 답하시오. [20점]

두 사람 A와 B가 있다고 하자. 두 사람은 놀이공원에 함께 놀러가며 등산도 함께 다닌다. 두 사람의 월 평균 놀이공원 방문 횟수를 x, 월 평균 등산 횟수를 y라고 하자. A는 놀이공원을 싫어하며 등산을 좋아한다. 또한 놀이공원의 미세먼지 농도가 더 높을수록 놀이공원을 더 싫어한다. 반면 B는 놀이공원을 좋아하고 등산을 싫어한다. 놀이공원의 미세먼지 농도를 p라고 하자. 구체적으로 A와 B의 효용은 다음과 같다.

A의 효용: $\alpha - \left(\sqrt{4p^2 + 3p} - 2p\right)x + y$

B의 효용: $\beta + \dfrac{1}{4}x - y$

(두 사람의 효용을 나타내는 식에서 α와 β는 양의 상수이다.)

(1) 놀이공원의 미세먼지 농도가 한없이 높아질 때 (즉, $p \to \infty$), A의 효용을 α, x, y의 식으로 나타내시오. [5점]

(2) (1)의 경우와 같이 놀이공원의 미세먼지 농도가 한없이 높아질 때, 두 사람이 모두 0이상의 효용을 누리면서 놀이공원에 월 평균 0.5회 이상 가게 되는 x와 y의 조합이 존재할 조건을 α와 β의 식으로 제시하시오. [15점]

(1) $\sqrt{4p^2 + 3p} - 2p = \dfrac{\left(\sqrt{4p^2 + 3p} - 2p\right)\left(\sqrt{4p^2 + 3p} + 2p\right)}{\sqrt{4p^2 + 3p} + 2p} = \dfrac{3p}{\sqrt{4p^2 + 3p} + 2p} = \dfrac{3}{\sqrt{4 + \dfrac{3}{p}} + 2}$

이므로 p가 한없이 커질 때 $\sqrt{4p^2 + 3p} - 2p$의 극한값은 $\dfrac{3}{4}$이다. 따라서 이 경우 A의 효용은 $\alpha - \dfrac{3}{4}x + y$이 된다.

[문제 2-3] [사], [아], [자]를 참고하여 다음 물음에 답하시오. [25점]

현재 K국의 생산 가능 인구는 정점에 이르러 있고, 출산율 저하, 고령인구 증가 등으로 향후 K국의 생산 가능 인구는 지속적으로 감소될 것이라 예측되고 있다. 이에 정부는 정년 연장, 여성 경제 참여 독려, 이민 조건 완화 등 노동력 확보 정책을 추진하기로 하였다. 다음 이차함수 $Q(x)$는 정부의 노동력 확보 정책을 적용했을 때, x년 이후 K국의 생산 가능 인구를 나타낸다. (단위: 만 명)

$$Q(x) = \left(\frac{1}{3}a^3 - \frac{3}{2}a^2 + 2a - 1 \right)x^2 + 4000$$

(a는 노동력 확보 정책 강도를 나타내는 상수이다. ($0 \leq a \leq 2$))

또한, x년 이후 K국의 예상되는 고령인구는 다음의 함수로 나타낸다.

$$P(x) = 20x + 700$$

다음 각 질문에 답하고, 그 근거를 제시하시오.

(1) 노동력 확보 정책이 부재하였을 때, 몇 년 이후 고령 인구는 생산 가능 인구를 추월하게 되는가? [5점] ($5.8 < \sqrt{34} < 5.9$임을 이용하여 답을 구할 것)

(2) 노동력 확보 정책이 부재하였을 때, x년 이후 K국의 생산 가능 인구를 $Q_0(x)$라고 하자. 그림에서와 같이 함수 $Q(x)$와 $Q_0(x)$사이의 면적 S는 현재부터 x년까지 증가한 누적 생산인구 $G(x)$를 나타낸다. 현재부터 향후 50년까지 노동력 확보 정책으로 늘어난 생산 가능 인구가 최대가 되는 a값 및 이때 최댓값을 구하시오. [20점]

(1) 노동력 확보 정책이 부재하였을 때는 $a = 0$**일 때이다. 이때,** $Q(x) = -x^2 + 4000$**이다. 함수** $Q(x)$**와 함수** $P(x)$**가 만나는 교점을 찾기 위해 우리는** $-x^2 + 4000 = 20x + 700$**로부터 이차방정식** $x^2 + 20x - 3300 = 0$**을 얻는다.**

방정식의 해는 $x = \dfrac{-10 \pm \sqrt{10^2 - 1 \cdot (-3300)}}{1} = -10 \pm \sqrt{3400} = -10 \pm 10\sqrt{34}$ 이다.

따라서 고령인구가 생산 가능 인구와 같아지는 시점은 $x = -10 + 10\sqrt{34}$ 이다. 주어진 조건에서 $5.8 < \sqrt{34} < 5.9$이므로 $48 < 10\sqrt{34} - 10 < 49$이다. 따라서 고령인구가 생산 가능 인구를 추월하는 시점은 49년 이후이다.

(2) 노동력 확보 정책이 부재하였을 때는 $a = 0$일 때이다. 따라서 $Q_0(x) = -x^2 + 4000$이다. 함수 $Q(x)$와 함수 $Q_0(x)$사이의 면적은 $G(x) = \displaystyle\int_0^x \left[Q(x) - Q_0(x) \right] dx$이다. 따라서 현재부터 향후 50년까지 노동력 확보 정책으로 늘어난 생산 가능 인구는

$$G(a) = \int_0^{50} \left[Q(x) - Q_0(x) \right] dx = \int_0^{50} \left[\left(\frac{1}{3}a^3 - \frac{3}{2}a^2 + 2a - 1 \right) x^2 + 4000 - \left(-x^2 + 4000 \right) \right] dx$$

$$= \int_0^{50} \left[\left(\frac{1}{3}a^3 - \frac{3}{2}a^2 + 2a \right) x^2 \right] dx = \left(\frac{1}{3}a^3 - \frac{3}{2}a^2 + 2a \right) \left[\frac{1}{3}x^3 \right]_0^{50} = \frac{1}{3} \times 50^3 \cdot \left(\frac{1}{3}a^3 - \frac{3}{2}a^2 + 2a \right)$$

이다. 이때, 구간 $0 \le a \le 2$에서 함수 $G(a)$의 최댓값을 구하기 위하여 미분을 구하면

$$G'(a) = \frac{1}{3} \times 50^3 \cdot \left(a^2 - 3a + 2 \right) = \frac{1}{3} \times 50^3 \cdot (a-1)(a-2)$$

이므로 함수 $G(a)$는 $a = 1, 2$에서 극값을 갖는다. 아래의 표에서 볼 수 있는 것처럼 함수 $G(a)$는 $a = 1$에서 극댓값을, $a = 2$에서 극솟값을 갖는다.

$$G(1) = \frac{1}{3} \times 50^3 \cdot \left(\frac{1}{3} \times 1^3 - \frac{3}{2} \times 1^2 + 2 \cdot 1 \right) = \frac{1}{3} \times 50^3 \cdot \left(\frac{2}{6} - \frac{9}{6} + \frac{12}{6} \right) = \frac{1}{3} \times 50^3 \cdot \left(\frac{5}{6} \right)$$

$$= \frac{5}{18} \times 50^3 = \frac{625000}{18} = \frac{312500}{9}$$

이고,

$$G(2) = \frac{1}{3} \times 50^3 \cdot \left(\frac{1}{3} \times 2^3 - \frac{3}{2} \times 2^2 + 2 \cdot 2 \right) = \frac{1}{3} \times 50^3 \cdot \left(\frac{8}{3} - \frac{18}{3} + \frac{12}{3} \right)$$

$$= \frac{1}{3} \times 50^3 \cdot \left(\frac{2}{3} \right) = \frac{2}{9} \times 50^3 = \frac{250000}{9}$$

a	0	...	1	...	2	...
$G'(a)$		+	0	−	0	+
$G(a)$	0	증가	$\dfrac{312500}{9}$	감소	$\dfrac{250000}{9}$	증가

이 함수 $G(a)$는 구간 $0 \le a \le 2$에서 $a = 1$에서 최댓값을 갖는다. 따라서 향후 50년 이후 추가로 확보할 수 있는 최대 생산 가능 인구는 노동강도 상수가 1일 때 ($a = 1$일 때), $\dfrac{312500}{9}$만 명이다.

9. 2022학년도 건국대 인문사회계Ⅰ 수시 논술

※ [문제 1]: [가]와 [나]의 핵심 개념을 활용하여 [다]의 자료를 분석하시오.(401-600자) [40점]

[표1]에서는 근로자의 임금 비중이 터무니없이 낮은 바나나 가격의 불공정한 구조가 잘 드러난다. [표2]는 이와 같은 불공정함을 개선하는 데 기여할 수 있는 공정무역 제품을 구매해 본 사람들의 비율이 그다지 높지 않음을 보여준다. [표3]에서 가격이 비싸거나 제품이 다양하지 않아서 공정무역 제품을 구매하지 않는다는 응답과, [표4]에서 가격이 인하되면 공정무역제품의 소비가 활성화될 것으로 본다는 응답이 약 40%에 이르는 것은, 물질적 동기에 의해 이기적으로 행동하는 호모 에코노미쿠스의 특성을 반영한다고 볼 수 있다. 그러나 [표2]에서 공정무역제품을 구매해 본 경험이 있는 사람이 40% 정도 된다는 것과, [표3]에서 판매처를 모르거나(약 73%) 제품의 존재 자체를 몰라서(약 38%) 공정무역 제품을 구매하지 못한 경우가 많다는 점, 그리고 [표4]에서 공정무역의 취지가 잘 홍보되고 판매채널 등이 확대되면 공정무역 제품의 소비가 활성화될 것으로 보는 인식이 절반가량 되는 것을 볼 때, 인간이 단순히 호모 에코노미쿠스에 머물지 않고 선한 본성으로 도덕적 마음을 발휘할 줄 아는, 즉 큰 몸으로 작은 몸을 다스릴 줄 아는 존재임을 확인할 수 있다. (590자)

※ [문제 2]: [가], [나]와 관련지어 [라]의 인물들에 대해 논평하시오.(801-1000자) [60점]

[라]에는 남편과 아내, 그리고 이 부부로부터 욕실 공사를 부탁받은 임 씨가 등장한다. 공사비를 주고받는 관계에 놓인 이들은 이기적이고 이해타산적인 경제 주체이다. 그러나 이들을 호모 에코노미쿠스라고만 여길 수 없다. 이들 마음에는 도덕적 본성이 깃들어 있기 때문이다.

임 씨는 생계를 위해 일을 하지만 그가 생업에 임하는 태도는 남다르다. 그는 옥상 공사까지 성실히 행하고 노임을 부풀리려 하지 않는다. 오히려 원래 견적서에 적힌 금액을 스스로 깎고 옥상 공사는 '서비스'로 제공하기까지 한다. 게다가 그는 자기를 낮춰 부부를 예의바르고 겸손하게 대한다. 임 씨는 자신의 이익만을 추구하는 존재가 아니라 큰 마음을 따라 타인을 위해 자신의 손해를 감수할 수 있는 도덕적 존재라고 할 수 있다.

임 씨에 비해 남편과 아내는 변화하는 인물에 해당한다. 부부는 임 씨의 본업이 연탄 배달이라는 사실에 의혹을 가졌다가 그가 늦게까지 성실히 일하는 모습을 보고 미안한 마음을 품게 된다. 그러다 임 씨가 견적서를 고칠 때 이들의 호모 에코노미쿠스적인 긴장은 다시 팽팽해진다. 물질적 욕구를 초월한 임 씨의 견적서와 '서비스'를 접하자 이들 부부는 상대를 '작은 몸'으로만 알았던 마음을 부끄럽게 여기게 되었다. 이로 인해 이들에게는 도덕적 각성, 즉 임 씨의 큰 몸으로 인해 자신들 안에 있던 큰 몸이 느껴 움직이는 감동이 일었다. 그래서 남편은 임 씨와 누가 돈을 내든 좋은 술자리를 가지게 된 것이다.

이렇게 이 작품은 우리의 소소한 일상에도 큰 몸과 작은 몸의 갈등이 있으며, 어떤 이의 큰 몸에 감화되어 다른 이의 내면에서도 큰 몸이 불러일으켜지는 '기적'이 일어남을 보여준다. 나를 포함한 모든 이들이 호모 에코노미쿠스일 뿐이라고 생각하기보다는 인간의 도덕적 본성과 선한 마음을 믿는 것이야말로 우리 사회를 이타적, 도덕적으로 변화시키는 첫걸음이 될 것이다. (935자)

10. 2022학년도 건국대 인문사회계II 수시 논술

※ [문제 1]: [가]와 [나]의 핵심 개념을 활용하여 [다]의 자료를 분석하시오.(401-600자) [40점]

[표1]에서는 근로자의 임금 비중이 터무니없이 낮은 바나나 가격의 불공정한 구조가 잘 드러난다. [표2]는 이와 같은 불공정함을 개선하는 데 기여할 수 있는 공정무역 제품을 구매해 본 사람들의 비율이 그다지 높지 않음을 보여준다. [표3]에서 가격이 비싸거나 제품이 다양하지 않아서 공정무역 제품을 구매하지 않는다는 응답과, [표4]에서 가격이 인하되면 공정무역제품의 소비가 활성화될 것으로 본다는 응답이 약 40%에 이르는 것은, 물질적 동기에 의해 이기적으로 행동하는 호모 에코노미쿠스의 특성을 반영한다고 볼 수 있다. 그러나 [표2]에서 공정무역제품을 구매해 본 경험이 있는 사람이 40% 정도 된다는 것과, [표3]에서 판매처를 모르거나(약 73%) 제품의 존재 자체를 몰라서(약 38%) 공정무역 제품을 구매하지 못한 경우가 많다는 점, 그리고 [표4]에서 공정무역의 취지가 잘 홍보되고 판매채널 등이 확대되면 공정무역 제품의 소비가 활성화될 것으로 보는 인식이 절반가량 되는 것을 볼 때, 인간이 단순히 호모 에코노미쿠스에 머물지 않고 선한 본성으로 도덕적 마음을 발휘할 줄 아는, 즉 큰 몸으로 작은 몸을 다스릴 줄 아는 존재임을 확인할 수 있다. (590자)

※ [문제 2-1]: [라]를 참고하여 다음 물음에 답하시오. [15점]

다음 삼차함수는 어느 한 기업이 제품을 생산할 때의 총생산비용을 나타낸다.

$$C(Q) = aQ^3 + bQ^2 + cQ + d$$

위 식에서 Q는 생산량, a, b, c, d는 상수($a \neq 0$)이다. 즉, 이 기업이 $Q*$만큼 생산할 때 소요되는 총생산비용은 $C(Q*)$이다. 다음 각 질문에 답하고, 그 근거를 제시하시오.

(1) 위에 제시된 함수를 바탕으로 $C'(Q*)$를 구하시오. [5점]

(2) 이 기업은 그동안의 생산 경험을 바탕으로 상수 $a = 1$이고, $Q = 4$에서 극댓값을 갖고, $Q = 8$에서 극솟값을 가지며, $Q = 5$일 때 총생산비용 $C(Q)$는 160이 된다고 알고 있다. 이 정보를 이용하여 위에 제시된 삼차함수의 형태를 갖는 총생산비용 함수 $C(Q)$를 구하시오. [5점]

(3) 이 기업은 구체적인 조사와 분석을 통해 자신의 총생산비용과 관련해 아래와 같은 특징이 있음을 파악하게 되었다.
① 생산비용은 항상 0보다 크다. 생산량이 없더라도 시설이나 장비 유지로 인한 고정적인 비용이 발생한다.
② 생산량이 증가하면 총생산비용은 항상 증가한다.
③ 생산량이 일정 규모에 이르면 총생산비용은 천천히 증가하다가 이후 다시 빠른 속도로 상승한다.
④ 상수 b는 0보다 작은 값을 갖는다.

이때 a, c, d가 어떤 부호를 갖는지, 즉 양의 값을 갖는지 혹은 음의 값을 갖는지 구하고, 그와 같이 판단한 근거를 구체적으로 제시하시오. [5점]

(1) 생산량을 한 단위 늘릴 때마다($\triangle Q$) 추가적으로 소요되는 비용, 즉 총생산비용의 증가($\triangle C$)는 총생산비용 함수의 도함수 $C'(Q) = 3aQ^2 + 2bQ + c$로 나타낼 수 있다.

(2) 문제에서 $a = 1$은 주어졌으므로 이 삼차함수는 $C(Q) = Q^3 + bQ^2 + cQ + d$로 나타낼 수 있다. 이 삼차함수의 도함수를 구하면 $C'(Q) = 3Q^2 + 2bQ + c$와 같고, 제시문에서 $Q = 4$에서 극대값을, $Q = 8$에서 극소값을 갖는다고 하였으므로 다음 두 식이 성립한다.

$C'(4) = 0$으로부터 $48 + 8b + c = 0$

$C'(8) = 0$으로부터 $192 + 16b + c = 0$

두 식을 연립하여 풀면 $144 = -8b$가 도출되므로 여기서 $b = -18$이 된다. 그리고 $b = -18$을 앞서 제시한 두 식 중 어느 것에 대입하더라도 $c = 96$를 도출할 수 있다.

그리고 문제에서 $Q = 5$일 때 총생산비용 $C(Q)$는 160이라고 하였으므로 앞서 구한 $b = -18$과 $c = 96$를 대입하여 구한

$$C(5) = 5^3 - (18 \times 5^2) + (96 \times 5) + d = 125 - 450 + 480 + d = 160$$

이 성립하여야 하며, 따라서 $d = 5$가 된다.

즉, 제시된 조건을 충족하는 총생산함수는

$$C(Q) = Q^3 - 18Q^2 + 96Q + 5$$

가 된다.

(3) 문제에서 총생산비용은 생산량이 없더라도 0보다 크다고 하였으므로 $d > 0$이 성립한다. 그리고 생산량이 증가하면 생산비용은 항상 증가한다고 하였으므로 $a > 0$이어야 한다. 이 총생산함수의 도함수는

$$C'(Q) = 3aQ^2 + 2bQ + c$$

와 같이 구할 수 있는데, 이 $C'(Q)$는 이차함수이므로 제시된 세 번째 특징을 충족하기 위해서는 x축에 접하거나 교차하지 않는 U자형의 포물선 형태를 가져야 한다.

이것은 $3aQ^2 + 2bQ + c = 0$의 판별식 D의 부호는 $D < 0$이어야 하므로

$$D = (2b)^2 - 4(3a \times 2b) = 4(b^2 - 3ac) < 0$$

이어야 한다. 앞서 $a > 0$이고 $b < 0$로 주어졌으므로 $c > 0$이어야 한다. 결과적으로 $a > 0$, $c > 0$, $d > 0$이다.

(단, $a > 0$임을 구한 후의 풀이는 아래와 같이 전개될 수도 있다. 즉, 이 총생산함수의 도함수는 $C'(Q) = 3aQ^2 + 2bQ + c$와 같이 구할 수 있는데, 이 $C'(Q)$는 이차함수이므로 제시된 세 번째 특징을 충족하기 위해서는 x축에 접하지 않는 U자형의 포물선 형태를 가져야 한다. 따라서 극소값 Q^*에서 미분계수인 $6aQ^* + 2b = 0$이 성립하여야 하며,

이때 $C'(Q^*) = 3aQ^{*2} + 2bQ^* + c > 0$도 성립하여야 한다.

이제 $6aQ^* + 2b = 0$로부터 $Q^* = -\dfrac{b}{3a}$를 구하여 $C'(Q)$에 대입하면 $\dfrac{3ac - b^2}{3a} > 0$이 도출되는데, $a > 0$ 그리고 $b < 0$이므로 여기서 $3ac > b^2$라는 조건이 충족되기 위해 $c > 0$이어야 한다. 결과적으로 $a > 0$, $c > 0$, $d > 0$이다.)

※ [문제 2-2]: [마]를 참고하여 다음 질문에 답하시오. [20점]

코로나 백신 접종률이 상승하자 정부는 단계적 일상회복 정책의 일환으로 음식점 영업시간 제한을 완화하였다. 이 조치가 시행된 후 일주일이 지나자 A지역에서 음주운전이 뚜렷하게 증가하였다. 경찰에 따르면 A지역에서는 야간 운전자 중 청년층과 장년층 각각 5%가 음주운전을 한다고 한다. 이 지역의 운전자 가운데 10%가 청년층이고, 나머지 90%가 장년층이다. 다만 야간에는 청년들이 더 활발하게 활동하므로 운전자들 중 20%가 청년층이다. 이때 일반 차량은 비틀거리지 않지만, 음주운전자가 운행하는 차량 중 30%는 육안으로 식별이 될 만큼 비틀거린다. 음주운전 단속은 야간에만 행해지고, 이 지역의 경찰들이 하룻밤에 관찰할 수 있는 차량은 20,000대이다.

(1) 경찰은 음주운전 문제를 해결하기 위해서 비틀거리는 차량들의 운전자들을 모두 적발하고, 비틀거리지 않는 차량들에 대해서는 청년들이 운행하는 차량들만 세워서 정확도가 100%인 측정기로 음주운전자를 적발하기로 했다. 이 같은 방식으로 하룻밤 동안 적발되는 운전자들 중 청년들은 몇 퍼센트인지 구하시오. [10점]

(2) 경찰은 정확도가 100%인 줄 알았던 음주측정기가 알고 보니 측정 오류가 있다는 사실을 발견하였다. 음주를 하지 않은 운전자가 음주로 판명되는 경우는 없었지만 모든 음주운전자가 음주로 판명되지는 않았고 80%만이 음주로 판명되었다. 경찰은 측정의 정확도를 높이기 위해서 모든 음주측정기를 측정 오류가 없는 신형 기기로 교체하기를 원했지만, 예산의 부족으로 40%만 신형으로 교체할 수 있었다. 위와 동일한 방법으로 단속을 한다고 할 때, 차량이 비틀거리지 않았음에도 불구하고 음주 측정을 받은 청년들 중에서 임의의 한 명이 음주운전으로 판명될 확률을 구하시오. [10점]

(1) 제시문을 표로 옮기면 다음과 같다.

	야간 음주 비율	야간 비음주 비율	야간 주행 비율
청년층	5%	95%	20%
장년층	5%	95%	80%

	야간 음주 비틀거리는 비율	야간 음주 비틀거리지 않는 비율
청년층	20% × 5% × 30%	20% × 5% × 70%
장년층	80% × 5% × 30%	80% × 5% × 70%

단속으로 하룻밤 동안 적발되는 운전자일 사건을 A, 음주 운전한 청년들일 사건을 B라고 하자. 야간 운 행하는 청년 운전자들은 모두 단속 대상이므로 정확도가 100%인 측정기로 모두 적발이 된다. 그리고 비틀거리는 장년층 운전 차량도 모두 단속 대상이 되므로 단속으로 하룻밤 동안 적발되는 운전자들 중 청년의 비율은

$$P(B|A) = \frac{0.2 \times 0.05}{0.2 \times 0.05 + 0.8 \times 0.05 \times 0.3} = \frac{100}{100 + 120} = \frac{5}{11}$$

이다. 따라서 구하는 값은 $\frac{500}{11}\% \fallingdotseq 45.5\%$이다.

(2) 음주테스트를 받은 청년은 총 3940명이고, 비틀거리는 청년 음주운전자 60명을 제외하면 3940명 가운데, 총 140명의 청년운전자가 음주를 한 상태이다. 음주를 한 청년들 중에 60%인 84명이 구형기기로 음주 측정을 받는데, 이 중에 $84 \times 0.8 = 67.2$명이 적발된다. 140명 중에 40%인 56명은 신형기기로 음주테스트를 받는데, 이들은 모두 적발되게 된다. 따라서, 음주운전으로 판명되는 청년 수의 기댓값은 123.2명이다.

음주테스트를 받는 청년들 가운데, 음주운전으로 판명되는 청년의 수는 123.2명이고, 이를 음주테스트를 한 3940명으로 나누면 $\left(\frac{67.2 + 56}{3940} \right) \approx 0.0313$이다. 따라서 무작위로 선정된 한명의 청년운전자가 음주운전 으로 판명될 확률은 0.031이다.

※ [문제 2-3]: [바], [사], [아]를 참고하여 다음 물음에 답하시오. [25점]

K국은 주기적으로 경기변동의 4국면(수축기→회복기→확장기→후퇴기)을 경험한다고 한다. 현재 시점에서 x년 이후의 경기변동을 나타내는 함수 $f(x)$를 다음과 같이 정의하자.

$$y = f(x) = \int_0^x g(t)dt, \ (0 \le x \le 13)$$

$$g(x) = (-m^2 + 2m - 6)(x^2 - (a+b)x + ab)$$

(단, m, a, b는 상수이고 $m \ge 0, \ 0 < a < b < 13$)

(1) 평균 경기 수준을 나타내는 함수가 $y = 0$이라고 할 때, 회복기에서 확장기로 넘어가는 때는 몇 년 후인지 구하시오. (단, $m = 0$, $a = 2$, $b = 8$이라고 가정하자. 회복기에서 확장기로 넘어가는 시점은 제시문 [사] 그림의 B처럼 평균 경기 수준을 나타내는 함수를 통과할 때의 x값을 나타낸다.) [5점]

(2) 경기가 계속 수축하고 있는 K국에서는 가능한 한 빨리 경제 위기를 극복하고 효과적으로 경기를 회복시키기 위해 n개의 경기 부양책을 동시에 실시하기로 하였다. 이 정책들은 함수 $g(x)$의 계수인 a, b를 다음과 같이 변경하는 효과가 있다고 한다.

$$a = 2 - \frac{n^2}{n^2 + 1}, \quad b = 8 + \frac{1}{n}$$

$n = 1$일 때, 경기가 가장 좋을 때는 몇 년 후인지 구하시오. 또, $n \to \infty$일 때 예측되는 함수 $f(x)$의 최댓값을 구하시오. (단, $m = 0$이라고 가정하자.) [10점]

(3) K국 정부는 경기정점이 다소 낮아지더라도 수축기의 실질 GDP가 가능하면 적게 하락하도록 하여 사회 안전망을 확보하기를 원한다. 이를 위해, 경기정점과 경기저점 간의 간격이 가능하면 작게 되도록 정책을 펼치려 한다. 함수 $H(m)$은 다음과 같이 함수 $f(x)$의 최고점과 최저점 간의 차이를 나타낸다.

$$H(m) = (f(x)의\ 최댓값) - (f(x)의\ 최솟값)$$

함수 $H(m)$의 최솟값과 이때 m의 값을 구하시오. (단, $a = 2, b = 8$로 가정하자.) [10점]

(1) 주어진 조건 $m=0$, $a=2$, $b=8$으로부터, $g(x)=-6\left(x^2-10x+16\right)$이고, 그래프는 그림과 같다. 이때, 정적분을 이용하여 계산하면,

$$f(x)=\int_0^x g(t)dt=\int_0^x -6\left(t^2-10t+16\right)dt=\left[-2t^3+30t^2-48\cdot 2t\right]_0^x=-2x^3+30x^2-48\cdot 2$$
$$=-2x^3+30x^2-48\cdot 2x=-2x\left(x^2-15x+48\right)$$

이다. 이 함수는 $f(0)=0$이고, $f'(x)=g(x)=0$을 만족하는 $x=2$, 8에서 극댓값 혹은 극솟값을 갖는다. $x=2$에서 함수 $g(x)$가 음수에서 양수로 바뀌므로, $x=2$에서 $f(x)$는 극솟값을 갖는다. 또한, $x=8$에서 함수 $g(x)$가 양수에서 음수로 바뀌므로, $x=8$에서 $f(x)$는 극댓값을 갖는다. 이때, 평균 경기수준을 나타내는 함수가 $y=0$이므로, 경기가 회복기에서 확장기로 넘어가는 때는 $f(x)=0$을 만족하는 x값 중의 하나이다. 이를 만족하는 값은

$$x=0,\quad \frac{15\pm\sqrt{15^2-4\cdot 48}}{2}=0,\quad \frac{15\pm\sqrt{33}}{2}$$

이다. (함수 $f(x)$의 그래프의 개형 은 그림과 같다

$$\left(a=2,\ c=\frac{15-\sqrt{33}}{2}\approx 4.6,\ b=8,\ d=\frac{15+\sqrt{33}}{2}\approx 10.4,\ 4.5<c<5,\ 10<d<10.5\right)$$

이중 $x=0$일 때. $f'(0)=g(0)<0$이므로. 수축기이다.

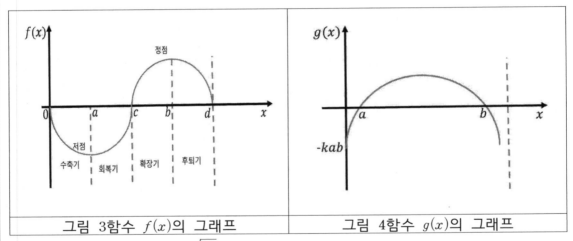

그림 3함수 $f(x)$의 그래프	그림 4함수 $g(x)$의 그래프

그림 1에서 보듯이, $x=\dfrac{15-\sqrt{33}}{2}$의 값에서 경기는 회복기에서 확장기로 넘어간다.

(2) 주어진 조건 $m=0$으로부터, $g(x)=-6\left(x^2-(a+b)x+ab\right)$이다.

(i) $n=1$일때, $a=3/2$, $b=9$이고, $g(x)=-6\left(x^2-\dfrac{21}{2}x+\dfrac{27}{2}\right)$이다. 이때,

$$f(x)=\int_0^x g(t)dt=-6x\left(\frac{1}{3}x^2-\frac{21}{4}x+\frac{27}{2}\right)=-\frac{x}{2}\left(4x^2-63x+6\cdot 27\right)$$ 이다.

경기가 가장 정점인 때는 함수 $f(x)$가 극댓값을 갖을 때이다, 즉 $x=b=9$일 때이다. $n=1$이므로, $x=9$이고, 경기가 가장 좋을 때는 지금부터 9년 후이다.

(*이 함수의 x절편은

$$x=0, \quad \frac{63\pm\sqrt{(63)^2-4\cdot4\cdot6\cdot27}}{2\cdot4}=0, \quad \frac{63\pm\sqrt{3969-2592}}{8}=0, \quad \frac{63\pm\sqrt{1377}}{8}$$

이다.

$37<\sqrt{1377}<38$**이므로**

$$3.125<\frac{63-\sqrt{1377}}{8}<3.25, \quad 12.5<\frac{63+\sqrt{1377}}{8}<12.625$$

이고,

$a=1.5<c\approx3.24<b=9<d\approx12.51$**이다. 따라서, 확장기는** $\dfrac{63-\sqrt{1377}}{8}$ **년 이후 시작한**

다.)

(ii) $n\to\infty$**일 때** $\lim\limits_{n\to\infty}a=1$, $\lim\limits_{n\to\infty}b=8$**이다. 이 조건으로 함수** $f(x)$**를 구하면**

$$f(x)=\int_0^x g(t)dt=\int_0^x -6(t^2-9t+8)dt=-6\left[\frac{1}{3}t^3-\frac{9}{2}t^2+8t\right]_0^x=-6\left(\frac{1}{3}x^3-\frac{9}{2}x^2+8x\right)$$

$$=-x(2x^2-27x+48)$$

이다. 함수 $f(x)$**가 최댓값은 극댓값을 갖을 때 값인** $f(b)=f(8)$**이다. 따라서** 3**차 다항**

함수 $f(x)$**의 최댓값은** $f(8)=-8(2\cdot8^2-27\cdot8+48)=-64(16-27+6)=64\cdot5=320.$

(*이 함수 $f(x)$**의** x**절편은**

$$x=0, \quad \frac{27\pm\sqrt{27^2-4\cdot2\cdot48}}{2\cdot2}=0, \quad \frac{27\pm\sqrt{729-384}}{4}=0, \quad \frac{27\pm\sqrt{345}}{4}$$

이다.

또한 $18<\sqrt{345}<19$, $2<\dfrac{27-\sqrt{345}}{4}<2.25$, $11.25<\dfrac{27+\sqrt{345}}{4}<11.5\Big)$

(3) $a=2$, $b=8$**일 때 함수** $f(x)$**를 구하면**

$$f(x)=\int_0^x g(t)dt=\int_0^x (-m^2+2m-6)(t^2-10t+16)dt=(-m^2+2m-6)\left[\frac{1}{3}t^3-5t^2+16t\right]_0^x$$

$$=(-m^2+2m-6)\left(\frac{1}{3}x^3-5x^2+16x\right)=-\frac{(m^2-2m+6)}{3}x(x^2-15x+48)$$

이 때, $f(x)$**의 최댓값과 최솟값은** $f'(x)=g(x)=0$**을 만족하는** $x=2$, 8**에서 각각 극솟값**

과 극댓값을 가지므로 주어진 m**값에 따라 함수** $f(x)$**의 그래프는 그림과 같이 위아래로**

움직일 수 있다.

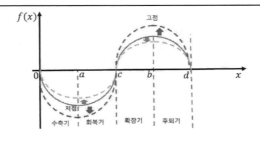

그림 5 주어진 m에 따라 변하는 함수 $f(x)$

함수 $H(m)$을 계산하여 완전 제곱식으로 표현하면,

$$H(m) = f(8) - f(2)$$

$$= \left[-\frac{(m^2 - 2m + 6)}{3} 8(8^2 - 15 \cdot 8 + 48) \right] - \left[-\frac{(m^2 - 2m + 6)}{3} 2(2^2 - 15 \cdot 2 + 48) \right]$$

$$= \frac{(m^2 - 2m + 6)}{3}(64 + 44) = \frac{108}{3}(m^2 - 2m + 6) = 36((m-1)^2 + 5) \quad (m \geq 0)$$

이다. 이 때, $H'(m) = 36(2m - 2) = 0$이므로, $m = 1$에서 극점을 갖는다. 따라서, 함수 $H(m)$는 $m = 1$에서 극솟 값이자 최솟값인 $H(1) = 36 \cdot 5 = 180$을 가진다.

11. 2022학년도 건국대 인문사회계 I 모의 논술

[문제 1]: [가]와 [나]의 관점을 바탕으로 [다]의 도표를 분석하시오. (401~600자) [40점]

> [가]는 '가치 있는 삶'과 '행복한 삶'을 대립시킨다. '가치 있는 삶'의 기준은 자신이 아니라, 타인들 평가다. 반면 '행복한 삶'은 내가 좋아하는 것을 하면서 삶의 즐거움을 추구하는 능동적 태도를 견지한다. [나]를 보면 소유의 삶은 남에게 과시할 수 있는 물적 대상을 향하며, 남들보다 더 많이 소유하기 위해 조바심을 내면서 욕망 때문에 고통을 당한다. 반면 존재를 중시하는 삶은 중심을 내 안에서 찾고, 내 능력을 발현하면서 삶의 실현을 도모한다.
>
> [도표 1]은 소득이 증가할수록 삶의 만족도도 증가하는 것을 보아 소유와 물질적 여건이 중요함을 알 수 있다. 하지만 소득이 일정 수준에 이르면 지표가 떨어지는 것을 볼 때 [가]의 관점처럼 남들 평가가 아니라 자신이 즐거워하는 것에서 행복을 찾는 것이 중요함을 알 수 있다. [도표 2]도 이런 관점에서 읽을 수 있다. 우리나라는 남들에게 과시할 수 있고, 소유와 연관되는 지수가 OECD 회원국 중 높은 편이지만 주관적 행복과 연관되는 일과 삶의 균형, 삶의 만족은 오히려 최하위에 속한다. 결국 도표를 종합해보면 더 나은 삶은 소유나 평판보다는 주체적으로 나의 행복을 추구하는 것에서 찾을 수 있다고 할 수 있다.

[문제 2]: [가]와 [나]의 주요 개념을 적용하여 [라]에 나타난 인물의 행동과 심리를 논하시오. (801~1,000자) [60점]

> [가], [나]는 '행복한 삶의 양식'에 대해서 설명한다. [가]는 행복은 사회적 가치보다 쾌락적 즐거움에 중심을 두어야 한다고 하고, [나]는 상실을 두려워하며 걱정에 시달리게 하는 소유 대신, 자신의 존재 능력에 근거하여 존재하는 삶을 바람직하다고 한다. 또한 두 지문 모두 주체적인 행복 추구를 중시한다.

이를 적용하며 [라]의 주인공인 지소의 행동과 심리를 논하도록 하겠다. 지소는 윌리를 훔쳤다. '평당'에 있는 집을 산 후 그 집에서 생일 파티를 열기 위해서이다. 이는 남의 것을 빼앗아 만족을 얻으려는 소유욕에 따른 행동으로, 여기에는 죄의식과 불안이 뒤따른다. 이후 지소는 윌리를 돌려주었다. 윌리로 돈을 버는 것이 "행복하게 끝!"이 아니라 남의 행복을 빼앗으려는 목표 자체가 "끔찍한 일"임을 깨달았기 때문이다. 이런 주체적 각성 덕분에 지소는 노부인에게 자신의 잘못을 솔직히 고백하고 용서를 구할 수 있었다.

지소에게 이러한 경험은 흠이 아니다. 오히려 잘못을 고백한 용기와 용서받았던 경험은 이후 지소에게 안정감과 주체성의 원천으로 남아 자기 존재로 살아가는 힘이 될 것이다. 한편, [가]를 피상적으로 이해하여, '멋진 생일 파티'라는 쾌락적 즐거움을 포기한 지소가 불행해졌다고 할 수 있다. 그렇지만 쾌락은 어디까지나 주관적인 것으로 '좋은 집', '멀쩡한 부모님', '남이 부러워할 만한 생일 파티'라는 사회적 가치에 따라 결정되지 않는다. 정작 지소가 생일 파티를 열었다고 해도, 이는 "명분에 양보하는 행복"을 넘어, 지소와 가족들을 불행하게 하는 비극적 사건이 되었을 터이다.

생일날, 지소는 엄마의 도시락을 받아들고 기쁨과 안도의 눈물을 흘렸다. 아마 지소는 그 도시락을 아주 맛있게 먹었을 것이다. 사랑하는 사람이 정성껏 해준 음식이야말로 최고의 맛을 선사했을 것이기 때문이다. 비록 작은 차 안에서지만 사랑하는 이들과 음식을 함께 나누는 구체적인 경험, 그리고 그러한 경험을 하게 해준 자기 존재성에 대한 확신이 결국 행복의 열쇠라 할 것이다.

12. 2022학년도 건국대 인문사회계Ⅱ 모의 논술

[문제 1]: [가]와 [나]의 관점을 바탕으로 [다]의 도표를 분석하시오. (401~600자) [40점]

[가]는 '가치 있는 삶'과 '행복한 삶'을 대립시킨다. '가치 있는 삶'의 기준은 자신이 아니라, 타인들 평가다. 반면 '행복한 삶'은 내가 좋아하는 것을 하면서 삶의 즐거움을 추구하는 능동적 태도를 견지한다. [나]를 보면 소유의 삶은 남에게 과시할 수 있는 물적 대상을 향하며, 남들보다 더 많이 소유하기 위해 조바심을 내면서 욕망 때문에 고통을 당한다. 반면 존재를 중시하는 삶은 중심을 내 안에서 찾고, 내 능력을 발현하면서 삶의 실현을 도모한다.

[도표 1]은 소득이 증가할수록 삶의 만족도도 증가하는 것을 보아 소유와 물질적 여건이 중요함을 알 수 있다. 하지만 소득이 일정 수준에 이르면 지표가 떨어지는 것을 볼 때 [가]의 관점처럼 남들 평가가 아니라 자신이 즐거워하는 것에서 행복을 찾는 것이 중요함을 알 수 있다. [도표 2]도 이런 관점에서 읽을 수 있다. 우리나라는 남들에게 과시할 수 있고, 소유와 연관되는 지수가 OECD 회원국 중 높은 편이지만 주관적 행복과 연관되는 일과 삶의 균형, 삶의 만족은 오히려 최하위에 속한다. 결국 도표를 종합해보면 더 나은 삶은 소유나 평판보다는 주체적으로 나의 행복을 추구하는 것에서 찾을 수 있다고 할 수 있다.

[문제 2-1]: 어느 회사의 직원 중 절반은 기술자격증을 보유하고 있고, 나머지 절반은 기술자격증을 보유하고 있지 않다. 이 회사에는 두 팀 A와 B가 있다. 기술자격증을 보유한 직원 중 80%는 A팀에서 일하고 20%는 B팀에서 일한다. 기술자격증을 보유하지 않은 직원 중 40%는 A팀에서 일하고 60%는 B팀에서 일한다. 예지는 이 회사의 A팀에

서 일하고 있다. [라]를 참고하여, 예지가 기술자격증을 보유하고 있을 확률은 몇 %인지 구하시오. (답은 소수점 아래 세 자리에서 반올림할 것.) [15점]

기술자격증을 가진 직원의 집합을 O, 가지지 않은 직원의 집합을 X라 하자. 또한 A팀에 속한 직원의 집합을 A, B팀에 속한 직원의 집합을 B라고 하자. 문제에서 제시된 값에 따라 $P(O) = 0.5$, $P(X) = 0.5$, $P(A|O) = 0.8$, $P(B|O) = 0.2$, $P(A|X) = 0.4$, $P(B|X) = 0.6$

$$P(O|A) = \frac{P(O \cap A)}{P(A)} = \frac{P(A|O)P(O)}{P(A)} = \frac{P(A|O)P(O)}{P(A|O)P(O) + P(A|X)P(X)}$$

$$= \frac{0.8 \times 0.5}{0.8 \times 0.5 + 0.4 \times 0.5} = \frac{2}{3}$$

따라서 소수점 아래 세 자리에서 반올림한 값은 0.67이다.

[문제 2-2]: [마]를 참고하여 다음 질문에 답하시오. 2022년 1년간 어떤 재화에 대한 수요곡선과 공급곡선이 다음과 같다.

$$\text{2022년수요곡선}: Q = 1 - P^d$$

$$\text{2022년공급곡선}: Q = P^s$$

정부는 이 재화 한 단위당 tP^s(단, $0 \le t \le 1$) 만큼의 세금을 부과하려 한다. 세금이 부과된 후 시장의 균형은 다음 식에 따라 정해진다.

$$P^d = P^s + tP^s$$

2023년 이후의 수요곡선은 전년도의 균형수량이 수량 축 절편이 된다. 예를 들어, 2022년 균형수량을 Q_{2022}라 하면 2023년 수요곡선은 다음과 같다.

$$\text{2023년 수요곡선}: Q = Q_{2022} - P^d$$

2023년 이후의 공급곡선은 2022년과 동일하다. 2023년 이후에도 정부는 각 연도 공급자 수취가격에 t를 곱한 만큼의 세금을 부과할 예정이다. 2030년 균형수량이 0.001원이 되도록 하는 t의 값을 구하시오.
($\sqrt[9]{0.001} \approx 0.464$, $\sqrt[10]{0.001} \approx 0.501$, $\sqrt[18]{0.001} \approx 0.681$, $\sqrt[20]{0.001} \approx 0.708$을 활용하고, 답은 소수점 아래 세 자리에서 반올림할 것.) [20점]

2022년 균형조건은 $1 - Q = Q + tQ$이며, 이를 풀면 $Q_{2023} = \frac{1}{2+t}$를 얻는다. 2023년의 균형조건은 $Q_{2022} - Q = Q + tQ$이며, 이를 풀면 $Q_{2023} = \frac{Q_{2022}}{2+t} = \frac{1}{(2+t)^2}$을 얻는다. 수학적 귀납법을 적용하면 2030년의 균형수량은 $Q_{2030} = \frac{1}{(2+t)^9}$이 되는 것을 알 수 있다. 이 값이 0.001원이 되도록 하는 t의 값을 구하기 위해서는 다음 방정식을 풀어야 한다:

$$\frac{1}{(2+t)^9} = 0.001. \sqrt[9]{0.001} \approx 0.464$$

인 점을 활용하면 $\frac{1}{2+t} \approx 0.464$로 쓸 수 있고, 소수점 아래 세 자리에서 반올림하여 얻게 되는 값은 $t = 0.16$이다.

[문제 2-3]: 사장 1명과 근로자 1명이 일하는 가게가 있다. 이 가게의 수입은 근로자가 얼마나 열심히 일하는지에 따라 달라지지만 사장은 근로자의 근무 태도를 관찰할 수 없다. 다만 최종 수입은 관찰할 수 있다. y를 이 가게의 수입이라고 하자. 문제를 단순화하여 수입은 100("고수입") 또는 40("저수입") 둘 중 하나라고 하자. 근로자가 열심히 일할 경우("근면"), 80%의 확률로 고수입이 발생하며 20%의 확률로 저수입이 발생한다. 근로자가 열심히 일하지 않을 경우("태업"), 40%의 확률로 고수입이 발생하며 60%의 확률로 저수입이 발생한다. 근로자의 근로에는 정신적·육체적 비용이 발생하며, 이 비용을 x라 하자. 근로자가 근면할 경우 근로자에게 발생하는 비용은 5이며, 태업할 경우 근로자에게 발생하는 비용은 3이다.

사장과 근로자는 앞서 설명한 것과 같은 내용을 알고 있다. 사장은 근로자의 근무 태도를 관찰할 수 없기 때문에 최종적으로 실현된 수입을 바탕으로 근로자에게 임금을 지불한다. 구체적으로 고수입이 발생할 경우 근로자에게 w_H의 임금을 지불하며, 저수입이 발생할 경우 w_L의 임금을 지불한다. (단, w_H와 w_L은 0보다 크거나 같다.) 근로자가 근무를 시작하기 전에, 사장이 근로자에게 w_H와 w_L의 값을 제안하며, 근로자는 이를 수락할 수도 있고 거절하고 다른 일을 할 수도 있다. 근로자가 이 가게에서 일할 경우 얻는 효용을 u라고 하면, $u = w - x$이다. (w는 임금을 나타내며 가게의 수입에 따라 w_H또는 w_L값을 가질 수 있다.) 근로자는 다른 일을 할 경우 3만큼의 고정된 효용을 얻는다.

사장의 이윤은 가게의 수입에서 근로자에게 지불한 임금을 뺀 값이다. 즉 이윤을 π라고 하면 $\pi = y - w$이다. 근로자가 다른 곳에서 일할 경우 사장의 이윤은 0이라고 하자. 사장은 이윤의 기댓값을 극대화하고자 하고, 근로자는 효용의 기댓값을 극대화하고자 한다. 다만 근로자가 이 가게에서 얻는 효용과 다른 일을 할 경우 얻는 효용이 동일하다면 이 가게에서 일한다고 가정하자. 또한 열심히 일하는 것과 태업하는 것의 효용이 동일하다면 열심히 일한다고 가정하자.

[바]를 참고하여, 사장이 근로자가 열심히 일하도록 유도하면서 사장 본인의 기대이윤을 극대화하고자 할 때 사장이 얻을 수 있는 기대이윤의 최댓값을 구하시오. 또한 이 경우 사장의 기대이윤을 극대화하는 w_H와 w_L의 다양한 조합 중 그 둘의 차 $(w_H - w_L)$가 최소가 되게 하는 w_H와 w_L의 값을 각각 구하시오. [25점]

근로자가 열심히 일할 경우 80%의 확률로 고수입이 발생하여 w_H의 임금을 얻고, 20%의 확률로 저수입이 발생하여 w_L만큼의 임금을 얻는다. 근로자가 태업할 경우 40%의 확률로 고수입이 발생하여 w_H의 임금을 얻고, 60%의 확률로 저수입이 발생하여 w_L만큼의 임금을 얻는다. 그리고 근로자는 열심히 일할 경우 5만큼의 비용이 들며, 태업할 경우 3만큼의 비용이 든다. 따라서 근로자가 열심히 일할 경우 효용의 기댓값은

$$0.8 \times (w_H - 5) + 0.2 \times (w_L - 5)$$

이며, 태업할 경우 효용의 기댓값은

$$0.4 \times (w_H - 3) + 0.6 \times (w_L - 3)$$

이다. 사장 입장에서 근로자가 열심히 일하도록 유도하려면 사장이 제안하는 w_H와 w_L가

$$0.8 \times (w_H - 5) + 0.2 \times (w_L - 5) \geq 0.4 \times (w_H - 3) + 0.6 \times (w_L - 3)$$

을 만족해야 한다. 이 식을 간단히 하면 $0.4 \times w_H - 0.4 \times w_L \geq 2$가 된다. 이 부등식을 '식 ①'이라고 하자. 또한 근로자가 다른 일을 하지 않고 이 가게에서 일하도록 하려면 이 가게에서 일하면서 얻는 효용이 3이상이어야 한다. 즉 다른 일을 하지 않고 이 가게에서 열심히 일하도록 유도하려면 $0.8 \times (w_H - 5) + 0.2 \times (w_L - 5) \geq 3$이 성립해야 한다. 이 식을 간단히 하면 $0.8 \times w_H + 0.2 \times w_L \geq 8$이 된다. 이 부등식을 '식 ②'라고 하자. 우선 '식 ①'에서 $w_L \leq w_H - 5$이며 '식 ②'에서 $w_L \geq 40 - 4 \times w_H$이므로 $40 - 4 \times w_H \leq w_H - 5$, 즉 $w_H \geq 9$이며, $40 - 4 \times$ $40 - 4 \times w_H \leq w_L \leq w_H - 5$인 영역에서 '식 ①'과 '식 ②'를 동시에 만족시키는 w_H와 w_L의 조합들이 있다는 것을 알 수 있다. (w_L가 0이상의 값을 가지기 위해서는 엄밀하게는 $9 \leq w_H \leq 100$며 $40 - 4 \times w_H \leq w_L \leq w_H - 5$인 영역)

근로자가 열심히 일할 경우 사장의 기대이윤은
$$0.8 \times (100 - w_H) + 0.2 \times (40 - w_L)$$

이며, 이를 간단히 하면
$$88 - (0.8 \times w_H + 0.2 \times w_L)$$

이다. 그런데 '식 ②'에 따라
$$0.8 \times w_H + 0.2 \times w_L \geq 8$$

이기 때문에
$$88 - (0.8 \times w_H + 0.2 \times w_L) \leq 80$$

이 성립한다. 즉 사장이 얻을 수 있는 기대이윤의 최댓값은 80이며, 이는 '식②'가 등식으로 성립하는 경우, 즉 $0.8 \times w_H + 0.2 \times w_L = 8$인 경우이다. '식①'에서
$$0.4 \times w_H - 0.4 \times w_L \geq 2$$

이며 따라서 w_H와 w_L의 차가 최소가 되는 경우는
$$0.4 \times w_H - 0.4 \times w_L = 2$$

이다. $0.8 \times w_H + 0.2 \times w_L = 8$과 $0.4 \times w_H - 0.4 \times w_L = 2$를 동시에 풀면 $w_H = 9$, $w_L = 4$가 된다.

13. 2021학년도 건국대 인문사회계 l 수시 논술

※ [문제 1]: [가]와 [나]의 관점을 바탕으로, 한국인의 인식에 초점을 맞추어 [다] 도표를 분석하시오. (401- 600자) [40점]

[다]의 [도표 1]에서 대다수 한국인은 한국이 다문화 국가임을 인식하고 있으며 다문화 관련 교육의 필요성, 외국인들과의 공간적 공존에 대해서 수용성이 높음을 보여주나, 그들과의 결혼으로 인한 가족관계 형성이나 그들이 한국인임을 인정하는 데는 유보적 혹은 대체로 부정적인 견해를 보여, 그들을 진심으로 이웃이나 공동체 구성원으로 받아들이지는 않고 있음을 알 수 있다. 한국의 다문화를 구성하는 대표적 집단인 외국인 노동자들이 자신의 한국경제 기여도를 매우 긍정적으로 인식하는 반면 자신들과의 물리적 근접이나 언어

적 차이에 대해 한국인들이 유보적 혹은 다소 부정적 태도를 보인다고 인식하고 있음을 보여주는 [도표 2]도 이런 현상을 방증한다. [가]의 관점에서 한국인들은 다문화 구성원에 대해 '나'와 '너'라는 주체와 주체로서의 대등한 관계를 맺기보다 나와는 차등이 있는 '그것'들로 인식하는 경향이 있다고 해석할 수 있을 것이고, [나]의 관점에서 보면 허자가 인간을 만물보다 우월한 존재로 인식하듯 한국인들이 다문화인들의 한국사회에 대한 기여도나 우리와 동등한 존재로서 그들의 존귀함을 온전히 인식하지 못하고 내심 그들에 대해 우월감을 가지고 있는 것으로 해석 가능하다.(552자)

※ [문제 2]: [가]와 [나]의 요지를 참고하여 [라]에 나타난 '관계'를 논하시오. (801-1,000자) [60점]

[가]와 [나]는 모두 자아와 타자의 관계를 중심으로 자기중심성과 인간중심성을 넘어서는 관계를 모색한다. [가]는 '나'의 실체가 정해져 있는 게 아니라 맺는 관계에 따라 바뀌는 것이며, 타자를 '그것'으로 보고 소유적, 표면적 관계를 맺는 대신, 대체할 수 없는 존재이자 주체와 동격 관계를 이루는 '너'와의 관계를 맺을 때 진정한 '나'가 될 수 있다고 말한다. [나]는 사람이 만물보다 우위에 있다는 관념을 비판하면서 하늘의 입장에서는 사람과 만물이 평등함을 주장한다.

[라]는 실제적이고 은유적인 '뿌리'를 매개로 나와 고모할머니, 고모할머니와 그, 그와 나의 관계가 [가]에서 말한 '나'와 '그것'의 관계에서 '나'와 '너'의 관계로 변하는 과정을 보여준다. 나는 고모할머니와 한방에서 잠을 잤던 시절 이불 속에서 나의 손을 더듬어 찾아 들던 고모할머니의 손이 위안부로 뿌리 뽑혀 내팽겨졌던 자신의 삶을 받아줄 흙이자 핏줄을 향했던 것임을 깨닫는다. 고모할머니가 죽은 뒤 그녀가 위안부였다는 사실을 쉬쉬하던 가족들이 고모할머니를 '그것'으로 대한다면, '나'에게 고모할머니는 죽는 순간까지 자신에게 뻗어왔다고 '내 손'이 기억하는 '나'의 뿌리이자, 대체될 수 없는 유일한 존재자로 '너'의 의미를 지닌다. 또 뿌리 예술작가인 '그'가 자신의 작품에 고모할머니 이름인 남귀덕의 제목을 붙이고, 태어나자마자 버려진 자신과 위안부로 뿌리 뽑힌 삶을 살았던 고모할머니를 적극적으로 연결하는 '기적 같은 순간'의 장면은 그와 할머니의 관계가 '나'와 '그것'이 아닌 두 유일무이한 존재들인 '나'와 '너'의 관계를 이루고 있음을 보여준다. 나아가 나는 그의 삶이 고모할머니의 삶과 마찬가지로 뿌리 뽑힌 신산한 삶이었음을 기억하며 뿌리들을 넘어 그에게 닿으려고 한다. 이는 나와 그의 관계를 '나'와 '그것'이 아닌 '나'와 '너'의 전인격적 관계로 정립하려는 노력이자 만물을 귀하게 여기는 하늘의 입장에서 뿌리 뽑힌 삶들을 평등하고 귀히 여기는 태도라 할 수 있다.(994자)

14. 2021학년도 건국대 인문사회계Ⅱ 수시 논술

※ [문제 1]: [가]와 [나]의 관점을 바탕으로, 한국인의 인식에 초점을 맞추어 [다] 도표를 분석하시오. (401- 600자) [40점]

[다]의 [도표 1]에서 대다수 한국인은 한국이 다문화 국가임을 인식하고 있으며 다문화 관련 교육의 필요성, 외국인들과의 공간적 공존에 대해서 수용성이 높음을 보여주나, 그들과의 결혼으로 인한 가족관계 형성이나 그들이 한국인임을 인정하는 데는 유보적 혹은 대

체로 부정적인 견해를 보여, 그들을 진심으로 이웃이나 공동체 구성원으로 받아들이지는 않고 있음을 알 수 있다. 한국의 다문화를 구성하는 대표적 집단인 외국인 노동자들이 자신의 한국경제 기여도를 매우 긍정적으로 인식하는 반면 자신들과의 물리적 근접이나 언어적 차이에 대해 한국인들이 유보적 혹은 다소 부정적 태도를 보인다고 인식하고 있음을 보여주는 [도표 2]도 이런 현상을 방증한다. [가]의 관점에서 한국인들은 다문화 구성원에 대해 '나'와 '너'라는 주체와 주체로서의 대등한 관계를 맺기보다 나와는 차등이 있는 '그것'들로 인식하는 경향이 있다고 해석할 수 있을 것이고, [나]의 관점에서 보면 허자가 인간을 만물보다 우월한 존재로 인식하듯 한국인들이 다문화인들의 한국사회에 대한 기여도나 우리와 동등한 존재로서 그들의 존귀함을 온전히 인식하지 못하고 내심 그들에 대해 우월감을 가지고 있는 것으로 해석 가능하다. (552자)

※ [문제 2-1]: [라]를 참고하여 다음 물음에 답하시오. [15점]

(1) 새로운 기술이 개발되면 이 기술은 함수 $F(t)$에 따라 전체 기업에 확산된다. 즉, t 시점에서 전체 기업 중 기술이 확산된 모든 기업의 비율은 $F(t)$로 나타난다. 이때, $F(t)$를 미분하여 도함수를 $f(t) = \dfrac{1}{\sqrt{2\pi}\sigma} e^{-\frac{(t-t_m)^2}{2\sigma^2}}$ 구하였다. 아래 물음 (a)와 (b)에 답하시오.
(아래 제시된 표를 참고할 수 있다. t는 $-\infty \le t \le \infty$의 값을 가지며, t_m은 2의 값을 갖는다. σ는 양의 값을 갖는 상수이다.)

$z = \dfrac{t-t_m}{\sigma}$	0	0.5	1	1.5	2
$F(z)$	0.5	0.6915	0.8413	0.9332	0.9772

 (a) 전체 기업 중 50%의 기업에 이 기술이 전파되는 시점을 구하시오. [5점]

 (b) 기업은 새로운 기술이 개발되면 1회에 한해 습득한다. 하지만, 이렇게 습득한 기술이라도 일정 시간이 경과하면 잊어버리게 되는데, 모든 기업은 예외 없이 기술을 습득한 후 t_m만큼 시간이 경과하면 습득한 모든 기술을 즉시 잊어버리게 된다. 기술이 처음 개발된 후 $t_m + \sigma$만큼 시간이 경과한 후 전체 기업 중 해당 기술을 기억하고 있는 기업의 비율을 구하시오. [5점]

(2) 새 기술을 습득하는 데 m가지 방법이 있다. 이 중 한 가지 방법은 잡지를 통해 새 기술을 습득하는 것이다. 이처럼 잡지를 통해 새 기술을 습득하는 기업의 비율이 α $(0 \le \alpha \le 1)$라고 한다. 새 기술을 습득한 n개 기업 중 잡지를 통해 해당 기술을 습득한 기업이 $n\alpha + \sqrt{n\alpha(1-\alpha)}$개 이상일 확률을 구하시오. (단, 각각의 기업이 새 기술을 습득하는 사건은 서로 독립이며, n은 충분히 큰 값을 가진다. 아래 표준정규분포표를 참고할 수 있다.) [5점]

z	0.5	1	1.5	2
$P(0 \le Z \le z)$	0.1915	0.3413	0.4332	0.4772

(1)

(1a) 제시된 도함수는 평균과 분산이 각각 t_m과 σ^2인 정규분포의 형태를 갖는다. 정규분포의 정의를 활용해 기술 확산 이후 모집단의 50%까지 전파되는 시점은 t_m이며, 문제의 정의에 따라 2의 값을 갖는다.

(1b) 기술이 개발된 후 $t_m+\sigma$까지 경과한 후 기술이 전파된 기업은 $F(1)$인 0.8413에 해당한다. 하지만 이중 기술을 습득한 지 t_m만큼 시간이 경과한 기업은 즉시 기술을 잊어버리게 되는데, 이런 기업은 $t_m+\sigma$시점에서 초기 t_m동안 기술이 확산된 기업이다. 정규분포의 정의를 활용해 처음 t_m기간 동안에 기술이 전파된 기업의 비율은 0.5이므로 $t_m+\sigma$시점에서 이 기술을 기억하는 있는 기업의 비율은 전체의 34.13%에 해당한다. 이것은 제시된 표의 $F(1)$에 해당하는 값인 0.8413에서 한때 이 기술을 습득했지만 이후 잊어버리게 된 기업, 즉 $F(0)$에 해당하는 값인 0.5를 뺀 0.3413에 해당한다.

(2)

n개 기업 중 잡지를 통해 해당 기술정보를 습득한 기업의 수를 확률변수 X라 할 때 X는 이항분포 $B(n, \alpha)$를 따르므로 $E(X)=n\alpha$, $\sigma(x)=\sqrt{n\alpha(1-\alpha)}$이 된다. 이 때 n은 충분히 큰 수이므로 확률변수 X는 근사적으로 평균이 $n\alpha$이고 분산이 $n\alpha(1-\alpha)$인 정규분포 $N(n\alpha, n\alpha(1-\alpha))$을 따른다. 즉, 확률변수 $Z=\dfrac{X-n\alpha}{\sqrt{n\alpha(1-\alpha)}}$은 표준정규분포 $N(0, 1)$을 따르며, 따라서 구하고자 하는 확률 $P(X \geq n\alpha + \sqrt{n\alpha(1-\alpha)})$, 즉 $P(Z \geq 1)$는 제시된 표준정규분포표를 활용해 0.1587로 구할 수 있다.

※ [문제 2-2]: [마]를 참고하여 다음 물음에 답하시오. [20점]

2021년 A국가에서 고등학교를 졸업하는 학생들이 모두 100명이고, 학생들은 졸업 후에 두 가지 진로를 선택할 수 있다고 가정한다. 졸업 직후 취업을 하는 경우는 평생 소득이 2억 4천만 원이고, 대학에 진학하는 경우는 총 4천만 원의 비용이 발생한다. 그뿐만 아니라 대학 졸업 후에는 시험에 응시해야 하는데, 합격한 학생들은 평생 소득이 3억 2천만 원인 직장에 취업이 되고, 불합격한 학생들은 고등학교 졸업자와 동일한 평생 소득 2억 4천만 원을 벌 수 있는 직장에 취업하게 된다고 한다. 시험에 응시할 경우 합격할 가능성은 고등학교 성적과 비례하는데, 고등학교 성적을 나타내는 변수 x는 1에서 100까지 자연수의 값을 갖고, 동일한 성적을 취득한 학생은 없다고 가정하자. 대학 졸업 후에 응시하는 시험에서 각 학생이 시험에 합격할 확률은 $\dfrac{x}{100}$라고 가정한다. (단, 언급된 모든 금액은 2021년을 기준으로 한 가치임.)

(1) 대학 진학으로 기대되는 경제적 이득이 더 큰 경우에 대학에 진학하고, 두 선택으로 인해 발생되는 경제적 이득이 동일한 경우는 대학에 진학하지 않는다고 가정한다. 대학 졸업 후에 시험에 응시하는 학생은 총 n명이고, 이들이 시험에 합격할 확률은 각각 $p_1, p_2, \cdots, p_n$이라고 할 때, 대학 졸업자들이 시험에 합격할 확률의 평균값을 구하시오. [10점]

(2) 대학 진학률이 낮다고 판단한 A국가의 정부가 대학에 진학하는 모든 학생들에게 2천 8백만 원의 장학금을 지급하기로 했다고 가정하자. 이때 대학 졸업 후에 응시하는 시험에서 학생들이 합격할 확률의 평균값을 구하시오. [10점]

---

(1)

대학에 진학할 경우 기대되는 경제적 이득과 고등학교 졸업 직후 취업할 경우에 기대할 수 있는 소득을 비교하여 대학 진학을 결정하므로, 아래 조건이 만족되는 학생들만 대학에 진학하게 된다.

대학에 진학할 경우 기대되는 경제적 이득 > 고등학교 졸업 직후 취업할 경우에 기대할 수 있는 소득

$\leftrightarrow$ 3억 2천만 원 $\times \dfrac{x}{100}$ + 2억원 4천만 원 $\times \left(1 - \dfrac{x}{100}\right)$ - 4천만 원 > 2억원 4천만 원

$\leftrightarrow$ 8천만 원 $\times \dfrac{x}{100}$ > 4천만원

$\leftrightarrow x > 50$

그러므로 고등학교 성적이 50를 초과하는 학생 50명이 대학에 진학하게 된다. 따라서 시험에 응시한 학생 들의 합격할 확률의 합을 구하면

$$0.51 + 0.52 + 0.53 + \cdots + 0.99 + 1.00 = 37.75$$

가 된다. 이 값을 응시한 학생들의 수로 나눠주면 75.5(=37.75/50)퍼센트가 되어 합격할 확률의 평균값이 구해진다.

(2)

(1)번과 동일하게 학생들은 대학 진학과 고등학교 졸업 직후 취업을 할 경우의 기대소득을 비교해서 의사 결정을 하나, 이전과는 달리 대학 진학 시에 장학금이 주어지므로, 대학교육의 실질 비용이 하락하게 되고 아래와 같은 조건을 만족할 경우 대학에 진학하게 된다.

대학에 진학할 경우 기대되는 경제적 편익 > 고등학교 졸업 직후 취업할 경우에 기대할 수 있는 소득

$\leftrightarrow$ 3억 2천만 원 $\times \dfrac{x}{100}$ + 2억 원 4천만 원 $\times \left(1 - \dfrac{x}{100}\right)$ - 1천만 2백만 원 > 2억 4천만 원

$\leftrightarrow$ 8천만 원 $\times \dfrac{x}{100}$ > 1천 2백만 원

$\leftrightarrow x > 15$

따라서 장학금이 지급될 경우 모두 85명의 학생들이 대학에 진학하게 되고, 이 학생들이 시험에 응시할 경우, 합격 확률의 총합은 $0.16 + 0.17 + 0.18 + \cdots + 0.99 + 1.00 = 49.3$가 된다. 그러므로 응시자들의 합격률의 평균값은 58(=49.3/85)퍼센트로 계산된다.

※ [문제 2-3]: [바]를 참고하여 다음 물음에 답하시오. [25점]

30장의 색종이가 있다. 이 중 10장은 정사각형 모양인데, 한 변의 길이는 각각 1cm, 2cm, ⋯, 10cm이다. (정사각형 모양의 색종이는 S1, S2, ⋯, S10이라 한다.) 또 다른 10장은 정삼각형 모양인데, 한 변의 길이는 각각 1cm, 2cm, ⋯, 10cm이다. (정삼각형 모양의 색종이는 T1, T2, ⋯, T10이라 한다.) 나머지 10장은 원 모양인데, 지름의 길이가 각각 1cm, 2cm, ⋯, 10cm이다. (이들 색종이는 C1, C2, ⋯, C10이라 한다.) 30장의 색종이 중 r장을 골라서 다음 규칙에 따라 나열하고자 한다.

- 규칙 1: r장 모두 사용되어야 한다.
- 규칙 2: 사각형이나 삼각형 색종이 다음에는 원 색종이만 올 수 있고, 원 색종이 다음에는 사각형이나 삼각형 색종이만 올 수 있다.
- 규칙 3: 뒤에 배치된 색종이는 앞에 배치된 색종이 경계 안에 놓을 수 있어야 한다. (두 색종이의 경계가 접하는 것은 허용된다.)

(1) 규칙 1~3을 따르는 순열 중 r값이 가장 큰 순열을 선택하면 r값은 얼마인지 구하시오. [10점]

(2) 규칙 1~3을 따르는 순열 중 r값이 가장 큰 순열을 하나 선택하고 이 순열의 마지막 네 색종이가 무엇인지 쓰시오. (S10, C10, S9, T9와 같이 구체적으로 쓸 것. 경우의 수가 하나인지 확인할 필요는 없음.) [5점]

(3) 규칙 1~3을 따르는 순열 중 r값이 가장 큰 순열을 모두 선택하면 몇 개의 순열이 존재하는지 구하시오. [10점]

한 변의 길이가 X인 정사각형에 내접하는 원의 지름은 X이다. 즉 원의 지름이 X보다 작거나 같으면 원은 정사각형 안에 들어간다.

한 변의 길이가 X인 정삼각형에 내접하는 원의 지름은 $X/\sqrt{3}$이다. 즉 원의 지름이 $X/\sqrt{3}$보다 작거나 같으면 원은 정삼각형 안에 들어간다.

지름의 길이가 X인 원에 내접하는 정사각형의 한 변의 길이는 $X/\sqrt{2}$이다. 즉 정사각형의 한 변의 길이가 $X/\sqrt{2}$보다 작거나 같으면 정사각형은 원에 들어간다.

지름의 길이가 X인 원에 내접하는 정삼각형의 한 변의 길이는 $X\sqrt{3}/2$이다. 즉 정삼각형의 한 변의 길이가 $X\sqrt{3}/2$보다 작거나 같으면 정삼각형은 원에 들어간다.

규칙 2, 3을 고려하면 색종이 간의 관계는 다음과 같이 정리할 수 있다. 아래에서 >>는 "뒤에 올 수 있는 색종이는 다"로 읽자.

S10 >> C1, C2, C3, C4, C5, C6, C7, C8, C9, C10
S9 >> C1, C2, C3, C4, C5, C6, C7, C8, C9
S8 >> C1, C2, C3, C4, C5, C6, C7, C8
S7 >> C1, C2, C3, C4, C5, C6, C7
S6 >> C1, C2, C3, C4, C5, C6
S5 >> C1, C2, C3, C4, C5

S4 >> C1, C2, C3, C4

S3 >> C1, C2, C3

S2 >> C1, C2

S1 >> C1

T10 >> C1, C2, C3, C4, C5

T9 >> C1, C2, C3, C4, C5

T8 >> C1, C2, C3, C4

T7 >> C1, C2, C3, C4

T6 >> C1, C2, C3

T5 >> C1, C2

T4 >> C1, C2

T3 >> C1

T2 >> C1

T1 >> - C10 >> S1, S2, S3, S4, S5, S6, S7, T1, T2, T3, T4, T5, T6, T7, T8

C9 >> S1, S2, S3, S4, S5, S6, T1, T2, T3, T4, T5, T6, T7

C8 >> S1, S2, S3, S4, S5, T1, T2, T3, T4, T5, T6

C7 >> S1, S2, S3, S4, T1, T2, T3, T4, T5, T6

C6 >> S1, S2, S3, S4, T1, T2, T3, T4, T5

C5 >> S1, S2, S3, T1, T2, T3, T4

C4 >> S1, S2, T1, T2, T3

C3 >> S1, S2, T1, T2

C2 >> S1, T1

C1 >> -

r의 최대값을 구하기 위해 다음 3개의 순열을 고려해 보자.

순열1: S10 >> C10 >> S7 >> C7 >> S4 >> C4 >> S2 >> C2 >> S1 >> C1

순열2: S9 >> C9 >> S6 >> C6 >> S4 >> C4 >> S2 >> C2 >> S1 >> C1

순열3: S8 >> C8 >> S5 >> C5 >> S3 >> C3 >> S2 >> C2 >> S1 >> C1

세 개의 순열 모두 규칙 1~3을 만족시키고 r=10이다. 따라서 r의 최대값은 10보다 크거나 같다. 아래에서 규칙 1~3을 만족시키며 순열 1보다 더 긴 순열은 없다는 것을 확인할 수 있다. 따라서 r의 최대값은 10이다.

"규칙 1~3을 만족시키며 순열 1보다 더 긴 순열은 없다"는 다음 순서에 따라 확인할 수 있다.

(i) S10으로 시작하는 순열은 순열 1보다 길 수 없다.

(ii) S1~S9 중 하나로 시작하는 순열은 순열 1보다 길 수 없다.

(iii) T10으로 시작하는 순열은 순열 1보다 길 수 없다.

(iv) T1~T9으로 시작하는 순열은 순열 1보다 길 수 없다.

(v) C10으로 시작하는 순열은 순열 1보다 길 수 없다.

(vi) C1~C9으로 시작하는 순열은 순열 1보다 길 수 없다.

(i) S10 >> C9 으로 시작하는 순열 중 가장 긴 순열은 S10 >> C10으로 시작하는 순열 중 가장 긴 순열보다 더 길 수는 없다. (그런 순열이 있다면 C9을 C10으로 바꿀 수 있는 데 그럼 모순이 발생한다.) 따라서 S10 >> C9 으로 시작하는 순열은 무시할 수 있다. 마찬가지 이유로 C1~C8 중 하나가 두 번째 자리에 오는 순열은 모두 무시할 수 있다. 따라서 두 번째 색종이는 C10만을 고려하면 된다.

세 번째 자리에는 S7과 T8을 고려해야 한다. (이보다 작은 사각형, 삼각형은 위에서 설명한 이유로 무시할 수 있다.)

S10 >> C10 >> T8으로 시작하는 순열을 생각해 보자. 이러한 순열 중 가장 긴 것은 S10 >> C10 >> T8 >> C4 >> ...의 형태를 가지는 데 이는 S10 >> C10 >> S7 >> C7 >> S4 >> C4 >> ... 의 형태를 가지는 순열 중 가장 긴 순열보다 길 수는 없다. 따라서 S10 >> C10 >> T8으로 시작하는 순열은 무시할 수 있다. 따라서 가장 긴 순열의 길이를 찾기 위해서는 S10 >> C10 >> S7으로 시작하는 순열만을 고려해도 충분하다.

S10 >> C10 >> S7으로 시작하는 순열 중 가장 긴 순열은 S10 >> C10 >> S7 >> C7 >> ...의 형태만을 고려해도 된다. (네 번째 자리에 올 수 있는 색종이는 모두 C7에 들어가기 때문이다.)

S10 >> C10 >> S7 >> C7 뒤에 올 수 있는 가장 큰 색종이는 S4와 T6이다. 다섯 번째 자리에 T6가 온다면 이 중 가장 긴 순열은 S10 >> C10 >> S7 >> C7 >> T6 >> C3 >> ...의 형태를 가진다. C3 뒤에 올 수 있는 모든 조합을 쓰면 다음과 같다

C3 >> S2 >> C2 >> S1 >> C1

C3 >> S2 >> C2 >> T1

C3 >> S2 >> C1

C3 >> S1 >> C1

C3 >> T2 >> C1

C3 >> T1

즉 r의 최대값은 순열 1과 동일하다. 따라서 다섯 번째 자리에 T6가 오는 가능성은 무시하고 S4만을 고려해도 충분하다. S10 >> C10 >> S7 >> C7 >> S4로 시작하는 순열 중 가장 긴 순열은 S10 >> C10 >> S7 >> C7 >> S4 >> C4 >> ... 의 형태만을 고려해도 된다. (여섯 번째 자리에 올 수 있는 색종이는 모두 C7에 들어가기 때문이다.)
S10 >> C10 >> S7 >> C7 >> S4 >> C4 뒤에 올 수 있는 가장 큰 색종이는 S2와 T3이다. T3 뒤에는 C1만이 올 수 있기 때문에 T3가 포함된 순열은 순열 1보다 짧다. 따라서 S2만을 고려해도 충분하다.

S10 >> C10 >> S7 >> C7 >> S4 >> C4 >> S2로 시작하는 순열 중 가장 긴 순열은 S10 >> C10 >> S7 >> C7 >> S4 >> C4 >> S2 >> C2 >> ...의 형태만을 고려해도 된다. (여덟 번째 자리에 올 수 있는 색종이는 모두 C2에 들어가기 때문이다.)

C2 뒤에 올 수 있는 모든 조합을 쓰면 다음과 같다
C2 >> S1 >> C1
C2 >> T1

따라서 순열1보다 더 긴 순열은 존재하지 않는다.

(ii) S1~S9 중 하나는 항상 S10으로 바꿀 수 있으므로 S1~S9 중 하나로 시작하는 순열이 S10으로 시작하는 순열보다 클 수 없다.

(iii) T10 다음에 올 수 있는 가장 큰 색종이는 C5이다. 순열 3을 보면 C5 다음에 6장의 색종이가 나오는 경우가 가장 긴 순열이므로 ((ii)에 따르면 S8으로 시작하는 순열 중 이 보다 긴 순열은 존재하지 않는다), 총 8장의 색종이만 나올 수 있다. 따라서 가장 긴 순열을 만들 수 없다.

(iv) T1~T9 중 하나는 항상 T10으로 바꿀 수 있으므로 T1~T9 중 하나로 시작하는 순열이 T10으로 시작하는 순열보다 클 수 없다.

(v) C10 앞에 S10을 놓는 것이 항상 가능하다. 따라서 C10으로 시작하는 순열은 가장 긴 순열일 수 없다.

(vi) C1~C9 중 하나는 항상 C10으로 바꿀 수 있으므로 C1~C9 중 하나로 시작하는 순열이 C10으로 시작하는 순열보다 클 수 없다.

(2)
앞서 제시한 순열 1~3에서 마지막 네 개의 색종이(의 한 가지 가능한 조합)은 S2, C2, S1, C1임을 확인할 수 있다.

(3)

r=10인 순열의 첫 번째 자리에 오는 색종이는 S10, S9, S8 중 하나이다. 첫 번째 자리에 S7이 오는 경우, 두 번째 올 수 있는 가장 큰 색종이는 C7인데, 이는 순열 1보다 짧아진다. 첫 번째 자리에 S7보다 작은 사각형이 오면 길이가 더 길어질 수는 없다. T10이 첫 번째 자리에 오는 경우, 두 번째 올 수 있는 가장 큰 색종이는 C5인데, 이는 순열 3보다 짧아진다. 첫 번째 자리에 T10보다 작은 삼각형이 오면 길이가 더 길어질 수는 없다. 첫 번째 자리에서 C10이 오는 경우, 순열 1보다 길이가 짧아진다. C10보다 작은 원이 첫 번째 자리에 오는 경우도 마찬가지다.

r=10인 순열의 두 번째 자리에 오는 색종이는 C10, C9, C8 중 하나이다. C7 혹은 이보다 작은 원이 오면 순열 1보다 짧아진다.

r=10인 순열의 세 번째 자리에 오는 색종이는 S7, S6, S5 중 하나이다. S4 혹은 이보다 작은 사각형이 오면 순열 1보다 짧아진다. T8이 세 번째 자리에 오면 네 번째 자리에 올 수 있는 가장 큰 원은 C4이고, 이 경우 순열 1보다 짧아진다. T8보다 작은 삼각형이 세 번째 자리에 오더라도 마찬가지이다.

r=10인 순열의 네 번째 자리에 오는 색종이는 C7, C6, C5 중 하나이다. C4 혹은 이보다 작은 원이 오면 순열 1보다 짧아진다.

r=10인 순열의 다섯 번째 자리에 오는 색종이는 S4, S3, T6 중 하나이다. S2 혹은 더 작은 사각형이 오면 순열 1보다 짧아진다. T5가 오면 그 다음 올 수 있는 가장 큰 원은 C2인데 이 경우 순열 1보다 짧아진다. T5보다 작은 삼각형이 다섯 번째 자리에 오더라도 같은 결과이다.

r=10인 순열의 여섯 번째 자리에 오는 색종이는 C4, C3 중 하나이다. C2나 C1이 이 자리에 오면 순열 1보다 짧아진다.

r=10인 순열의 일곱 번째 자리에 오는 색종이는 S2이다. S1이 오면 순열1보다 짧아진다. 일곱 번째 자리에 T2가 오면 그 다음에는 C1만이 올 수 있고, 이 경우 역시 순열1보다 짧아진다.

r=10인 순열의 여덟 번째 자리에 오는 색종이는 C2이다. 이 자리에 C1이 오면 순열1보다 짧아진다.

r=10인 순열의 아홉 번째 자리에 오는 색종이는 S1이다. 이 자리에 T1이 오면 순열1보다 짧아진다.

r=10인 순열의 열 번째 자리에 오는 색종이는 C1이다.

이상을 고려하여 모든 순열을 여섯 번째 자리까지만 나열하면 아래와 같다 (일곱 번째 이후는 동일하다.)

S10 >> C10 >> S7 >> C7 >> S4 >> C4
S10 >> C10 >> S7 >> C7 >> S4 >> C3
S10 >> C10 >> S7 >> C7 >> S3 >> C3
S10 >> C10 >> S7 >> C7 >> T6 >> C3
S10 >> C10 >> S7 >> C6 >> S4 >> C4

S10 >> C10 >> S7 >> C6 >> S4 >> C3
S10 >> C10 >> S7 >> C6 >> S3 >> C3
S10 >> C10 >> S7 >> C5 >> S3 >> C3
S10 >> C10 >> S6 >> C6 >> S4 >> C4
S10 >> C10 >> S6 >> C6 >> S4 >> C3

S10 >> C10 >> S6 >> C6 >> S3 >> C3
S10 >> C10 >> S6 >> C5 >> S3 >> C3
S10 >> C10 >> S5 >> C5 >> S3 >> C3
S10 >> C9 >> S6 >> C6 >> S4 >> C4
S10 >> C9 >> S6 >> C6 >> S4 >> C3

S10 >> C9 >> S6 >> C6 >> S3 >> C3
S10 >> C9 >> S6 >> C5 >> S3 >> C3
S10 >> C9 >> S5 >> C5 >> S3 >> C3
S10 >> C8 >> S5 >> C5 >> S3 >> C3
S9 >> C9 >> S6 >> C6 >> S4 >> C4

S9 >> C9 >> S6 >> C6 >> S4 >> C3
S9 >> C9 >> S6 >> C6 >> S3 >> C3
S9 >> C9 >> S6 >> C5 >> S3 >> C3
S9 >> C9 >> S5 >> C5 >> S3 >> C3
S9 >> C8 >> S5 >> C5 >> S3 >> C3

S8 >> C8 >> S5 >> C5 >> S3 >> C3

즉 26개의 순열이 존재한다.

아래 그림을 활용하여 경우의 수를 확인할 수도 있다. 직선은 가장 긴 순열을 만들 수 있는 경로를 나타내고 점선은 가장 긴 순열을 만들 수 없는 경로를 나타낸다.

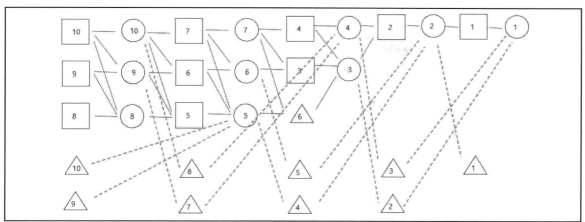

15. 2020학년도 건국대 인문사회계 I 수시 논술

※ [문제 1]: [가]의 '구성원의 행위'와 [나]의 '구조의 제약'을 바탕으로 [다]의 도표를 분석하시오. (401-600자) [40점]

[가]는 사회 구성원의 행위를 이해하려면 사회 구조와 연관 지어 해석해야 한다는 점을, [나]는 사회 구성원의 행위가 구조의 제약을 받는다는 점을 말한다. [다]는 행상 단계에서 정기 시장 그리고 상설 시장으로의 변화 과정을 '최소 요구치', '재화의 도달 범위', '상인의 이동'을 통해 나타내고 있다.

사회 구성원의 행위가 사회 구조와 연관되며, 사회 구조는 사회 구성원의 행위를 제약한다는 관점에서 도표를 보면, 각 단계에 따른 상인과 소비자의 행위를 이해할 수 있다. 재화의 도달 범위보다 최소 요구치가 매우 넓은 행상 단계에서는 상인이 소비자를 찾아다니는 행위를 할 수밖에 없다. 재화의 도달 범위가 이전보다 넓어졌지만, 여전히 최소 요구치보다는 좁은 정기 시장 단계에서는 상인과 소비자가 일정한 장소로 서로 이동하는 행위를 한다. 그리고 교통의 발달과 인구의 밀집 등으로 인해 재화의 도달 범위가 최소 요구치보다 넓어진 상설 시장 단계에서는 상인이 상점을 차리고 소비자를 기다리는, 즉 소비자가 상인을 찾아가는 행위를 한다. 이처럼 상인과 소비자의 행위는 '최소 요구치'와 '재화의 도달 범위'로 인해 변화하는 시장의 구조와 연관 지어 이해할 수 있다. (600자)

※ [문제 2]: [가]의 '사회학적 상상력'과 [나]의 '코드' 개념을 적용해서 [라]의 '토포러 현상'을 논하시오. (801-1,000자) [60점]

[가]의 '사회학적 상상력'은 구성원의 행위를 사회 구조와 연관해 다각적으로 살펴보고 해석하는 데 유용하며, [나]의 '코드' 개념은 법이나 사회 규범 등과 더불어 개인의 행위를 구성하는 보이지 않는 틀의 중요성을 강조한다. 사회학적 상상력과 코드 개념은 모두 사회 내 개인의 행위가 주체를 넘어선 더 큰 구조에 의해 구성되고 제약받는다는 사실을 상기시킨다는 점에서 공통점을 지닌다.

[라]는 동면과 유사한 긴 잠을 잔 후 깨어나 새로운 삶을 시작하는 '토포러'에 대한 이야기이다. 토포러들은 주로 위기 상황에서 비자발적으로 긴 잠에 빠지지만, 토포 상태에서 깨어난 후 열정적으로 일에 몰입할 뿐 아니라 몸이 건강해지고 낙관적이 되는 등 긍정적 변화를 겪으면서 위기를 벗어나 새로운 인생을 살기도 한다.

토포러 현상은 모두가 경쟁에 내몰려 쉴 틈 없이 달려가지만 누구도 행복하지 않은 현대

사회의 '코드'에 대한 비판을 '사회학적 상상력'으로 담아낸다. 성실하고 양심적이지만 피로 사회 코드에서 자유롭지 않은 허 씨가 토포 상태에 빠진 것은 IMF 사태라는 사회 현상과 관련이 있다. 가족과의 결별을 불사하고 오로지 회사를 살리려고 전전긍긍하다 죽을 결심까지 했던 그가 토포를 겪은 후 새롭고 활기찬 삶을 살게 되었다는 이야기는, 잠이라는 원초적 욕구까지 억압하면서 일중독을 강요하는 사회적 코드를 당연하게 받아들이는 대신 휴식과 행복을 더 중요시하는 새로운 사회학적 상상력과 성찰적 태도를 보여준다.

토포러들은 일상생활이 장기간 단절되고 영리 행위를 수행하지 못하는 등 구조적 제약을 받는다. 그 대신 '꿈'으로 표현된 상상력의 세계에서 자기와 만나면서 충전과 새출발의 기회를 얻고 있음을 주목할 만하다. 작품 속의 토포러 현상은 단순한 현실 도피로 볼 바가 아니다. 주어진 코드의 틀 속에서 자질구레한 일에 신경을 쓰느라 또 다른 삶의 길을 찾지 못하는 사람들로 하여금 삶의 이면적 맥락을 통찰하면서 새로운 코드적 대안을 사유할 수 있게 한다는 점에서 사회적 의미를 지닌다. (999자)

16. 2020학년도 건국대 인문사회계Ⅱ 수시 논술

※ [문제 1]: [가]의 '구성원의 행위'와 [나]의 '구조의 제약'을 바탕으로 [다]의 도표를 분석하시오. (401-600자) [40점]

[가]는 사회 구성원의 행위를 이해하려면 사회 구조와 연관 지어 해석해야 한다는 점을, [나]는 사회 구성원의 행위가 구조의 제약을 받는다는 점을 말한다. [다]는 행상 단계에서 정기 시장 그리고 상설 시장으로의 변화 과정을 '최소 요구치', '재화의 도달 범위', '상인의 이동'을 통해 나타내고 있다.

사회 구성원의 행위가 사회 구조와 연관되며, 사회 구조는 사회 구성원의 행위를 제약한다는 관점에서 도표를 보면, 각 단계에 따른 상인과 소비자의 행위를 이해할 수 있다. 재화의 도달 범위보다 최소 요구치가 매우 넓은 행상 단계에서는 상인이 소비자를 찾아다니는 행위를 할 수밖에 없다. 재화의 도달 범위가 이전보다 넓어졌지만, 여전히 최소 요구치보다는 좁은 정기 시장 단계에서는 상인과 소비자가 일정한 장소로 서로 이동하는 행위를 한다. 그리고 교통의 발달과 인구의 밀집 등으로 인해 재화의 도달 범위가 최소 요구치보다 넓어진 상설 시장 단계에서는 상인이 상점을 차리고 소비자를 기다리는, 즉 소비자가 상인을 찾아가는 행위를 한다. 이처럼 상인과 소비자의 행위는 '최소 요구치'와 '재화의 도달 범위'로 인해 변화하는 시장의 구조와 연관 지어 이해할 수 있다. (600자)

※ [문제 2-1]: [라]와 관련하여 <보기>와 같이 가정한 상황에 대한 물음에 답하시오. [15점]

A지자체에서는 3세 미만 아동이 있는 가구에 어린이집 비용을 보조하고 있다. 3세 미만의 아동을 어린이집에 종일 맡길 경우에는 한 달에 10만 원을, 반일(半日)만 맡길 경우에는 5만 원을 보조하고 있다. 그런데 담당 직원이 실수로 반일반 가구에 10만 원씩을, 종일반 가구에 5만 원씩을 지급하였다. 원래 보조금 총액이 5000만 원이고 800가구에 지원되어야 하는데 현재까지 보조금을 받아간 가구가 600가구인데도 5000만 원이 모두 지급된 상태이다. 남은 200가구 중에서 종일반 가구와 반일반 가구가 각각 얼마인지도 알 수 없다.

이때, 전체 종일반 가구의 수 a, 전체 반일반 가구의 수 b, 이미 5만 원을 받은 종일반 가구의 수 c, 10만 원을 받은 반일반 가구의 수 d를 각각 구하고, $a-b+c-d$를 구하시오.

연립방정식을 이용하여 문제를 접근할 수 있는 기초적인 논리력과 수학능력이 있는지를 알아보는 문제이다. 원래 지급되어야 할 보조금에 대한 상황을 방정식으로 표현하면 다음과 같은 연립방정식이 나온다.

원래 10만원 지급받아야 하는 가구의 수를 a
원래 5만원 지급받아야 하는 가구의 수를 b
라고 할 때

$$\begin{cases} a+b = 800 \\ 10a+5b = 5000 \end{cases}$$

이 연립방정식을 풀면 $a=200, b=600$를 구한다. 즉 10만원씩 보조 받는 가구 수는 200가구이고 5만원씩 보조 받는 가구 수는 600가구이다.

10만원을 받아야 하는데 5만원을 지급받은 가구의 수를 c
5만원을 지급받아야 하는데, 10만원으로 잘못 지급받은 가구의 수를 d라고 놓을 때,

$$\begin{cases} c+d = 600 \\ 5c+10d = 5000 \end{cases}$$

이 연립방정식을 풀면 c=200, d=400으로 10만원을 받아야 하는 200가구는 이미 모두 5만원으로 잘못 지급받았고, 5만원을 지급받아야 하는데, 10만원으로 잘못 지급받은 가구의 수는 400가구이므로 아직 보조금을 지급받지 못한 가구는 5만원을 지급받는 200가구만 남아 있다. 따라서 a-b+c-d=-600이다.

※ [문제 2-2]: [마]를 참고하여 다음 물음에 답하시오. [20점]

유럽에 위치한 가상의 두 국가 A와 B의 총인구는 각각 100명으로 같고, 국가 간 이주를 허용하기 전 두 국가의 소득구간별 인구는 [표 1]과 같다(단, 소득이 정확히 1000의 배수인 사람은 없고, 두 국가 A와 B는 같은 통화를 사용한다고 가정)

[표 1] 두 국가의 소득구간별 인구

소득	A국가(단위: 명)	B국가(단위: 명)
1000 미만	5	8
1000 초과 2000 미만	7	9
2000 초과 3000 미만	10	10
3000 초과 4000 미만	12	11
4000 초과 5000 미만	14	12
5000 초과 6000 미만	12	14
6000 초과 7000 미만	12	11
7000 초과 8000 미만	10	10
8000 초과 9000 미만	7	8
9000 초과 10000미만	5	7
10000 초과	4	2
총인구	100	100

두 국가는 다른 소득세 구조를 가지고 있다. A국가에서는 소득 수준에 상관없이 전체 소득의 20%를 세금으로 내지만, B국가에서는 소득구간이 높아질수록 세율이 높아지는 누진 소득세가 적용된다. 구체적으로 두 국가의 소득 구간별 세율은 [표 2]와 같다.

[표 2] 두 국가의 소득세 구조

소득	국가	국가
1000 이하	20%	0%
1000 초과 5000 이하	20%	20%
5000 초과	20%	40%

예를 들어,

A국가에서 소득이 6500인 사람은 세금으로

$$1300(= 6500 \times 0.2)$$

을 내지만

B국가에서 소득이 6500인 사람은 세금으로

$$(= 0 \times 1000 + 0.2 \times (5000 - 1000) + 0.4 \times (6500 - 5000))$$

을 낸다. 두 국가가 유럽연합(EU)에 가입하면서 이제 두 국가의 국민들이 자유롭게 상대 국가로 이주할 수 있게 되었다.* 다만 이주할 경우 비용이 발생한다. 이주비용은 소득이 높을수록 낮아지며, 구체적으로 $C = 600 - \frac{1}{10}Y$식으로 주어진다(단, C가 음수일 경우 C=0으로 간주). 여기서 C는 이주비용, Y는 소득을 나타낸다. 동일한 사람은 A국가와 B국가 중 어디에서 살더라도 동일한 소득을 얻으며, 사람들은 소득에서 이주비용(이주할 경우)과 세금을 차감한 최종 금액이 더 높은 곳에서 살게 된다.** 사람들이 이주한 후 A국가와 B국가의 총인구를 각각 구하시오.

* 단, 이주는 A국가와 B국가 사이에서만 일어난다고 가정.
** 단, A국가와 B국가의 모든 사람들의 이주 결정은 처음 1년간의 소득, 세금, 이주비용만을 고려하여 이루어지며, 그 외 다른 요소는 일절 고려하지 않는다고 가정.

사람들은 본인의 세금이 높은 곳에서 낮은 곳으로 이주할 동기가 있다. 다만 이주비용이 세금의 차이보다 크다면 이주하지 않게 된다. 따라서 A국가에서의 세금, B국가에서의 세금, 이주비용을 함께 고려해야 한다. B국가의 누진세율로 인해 세금 계산식이 소득구간에 따라 달라지게 되어 소득구간을 적절히 나누어 해당 구간에 속한 사람들의 이주동기를 살펴보아야 한다.

구간 1: $Y < 1000$

소득이 1000미만인 사람들은 B국가보다 A국가에서 더 높은 세금을 낸다. 따라서 만약 이주하는 사람이 있다면 A국가에서 B국가로 이주하는 경우일 것이다. 소득이 1000미만인 A국가 국민이 B국가로 이주하기 위해서는 다음 부등식이 성립해야 한다:

$$Y - 0.2Y < Y - (600 - 0.1Y)$$

이 식을 정리하면 $Y > 2000$이 된다. 소득이 1000미만이면서 동시에 2000을 초과하는 사람은 존재하지 않기에 이 소득구간의 사람들은 이주하지 않는다.

구간 2: $1000 < Y < 5000$

소득이 1000초과 5000미만인 경우도 A국가에서 세금이 더 높아서 (B국가에서는 총소득 중 1000만큼의 소득에 대해서는 과세하지 않기 때문) 이주하는 사람이 있다면 A국가에서 B국가로 이주하는 경우일 것이다. 소득이 1000초과 5000미만인 A국가 국민이 B국가로 이주하기 위해서는 다음 부등식이 성립해야 한다:

$$Y - 0.2Y < Y - [0.2(Y - 1000)] - (600 - 0.1Y)$$

이 식을 정리하면 $Y > 4000$이 된다. 따라서 A국가에서 $1000 < Y < 5000$이면서 $Y > 4000$인 국민들, 즉 $4000 < Y < 5000$인 14명이 B국가로 이주하게 된다.

구간 3: $Y > 5000$

소득이 5000을 초과하는 경우에는 정확한 소득에 따라서 A국가와 B국가에서의 상대적 세부담이 달라진다. 소득이 5000을 약간 초과하는 경우에는 B국가에서 소득 중 1000에 대해 과세하지 않는 영향이 커 B국가에서의 세금이 더 적지만 소득이 5000을 크게 초과하는 경우 40%의 높은 세율을 적용받는 소득이 많아져 B국가에서 세금이 더 많아지게 된다. 세금의 상대적 크기가 바뀌는 정확한 지점은 다음 식으로 찾을 수 있다:

$$Y - 0.2Y = Y - [(0.2 \times 4000) + 0.4(Y - 5000)]$$

이 식을 정리하면 $Y = 6000$을 얻을 수 있다. 즉 소득이 5000초과 6000미만인 사람들은 A국가에서 세금이 높고, 소득이 6000을 초과하는 사람들은 B국가에서 세금이 높다.

구간 3-1: $5000 < Y < 6000$

A국가에서 소득이 5000초과 6000미만인 사람들이 B국가로 이주한다면 다음 식이 성립하는 경우이다:

$$Y - 0.2Y < Y - [(0.2 \times 4000) + 0.4(Y - 5000)] - (600 - 0.1Y)$$

위 식을 정리하면 $Y < 6000$이 된다. 따라서 A국가에서 소득이 5000초과 6000미만인 14명은 B국가로 이주하게 된다.

구간 3-2: $Y > 6000$

B국가에서 소득이 6000을 초과하는 사람들이 A국가로 이주한다면 다음 식이 성립하는 경우이다:

$$Y - 0.2Y > Y - [(0.2 \times 4000) + 0.4(Y - 5000)]$$

위 식을 정리하면 $Y > 6000$이 된다. 따라서 B국가에서 소득이 6000을 초과하는 38명은 A국가로 이주하 게 된다.

종합하면 A국가에서 B국가로 28명이 이주하며, B국가에서 A국가로 38명이 이주하게 되어 A국가의 인구는 110명, B국가의 인구는 90명이 된다.

※ [문제 2-3]: [바]와 [사]를 참고하여 다음 물음에 답하시오. [25점]

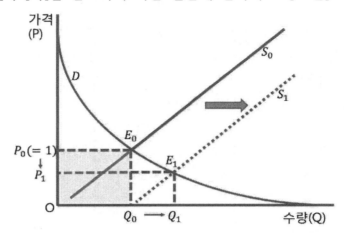

시장에 총 10개 제품이 있다고 가정하자. [그림 2]에서 보는 바와 같이 k번째 제품의 수요곡선 D가 함수 $Y=f(X)=2^{2k}X^2-2^{2k+1}X+2^{2k}$(단, $0 \le X \le 1$)로 각각 주어진다고 하자(단, $k=1, \cdots, 10$). 여기에서, X는 제품의 수량을, Y는 가격을 나타낸다.

(1) 첫 번째 제품 $(k=1)$에 대하여, 함수 $Y=f(X)$는 $X=Q_1$일 때, 기울기 -2를 가진다. 이때 가격은 P_1이다. 이 제품의 가격이 1원에서 P_1원으로 변동되었을 때, 수요의 가격 탄력성을 구하시오. [5점]

(2) [그림 2]에서처럼 공급곡선이 오른쪽으로 이동 $(S_0 \to S_1)$하였다. 그 결과로, 모든 제품의 가격이 1원에서 0.81원으로 하락하였다. 이 가격의 변화로 인해 10개 제품 판매로 인한 수입$(R)^*$이 변하게 된다. 이때, 가격 변화로 얻어진 수입 변화의 총합 $\sum_{k=1}^{10} \triangle R_k$을 구하시오(단, $\left(\dfrac{1}{2}\right)^{10}=0.001$로 계산한다). **[10점]

* 여기에서, 수입은 주어진 가격과 수량의 곱의 값으로 결정된다. 예를 들어, 가격이 1원이었을 때 수입은 사각형 $OP_0E_0Q_0$의 면적으로 계산되고, 변화된 가격이 0.81원이었을 때 수입은 사각형 $OP_1E_1Q_1$의 면적으로 계산된다.

** 'k번째 수입 변화 $(\triangle R_k)$=(가격이 0.81원이었을 때 수입)(가격이 1원이었을 때 수입)'으로 정의한다.

(3) 두 번째 제품 $(k=2)$이 공급량이 증가하여, 가격이 하락했다. 이 두 번째 제품은 현재 가격 1원이 n개월 후 $\left(\dfrac{1}{3}\right)^n$만큼 추가로 계속 내려간다고 하자. 예를 들어, 1개월 후 제품 가격은 $\dfrac{1}{3}$원이 내린 $\dfrac{2}{3}$원이 되고, 2개월 후 $\left(\dfrac{1}{3}\right)^2$원이 추가로 인하된 $\dfrac{5}{9}$원이 된다. $\left(\dfrac{1}{3}\right)^{10}=a$라고 하자. 이때, 10개월 후 발생하는 소비자 잉여를 a를 이용하여 표현하시오. [10점]

주어진 수요곡선은 $Y=f(X)=2^{2k}X^2-2^{2k+1}X+2^{2k}=2^{2k}(X-1)^2$을 $Y=B^2(X-1)^2$로 간략화 한다. 여기서, 계산을 편리하게 하기 위해, $B=2^k$라 하자.

(1) $k=1$이므로, $Y=f(X)=4(X-1)^2$이다. 제품의 가격이 1원 $(P_0=1)$일 때, 수요양은 방정식 $1=4(X-1)^2$으로부터 $X=1\pm\dfrac{1}{2}=\dfrac{3}{2},\ \dfrac{1}{2}$이다. $0\le X\le 1$조건을 만족해야 하므로, $Q_0=\dfrac{1}{2}$이다. $X=Q_1$일 때 기울기가 -2이므로, $f'(X)=8(X-1)$로부터, $8(Q_1-1)=-2$이고 $Q_1=\dfrac{3}{4}$이다. 이때 가격이 P_1이므로 $P_1=4(Q_1-1)^2=\dfrac{1}{4}$이다. 이 제품의 가격이 1원에서 P_1원으로 변하였을 때, 가격변화율

$$\frac{\Delta P}{P}=\frac{P_1-P_0}{P_0}=\frac{\left(\dfrac{1}{4}\right)-1}{1}=-\frac{3}{4}$$

이고, 수요량 변화율은

$$\frac{\Delta Q}{Q}=\frac{Q_1-Q_0}{Q_0}=\frac{\left(\dfrac{3}{4}\right)-\left(\dfrac{1}{2}\right)}{\dfrac{1}{2}}=\frac{3}{2}-1=\frac{1}{2}$$

이다. 따라서, 수요의 가격탄력성

$$-\frac{\dfrac{\Delta Q}{Q}}{\dfrac{\Delta P}{P}}=-\frac{\dfrac{1}{2}}{-\dfrac{3}{4}}=\frac{2}{3}$$

이다.

(2) 제품가격이 1원 $(P_0=1)$일 때, 수요량은 방정식

$$1=B^2(X-1)^2$$

으로부터 $Q_0=-\dfrac{1}{B}+1$이다. 제품가격이 0.81원 $(P_1=0.04)$일 때, 수요량은 방정식

$$0.81=B^2(X-1)^2$$

으로부터 $Q_1=-\dfrac{0.9}{B}+1$이다. 제품가격이 1원일 때, k번째 회사의 이익은

$$\text{사각형 } OP_0E_0Q_0\text{의 면적} = 1\times\left(-\frac{1}{B}+1\right)=-\frac{1}{B}+1$$

이다. 제품가격이 0.81원일 때, k번째 제품으로부터 이익은

$$\text{사각형 } OP_1E_1Q_1\text{의 면적} = 0.81\left(-\frac{0.9}{B}+1\right)$$

이다. 이로부터, k번째 제품으로부터 수입의 변화는

$$\Delta R_k = 0.81\left(-\frac{0.9}{B}+1\right)-\left(-\frac{1}{B}+1\right)=\frac{1-0.9\times0.81}{B}-0.19=\frac{0.271}{2^k}-0.19$$

이다. 따라서, 제품가격이 1원에서 0.81원으로 변하였을 때, 10개 제품의 수입 변화의 총합은

$$\Delta R=\sum_{k=1}^{10}\Delta R_k=\sum_{k=1}^{10}\left(\frac{0.271}{2^k}-0.19\right)$$

이다. 이를 계산하면

$$\Delta R=0.271\sum_{k=1}^{10}\frac{1}{2^k}-1.9=0.271\times\frac{\frac{1}{2}\left(1-\left(\frac{1}{2}\right)^{10}\right)}{1-\frac{1}{2}}-1.9=-1.629-0.271\left(\frac{1}{2}\right)^{10}$$

이다. 주어진 식 $\left(\frac{1}{2}\right)^{10}=0.001$을 이용하면, $\Delta R=-1.629-0.000271=-1.629271$이다.

(3) $k=2$이다. 이때 수요 총수요곡선은

$$Y=16(X-1)^2=f(X)$$

이다. n개월 후 2번째 제품의 가격은

$$P_n=1-\sum_{m=1}^{n}\left(\frac{1}{3}\right)^m=1-\frac{\frac{1}{3}\left(1-\left(\frac{1}{3}\right)^n\right)}{1-\frac{1}{3}}=\frac{1}{2}+\frac{1}{2}\left(\frac{1}{3}\right)^n$$

원이다. 따라서, 10개월 후 발생하는 제품의 가격은

$$P_{10}=\frac{1}{2}+\frac{1}{2}\left(\frac{1}{3}\right)^{10}=\frac{1+a}{2}$$

이다. 이 때 $P_{10}=\frac{1+a}{2}=16(X-1)^2$로부터,

수요량은

$$Q_{10}=-\frac{\sqrt{(1+a)/2}}{4}+1$$

이다. 따라서, 10개월 후 발생하는 소비자 잉여는

$$Z_{10}=\int_0^{Q_{10}}f(X)dX \quad \ldots\ldots \text{(사각형 } OP_{10}E_{10}Q_{10}\text{의 면적)}$$

이를 계산하면,

$$Z_{10}=\int_0^{Q_{10}}16(X-1)^2dX-(P_{10}\times Q_{10})=\frac{16}{3}\left[(X-1)^3\right]_0^{Q_{10}}-\frac{1+a}{2}\left(-\frac{\sqrt{(1+a)/2}}{4}+1\right)$$

$$=\frac{16}{3}\left[-\frac{1}{4^3 2\sqrt{2}}(1+a)^{3/2}+1\right]+\left(\frac{(1+a)^{3/2}}{8\sqrt{2}}-\frac{(1+a)}{2}\right)$$

$$= \frac{29}{6} - \frac{a}{2} - \frac{(1+a)^{3/2}}{24\sqrt{2}} + \frac{(1+a)^{3/2}}{8\sqrt{2}}$$

$$= \frac{29}{6} - \frac{a}{2} + \frac{(1+a)^{3/2}}{12\sqrt{2}}$$

$$= \frac{29}{6} - \frac{a}{2} + \frac{\sqrt{2}\,(1+a)^{3/2}}{24}$$